COLLECTION FOLIO

Frances Mayes

Sous le soleil de Toscane

Une maison en Italie

Traduit de l'américain
par Jean-Luc Piningre

Quai Voltaire

Titre original :

UNDER THE TOSCAN SUN
AT HOME IN ITALY

© *Frances Mayes, 1996.*
© *Quai Voltaire/La Table Ronde, 1998.*

Frances Mayes est professeur de littérature à l'Université de San Francisco. Elle est l'auteur de *Sous le soleil de Toscane* (Folio n° 3183), *Bella Italia* (Folio n° 3524) et de plusieurs recueils de poésie ainsi que de nombreux articles sur la gastronomie et les vins, parus dans le *New York Times, House Beautiful* et *Food and Wine*. Elle partage sa vie entre San Francisco et Cortona, en Toscane.

PRÉFACE

« Qu'est-ce que vous faites pousser, là ? »

Le tapissier, dans l'allée, est en train de remonter un fauteuil vers la maison, mais son œil vif ne quitte pas le grand jardin.

Je réponds : « De la vigne et des olives.

— Bien sûr, de la vigne et des olives, mais à part ça ?

— Des plantes aromatiques, des fleurs.. Nous ne serons pas là au printemps, on ne peut guère planter autre chose. »

Il pose le siège dans l'herbe humide et examine les oliviers bien élagués sur les terrasses que nous déblayons en ce moment pour faire revenir la vigne.

« Plantez des pommes de terre, conseille-t-il. Ça pousse tout seul. » Il me montre la troisième terrasse. « Il y a plein de soleil, là, c'est idéal. Mettez des rattes, des rosevals, c'est bon pour les gnocchi di patate. »

*

C'est ainsi qu'au début de notre cinquième été ici, nous arrachons nos pommes de terre avant le dîner. Elles se *détachent très facilement, on croirait chercher des œufs de Pâques. Leur propreté me surprend. Elles brillent à peine passées sous l'eau.*

Il en va des pommes de terre comme d'à peu près tout le reste, depuis que nous avons entrepris il y a quatre ans de restaurer cette villa abandonnée de Toscane et de réaménager ses jardins. Francesco Falco est un homme de soixante-quinze ans qui a consacré la majeure partie de sa vie à l'entretien des vignes. Nous l'observons enfouir dans le sol la griffe d'un vieux cep qui se régénérera bientôt, puis nous l'imitons. La vigne pousse à merveille. Nous sommes des étrangers qui avons le privilège de nous trouver ici et nous voulons tout faire, tout essayer. Nous avons beaucoup restauré nous-mêmes ; « une réussite », aurait dit mon grand-père, « fruit d'une sainte ignorance ».

Lors de notre premier été ici, en 1990, j'ai acheté un grand cahier à la couverture de papier florentin relié de cuir bleu. Sur la première feuille, j'ai écrit : ITALIE. Il semblait prêt à recevoir des vers intemporels, mais j'ai commencé par y coucher des noms de fleurs sauvages, toutes sortes de projets, et du vocabulaire. J'y ai reproduit des mosaïques de Pompéi. J'y ai dépeint nos chambres, nos arbres et les cris des oiseaux. J'y ai copié des recommandations : « Planter les tournesols quand la lune entre dans la Balance », sans avoir aucune idée de la période concernée. J'ai décrit les gens que nous avons rencontrés, les plats que nous avons préparés. Ce livre est devenu une chronique de nos quatre premières années de vie toscane. Il est aujourd'hui rempli de recettes, de reproductions sur cartes postales et de poésies italiennes. On y trouve le plan d'une abbaye au rez-de-chaussée, plusieurs autres de notre jardin. Comme il est très épais, j'ai encore de quoi écrire plusieurs étés. Ce cahier bleu s'appelle maintenant Sous le soleil de Toscane, il est l'expression naturelle de mes premiers plaisirs ici. Restaurer, puis arranger la maison ; rendre à la jungle qui l'entourait sa fonction ordinaire de produire olives et raisins ; explorer les innombrables secrets de la Toscane et de l'Ombrie ; mitonner dans une autre cuisine et découvrir les liens, nombreux, entre les plats et la culture — autant de joies intenses qu'irrigue le sentiment profond d'apprendre une autre vie. La griffe de vigne que nous plantons soigneusement pour lui assurer d'autres étés devient aisément la métaphore d'une existence que nous devons transformer de temps à autre pour nous permettre d'avancer dans notre vie intérieure.

Dès les premières journées de juin, il faut arracher les herbes folles qui encombrent la terrasse. Sous la chaleur violente de juillet le sol devient très sec, et la maison doit être protégée du feu. Derrière ma fenêtre, les trois hommes équipés de sarcloirs électriques ressemblent à de gigantesques et bruyantes abeilles. Domenico viendra déchaumer les terrasses et enterrer les herbes fauchées. Son tracteur suit les boucles que les bœufs ont jadis tracées à terre. Si les sarcloirs modernes et la déchaumeuse allègent le travail, je me sens immergée au sein d'un rituel ancestral : l'été. L'Italie a la profondeur de plusieurs millénaires et je siège aujourd'hui sur un îlot de terre au sommet de ceux-ci, réjouie par le spectacle de ces lis sauvages, orange, au flanc de la colline. Je les admire encore lorsqu'un vieil homme s'arrête sur la route pour me demander si je vis ici. Il dit bien connaître l'endroit. Il s'interrompt pour observer la murette de pierre, puis d'une voix douce m'apprend

que son frère fut tué là. Âgé de dix-sept ans, il était soup-
çonné d'être un partisan. Le vieil homme hoche longue-
ment la tête et je sais qu'il ne regarde pas mon jardin de
roses, ni la petite haie de sauge et de lavande. Il est au-
delà, dans le temps. Il me souffle un baiser depuis le creux
de sa main. « Bella casa, signora. » *J'ai découvert, hier,*
un carré de bleuets autour d'un olivier, à l'endroit où son
frère, je pense, est tombé. D'où viennent-ils ? Une grive
a-t-elle perdu une graine qui aurait chu là ? Couvriront-
ils, l'année prochaine, le sommet de la terrasse ? Les lieux
anciens s'inscrivent en creux le long de sinusoïdes spatio-
temporelles. Elles suivent un genre de progression logarith-
mique selon laquelle j'apprends à m'orienter.

J'ouvre mon cahier bleu. Décrire cet endroit, nos décou-
vertes, nos promenades et notre vie quotidienne a été un
plaisir. Un poète chinois a remarqué il y a des siècles que
recréer une chose par les mots revenait à vivre deux fois. À
l'analyse, la recherche du changement est sans doute tou-
jours liée au désir d'accroître l'espace mental dans lequel
on évolue. Sous le soleil de Toscane *est la vie de cet*
espace. Le lecteur, je l'espère, est un ami venu nous rendre
visite qui apprend à verser la farine sur le gros plan de
travail avant d'y mettre l'œuf, qui se réveille au quatrième
cri du coucou caché dans les tilleuls, et descend les ter-
rasses du jardin en chantant pour les vignes ; un ami qui
cueille de grands bocaux de prunes et m'accompagne au
fil des collines dans ces villages dont les hautes tours
débordent de géraniums ; qui veut voir les olives le jour où
elles apparaissent. Un ami de vacances vient toujours
pour le plaisir. Sentez-vous le vent envelopper le marbre
brûlant des statues ? Comme de vieux paysans, nous

pourrions nous asseoir près de la cheminée, griller des tranches de pain à l'huile et déboucher un jeune chianti. Au retour de quelque grande salle ornée de Vierges Renaissance, une fois parcouru les chemins poussiéreux d'Umbertide, je mets à frire une poêlée de petites anguilles, garnie d'ail et de sauge. Il fait frais sous le figuier où les deux chats se lovent. J'ai compté : la colombe roucoule soixante fois par minute. Le mur étrusque au-dessus de la maison date du VIIIe siècle av. J.-C. Parlons. Nous avons le temps.

Cortona, 1995.

Bramare *(vieil italien)* :
se languir de

Je suis sur le point d'acheter une maison dans un
autre pays. Une maison qui porte le beau nom de
Bramasole. Grande, carrée, de couleur abricot, elle
est parée de volets vert fané, d'un vieux toit de
tuiles, et d'un balcon au premier étage où les
dames d'autrefois se sont peut-être assises, un éventail en main, pour observer quelque scène dans le
jardin. En bas, toutefois, les églantiers trop grands,
les roses enchevêtrées et les herbes folles recouvrent le sol. Le balcon donne sur le sud-est vers la
vallée profonde, et fait face au-delà aux Apennins
toscans. Lorsqu'il pleut ou que la lumière change,
la façade devient dorée, terre de Sienne, ocre ; la
dernière couche de peinture, écarlate, n'est plus
qu'un ensemble de petites taches roses, semblable
à une boîte de pastels que l'on aurait laissés fondre
au soleil. Le stuc s'est détaché par endroits pour
laisser apparaître la pierre inégale et donner une
idée de la maison, jadis. Elle domine une *strada
bianca*, une route de gravier blanc, au sommet
d'une colline aux terrasses couvertes d'arbres frui-

tiers et d'oliviers. Bramasole vient de *bramare*, se
languir de, et de *sole*, le soleil — et moi, oui, je me
languis du soleil.

La sagesse familiale s'oppose fortement à ma
décision. Ma mère a déclaré que c'était « ridicule »,
en insistant lourdement sur la première syllabe
— « RIdicule » — et mes sœurs, bien qu'épatées,
me regardent comme une adolescente prête à s'en-
fuir avec un marin dans la voiture du père. Je doute
moi-même silencieusement. Les chaises bien
droites de la salle d'attente du *notaio* ne sont pas
d'un grand secours. La paille rebelle perce ma
robe de lin blanc au moindre de mes mouvements.
C'est-à-dire souvent, puisqu'il fait bien quarante
degrés à l'intérieur. Je regarde ce que Ed est en
train de noter au verso d'un ticket de caisse : parmesan, salami, café, pain. Comment fait-il ? La
signora nous ouvre enfin sa porte et son italien tor-
rentiel nous submerge.

Le *notaio* n'est en rien un notaire, seulement un
officier légal qui mène les transactions immobi-
lières en Italie. La nôtre, signora Mantucci, est une
petite femme sicilienne, fougueuse, aux épais
verres teintés qui grossissent ses yeux. Je n'ai
entendu personne parler aussi vite qu'elle. Elle
nous lit à haute voix les articles de loi dans leur
intégralité. Moi qui croyais à la douceur de la
langue italienne. Dans sa bouche, on croirait un
éboulement. Ed la regarde attentivement. Je le sais
envoûté par le son de sa voix. Le propriétaire, le
docteur Carta, affirme soudain que son prix était

trop bas. C'est *évident*, puisque nous l'avons accepté. Nous pensons au contraire qu'il est exorbitant. Nous le *savons*. La Sicilienne ne s'arrête pas une seconde et ne se laissera interrompre que par Giuseppe, le garçon du bar au rez-de-chaussée, qui ouvre brusquement la porte noire, un plateau à la main, et paraît étonné de voir ses *Americani* assis là, hébétés. Il porte à la *signora* son *espresso* de dix heures, un dé à coudre de café qu'elle avale d'un trait sans presque cesser de parler. Le propriétaire tente de nous faire comprendre que le prix réel dépasse forcément le prix annoncé. Il insiste : « Mais c'est toujours comme ça qu'on fait. Personne n'est assez fou pour déclarer la valeur réelle. » Il propose que nous apportions un premier chèque au *notaio*, puis que nous lui en confiions une dizaine d'autres, d'un montant inférieur. Et littéralement sous la table.

Notre agent, Anselmo Martini, hausse les épaules.

Ian, l'agent immobilier anglais que nous avons engagé comme interprète, en fait autant.

Le docteur Carta conclut : « Vous alors, les Américains... Ce que vous pouvez prendre les choses au sérieux ! Et, *per favore*, antidatez les chèques sur plusieurs semaines pour ne pas alerter la banque. »

Est-ce la banque à laquelle je pense, avec cet employé au regard fuyant qui conclut paresseusement une transaction tous les quarts d'heure, entre une cigarette et deux coups de téléphone ? Le débit de la *signora* s'interrompt brusquement. Elle

fourre ses documents dans un classeur et se lève.
Nous sommes censés revenir lorsque l'argent et les
papiers seront prêts.

L'une des fenêtres de notre chambre d'hôtel
domine le long enchevêtrement des vieux toits
de Cortona et l'on aperçoit au loin l'étendue
ombreuse du Val di Chiana. Un vent chaud et violent — le sirocco — affole quelque peu les gens
normalement sages. J'y trouve l'image de mon état
d'esprit. Impossible de dormir. Il m'est arrivé aux
États-Unis d'acheter et de vendre plusieurs maisons — de charger la voiture et de couvrir avec
Spode, le chat de ma mère, et le ficus, les huit ou
huit mille kilomètres qui nous séparaient de cette
porte que la nouvelle clef nous permettrait d'ouvrir. On lâche *toujours* quelque chose en renonçant
à un toit, puisque vendre revient à se détourner
d'une masse de souvenirs et qu'acheter implique
de choisir un lieu pour l'avenir. Un lieu qui ne sera
jamais neutre et qui exercera sur nous une
influence certaine. Sans oublier les complications
usuelles, les questions de droit à résoudre. Pourtant ici, ce soir, tout, absolument tout, concourt à
ne garder devant la fenêtre à fixer les ténèbres.
L'Italie a toujours été une sorte de pôle magnétique de mes pensées. Les fermettes que nous
avons louées, quatre étés de suite, en différents
points de la Toscane, habitent encore mon esprit.

La première année, nous étions à peine arrivés
que, le soir, nous échafaudions des calculs, Ed et
moi, pour savoir si, en réunissant nos économies et
celles du couple qui nous accompagnait, nous
pourrions acheter la vieille ferme délabrée que
nous apercevions depuis la terrasse. Ed est aussitôt
tombé sous le charme de la vie à la campagne et
s'est mis à étudier les champs et les travaux agri-
coles. Les Antolini faisaient pousser du tabac,
plante honnie et pourtant si belle. Nous enten-
dions parfois un des ouvriers crier « *Vipera !* » pour
avertir ses camarades. Le soir, une vapeur violette
se dégageait des feuilles noires. La ferme de nos
voisins nous semblait si paisible, si ordonnée,
depuis la haute terrasse de notre location. Nos
amis ne sont jamais revenus, mais, lors des trois
étés suivants, nos déambulations se sont transfor-
mées en véritable quête d'une résidence d'été
— cependant, que nous trouvions ou pas l'endroit
de nos rêves, nous découvrions des huiles d'olive
incomparablement vierges et vertes, d'exquises
églises romanes dans le cœur des villages, nous ser-
pentions le long des chemins viticoles et nous nous
arrêtions goûter le plus doux brunello et le *vino
nobile* le plus noir. Qui cherche une maison four-
mille d'attention. Bien loin d'être animés de la
volonté seule d'y acheter des pêches, nous avons
visité des marchés ; nous avons soigneusement
estimé la qualité et la diversité des produits, prépa-
rant mentalement de futurs dîners d'anniversaire,
les vacances prochaines ou le petit déjeuner de nos

hôtes à venir. Nous avons passé des heures de *piazza* en *piazza*, à savourer des citrons pressés dans quelque bar, et à nous imprégner secrètement de l'âme profonde des lieux. J'ai dû mille fois baigner et frictionner mes pieds couverts d'ampoules, après des kilomètres de pavés inégaux. D'hôtels en locations, nous avons amassé des montagnes de guides, de romans, d'herbiers sauvages et de livres d'histoire. Nous avons toujours demandé aux habitants où ils aimaient manger pour trouver de petits restaurants, pourtant inconnus de notre abondante littérature. Une insatiable curiosité nous attirait tous deux vers le moindre château en ruine au flanc d'une colline. Le paradis pour moi garde la forme sinueuse d'un chemin de terre dans les vergers toscans, aussi perdu qu'aimable.

Cortona est la première ville où nous ayons séjourné et nous y sommes revenus chaque été par la suite, alors que nous louions d'autres maisons, curieuses et fascinantes, près de Volterra, de Florence, de Montisi, de Rignano, de Vicchio ou de Quercegrossa. L'une d'elles avait une cuisine où l'on ne rentrait pas à deux, alors que, dans une autre, l'eau chaude et les couteaux étaient inexistants. Cette maison-là en revanche, construite sur les remparts d'une cité médiévale, dominait les vignes. Dans une autre encore, l'argenterie, les verres et la vaisselle de porcelaine étaient prévus pour quarante personnes, alors que la glace du freezer débordait tous les jours. La porte du réfrigérateur s'ouvrait régulièrement vers seize heures pour nous présenter un nouvel igloo. Quand le temps était à l'humide, je prenais l'électricité à peine je touchais quelque chose dans la cuisine. Selon la légende, c'est dans le parc de cette maison que Cimabue aurait découvert le jeune Giotto en train de dessiner un mouton, par terre dans la poussière. Dans une autre location, les matelas étaient tellement défoncés que nous nous réveillions le dos broyé. Des chauves-souris descendaient par la cheminée et volaient sur nos têtes, tandis que les vers s'attaquaient aux poutres en laissant de fins filets de sciure tomber sur l'oreiller. La cheminée était si grande que nous pouvions y loger tous deux pendant que nous faisions griller nos escalopes de veau aux poivrons.

Nous avons parcouru des milliers de kilomètres pour visiter des maisons situées dans les plaines inondées au printemps par le Tibre, ou dominant des mines à ciel ouvert. Un agent de Sienne nous a promis, plein d'allégresse, que la vue y serait à nouveau merveilleuse dans une vingtaine d'années, puisque la loi stipule que les mines doivent être comblées pour que l'on y replante des arbres. Nous avons déniché une villa dans un fantastique village médiéval, hors de prix. Nous avons trouvé dans un bar un paysan édenté qui a tenté de nous fourguer la maison de son enfance — un poulailler en pierre, sans fenêtre, collé à une autre maison, où les chiens nous montraient les dents en tirant sur leurs cordes. Nous nous sommes épris d'une ferme des abords de Montisi ; la *contessa* qui en était pro-

priétaire nous a gardés sur la brèche des journées
entières, avant de décider qu'elle avait besoin d'un
signe de Dieu pour vendre. Nous avons dû partir
avant qu'il ne se manifeste.

Quand je pense à ces endroits, ils me semblent
étrangers, comme l'est devenue, aussi absurde-
ment, Cortona aujourd'hui. Ed n'est pas de mon
avis. Il revient chaque après-midi à la *piazza* où il ne
quitte pas des yeux le jeune couple qui s'efforce de
promener le nouveau-né dans son landau. Ils sont
obligés de s'arrêter toutes les deux secondes. Le
landau est assiégé, les passants se penchent vers le
bébé, émettent différents bruits et le couvrent de
louanges. « Je veux être réincarné, affirme Ed, en
bébé italien. » Il s'immerge complètement dans la
vie de la *piazza* : ici un homme sensuel, alangui,
enivré, remonte ses manches pour bien mettre ses
muscles en valeur avant de prendre, langoureux,
son menton dans sa main ; là c'est une flûte *solo* qui
chante Vivaldi et s'élève dans les airs depuis la
fenêtre ouverte ; les bouquets du fleuriste éclatent
de couleurs devant la boutique de pierre ; un
homme sans cou décharge des agneaux entiers de
son camion. Il les prend à l'épaule comme des sacs
de farine : les yeux des animaux sortent presque de
leurs orbites. Toutes les cinq minutes, Ed lève les
yeux vers la grande horloge qui depuis tant d'années a maintenu l'heure au-dessus de la place. Il
part enfin se promener, et ouvre sa mémoire à
chaque pierre de la rue.

C'est bientôt l'aube. En face, dans la cour de

l'hôtel, un Arabe en voyage se met à psalmodier, juste au moment où je finis par m'endormir. Sa mélopée ressemble à un gargarisme à l'eau salée. Ses modulations ne couvrent qu'un tout petit registre et cela dure des heures. J'ai envie de me pencher et de crier : « La ferme ! » Je ne peux m'empêcher de rire, une ou deux fois. Je jette un coup d'œil au-dehors et je le vois dodeliner de la tête, un doux sourire aux lèvres. Il me rappelle les crieurs des enchères au tabac, dans les entrepôts surchauffés du Sud où j'ai grandi. Je suis à onze mille kilomètres de chez moi, prête à me faire délester de toutes mes économies sur un seul coup de tête. Est-ce bien un coup de tête ? J'ai l'impression d'être tombée amoureuse, et l'amour ne s'apparente jamais tout à fait à un caprice. Cela vient de beaucoup plus loin. Ou je me trompe ?

*

C'est chaque fois plus agréable de quitter les chambres fraîches de l'hôtel et leurs hauts plafonds pour déambuler en ville sous les rayons acérés du soleil. La terrasse du Bar des Sports donne sur la piazza Signorelli. Chaque matin, des fermiers viennent vendre leurs produits sur les marches du *teatro*. Il date du XIXᵉ. Nous prenons un *espresso* en les regardant peser leurs tomates sur de vieux plateaux rouillés. Autour de la place se presse un alignement de *palazzi* médiévaux ou Renaissance. Quelqu'un pourrait ouvrir une porte à tout

moment et entonner *La Traviata*. Nous étudions
chaque jour les voûtes médiévales de l'enceinte
étrusque, nous explorons ces ruelles où seule une
Fiat 500 arrive à se glisser, flanquées de maisons
Renaissance ou plus anciennes, et nous nous faufi-
lons dans les *vicoli*, plus étroits encore, ces mystérieux passages aux escaliers si raides. On distingue
encore dans la pierre le dessin des « portes des
morts », murées, fantomatiques, près de l'entrée
principale. Certains disent qu'elles étaient réservées à l'évacuation des pestiférés — pas question de
leur faire quitter la ville par la grande porte, cela
porterait malheur. Je remarque que les gens laissent souvent leurs clefs à la serrure.

Les guides décrivent Cortona comme une ville
« sombre », « austère ». Ils ont tort. Elle est juchée
sur une colline avec ses bâtisses droites, massives, et
il se dégage de son architecture verticale un réel
dynamisme. En traversant la *piazza*, je vois les
ombres dures et anguleuses tomber sur le sol avec
une netteté tout euclidienne. J'ai envie de me tenir
droite — la rectitude des constructions de pierre
semble celle aussi des habitants. Ils marchent lentement, d'une allure que je trouve distinguée. Je
n'arrête pas de dire : « Cet homme, quelle élégance ! Cette femme est superbe, non ? Regarde
bien ses traits — on jurerait Raphaël. » En fin
d'après-midi, nous sommes assis de nouveau
devant nos *espressi*, cette fois dans l'autre *piazza*.
Une femme d'une soixantaine d'années passe
devant nous, bras dessus, bras dessous avec sa fille

et sa petite-fille — une adolescente. Leurs visages resplendissent de soleil. Nous ne savons pourquoi la lumière est si particulière. Ce sont peut-être les champs de tournesol qui irradient la ville. Les trois femmes semblent paisibles, heureuses et fières de l'être. Il faudrait frapper des médailles à leur effigie.

Pendant que nous sirotons nos cafés, le dollar dégringole. Nous nous arrachons chaque matin de la *piazza* pour faire le tour des banques et étudier leurs taux. Celui-ci importe peu lorsque, au dernier moment, on cède à une impulsion et qu'on change un chèque de voyage dans un marché au cuir. Mais c'est d'une maison avec deux hectares qu'il s'agit, et chaque lire compte. Mon estomac se soulève autant que le dollar baisse. Et à chaque fois qu'il perd cent lires, notre maison augmente. Je ne peux m'empêcher, c'est absurde, de calculer également combien de paires de chaussures je pourrais obtenir pour le même prix. Mon péché secret. Les années précédentes, elles ont constitué l'essentiel de mes achats ici. Je suis parfois rentrée avec neuf paires toutes neuves : chaussures plates en serpent, sandales, bottes de daim bleu, divers escarpins noirs plus ou moins hauts.

C'est surtout la commission qui change, d'une banque à l'autre, lorsqu'elles reçoivent une somme importante de l'étranger. Nous voulons négocier. L'argent viré peut prendre des semaines avant d'être disponible, et elles en profiteront pour garder le maximum d'intérêt.

Nous finissons par apprendre comment les choses se passent. Le docteur Carta, pressé de conclure, appelle d'abord sa banque — celle de son père et de son grand-père — à Arezzo. C'est à une demi-heure de route. Il nous téléphone ensuite. « Allez-y, dit-il. Ils ne prendront aucune commission sur le virement, et ils appliqueront le taux en vigueur le jour où vous l'aurez. »

Son savoir-faire ne m'étonne pas, bien qu'il se soit montré ostensiblement peu intéressé d'un bout à l'autre des négociations — il s'est contenté de demander le prix fort et de ne pas en démordre. Il a acheté la propriété l'année dernière aux cinq vieilles sœurs d'une famille de propriétaires terriens à Pérouse, avec l'intention, a-t-il dit, d'en faire une résidence d'été pour la sienne. Mais il a hérité avec sa femme d'une autre maison sur la côte et décidé d'utiliser celle-là. Est-ce vrai, ou a-t-il acheté la nôtre une bouchée de pain aux cinq nonagénaires, pour maintenant encaisser le gros lot sur notre dos et payer sa villa ? Je ne l'envie pas, non. Mais il est malin.

Le docteur Carta, de peur peut-être que nous changions d'avis, nous rappelle et nous donne rendez-vous à la maison. Son Alfa 164 arrive en vrombissant. Il arbore Armani des pieds à la tête. « Il y a un plus », dit-il, comme s'il poursuivait une conversation déjà entamée. « Suivez-moi, je vous montre, si vous voulez. » Il nous entraîne, une centaine de mètres plus bas sur la route, vers un sentier pierreux couvert de genêts odorants. Curieusement, le chemin mène à la colline où il se met à sinuer. Nous atteignons bientôt un immense panorama, large de deux cents degrés, plongeant sur la vallée. Toute bordée de cyprès, la route de pierre s'étend sous nos yeux dans le paysage riant des champs de vignes et des oliveraies bien nettes. Un trait de pinceau dessine au loin le lac Trasimeno ; nous apercevons à droite le profil des toits rouges de Cortona se détacher du ciel. Triomphant, le docteur Carta se tourne vers nous. Les dalles du chemin de pierre sont ici plus larges. « Les Romains : c'est eux qui ont construit cette route, elle mène droit à Cortona. » Le soleil nous rôtit sur place. Carta n'en finit pas d'épiloguer sur la grande église au sommet de la colline. Il nous montre la direction que devait prendre, dans l'autre sens, le petit sentier de pierre — il traverse notre propriété.

De retour à la maison, il ouvre un robinet extérieur et s'asperge d'eau. « Vous avez là la meilleure eau, *acqua minerale*, rien que pour vous. Excellente pour le foie. *Eccellente !* » Il parvient à se montrer à la fois enthousiaste et vaguement ennuyé, amical avec un rien de condescendance. Je me demande si nous n'aurions pas abordé les questions d'argent d'une façon trop brutale. Ou peut-être lors des transactions a-t-il interprété notre attitude, américaine et respectueuse des lois, comme étant incroyablement naïve. Il laisse l'eau couler, les mains jointes sous le robinet, et se penche soigneusement pour boire sans faire tomber la veste de lin bien coupée qu'il a jetée sur son épaule. « Il y a assez d'eau pour construire une piscine, poursuit-il. Il faut la mettre à l'endroit où l'on aperçoit le lac, c'est là qu'Hannibal a battu les Romains. »

Nous sommes éberlués par la présence d'une voie romaine sur cette colline couverte de fleurs. Nous suivrons le sentier de pierre jusqu'à la ville pour y prendre des cafés en fin d'après-midi. Carta nous montre le vieux réservoir à eau. L'eau est précieuse en Toscane où on la recueillait jadis sans perdre la moindre goutte. Nous avons déjà remarqué, en braquant le rayon d'une torche dans l'ouverture, que le réservoir souterrain donne sur un passage voûté. Dans la forteresse des Medici, en haut de la colline, nous avons observé un passage identique. Le gardien nous a expliqué là-haut qu'un souterrain secret part rejoindre la vallée et mène au lac Trasimeno. Les Italiens ne font pas grand cas de ces vestiges. Il me semble pourtant inconcevable qu'on ait le droit d'en être propriétaire.

*

Quand j'ai vu Bramasole pour la première fois, j'ai immédiatement eu envie de suspendre mes vêtements d'été dans un *armadio* et de disposer mes livres sous l'une des fenêtres qui dominent la vallée. Nous venions de passer quatre jours en compagnie de signor Martini, qui travaille dans un petit bureau sombre de la ville basse, via Sacco e Vanzetti. Une photo de lui en soldat, au service de Mussolini peut-être, était accrochée au-dessus de son bureau. Il nous a écoutés comme si nous parlions un italien parfait. Lorsque nous avons fini de décrire ce que nous croyions vouloir, il s'est levé, s'est coiffé de son borsalino et n'a dit qu'un mot : « *Andiamo* », allons-y. Bien qu'il eût récemment subi une opération au pied, il nous a conduits le long de routes invisibles, repoussant en chemin des jungles d'épineux, pour nous montrer des endroits connus de lui seul. Des fermes au toit effondré, à des kilomètres de la ville, beaucoup trop chères. L'une d'elles se flattait de posséder une tour construite par les Croisés, cependant la propriétaire, notre *contessa*, s'est mise à pleurer sur place en doublant son prix lorsqu'elle a constaté que nous étions vraiment intéressés. Une autre faisait partie d'un ensemble de fermes où les poules vivaient réellement en liberté — elles entraient et sortaient à leur gré des bâtiments. Les porcs s'entassaient dans la cour avec le matériel agricole rouillé. Certaines maisons semblaient manquer d'air ou se trouvaient trop au bord de la route. En revanche, la dernière aurait exigé qu'on en construise une pour y accéder — elle était cachée par un mur de ronces et de mûriers, et nous avons dû nous contenter de regarder l'intérieur par une fenêtre à cause d'un serpent, enroulé sur le palier, qui refusait de s'en aller.

Nous avons accepté les fleurs du signor Martini, nous l'avons remercié et salué. Il semblait sincèrement navré de nous voir partir.

Le lendemain matin, nous l'avons rencontré sur

la *piazza* après le café. « Je viens de voir un médecin d'Arezzo, a-t-il dit. Il serait peut-être prêt à vendre sa maison. » Il ajouta avec emphase : « *Una bella villa.* » Elle était accessible à pied depuis Cortona.

« Combien coûte-t-elle ? » avons-nous demandé, bien que nous sachions déjà que Martini se montrât humilié qu'on lui pose directement ce genre de question.

« Allons juste voir » fut sa seule réponse. Une fois sorti de Cortona, il emprunta la route montante qui rejoint en sinuant l'autre côté de la colline. Il bifurqua dans la *strada bianca* et, au bout de deux kilomètres, s'engagea dans une longue allée en pente. J'aperçus rapidement une niche dans la murette, puis levai les yeux vers une maison de deux étages, dotée d'une imposte de fer forgé au-dessus de la grande porte flanquée de palmiers. Dans la fraîcheur du matin, la façade paraissait rayonnante, patinée de teintes citron, rouge et *terra-cotta.* Nous descendîmes de voiture sans dire mot. Après tant de détours le long de routes inconnues, cette maison semblait simplement nous attendre.

« Parfait, on la prend », dis-je pour plaisanter, tandis que nous nous frayions un chemin parmi les herbes folles. Le signor Martini s'abstint de tout commentaire et regarda simplement avec nous. Nous avons traversé la pergola rouillée, courbée sous le poids des rosiers grimpants. La double porte d'entrée a lâché un cri rauque, comme un être vivant, quand nous l'avons poussée. La fraî-

cheur émanait des murs de la maison, aussi épais
que mon bras est long. Le verre des fenêtres trem-
bla. Je dégageai du pied la poussière sableuse du
sol et découvris en dessous des dalles lisses en parfait état. Ed ouvrit les fenêtres de chaque pièce et
repoussa les volets pour trouver un spectacle toujours plus enchanteur, composé de cyprès, de
vertes collines caressantes, et de villas lointaines
dans la vallée. Il y avait même deux salles de bains
en état de fonctionner. Elles n'étaient pas belles,
mais c'étaient de vraies salles de bains, après tant
de maisons sans plancher, voire sans aucune plomberie. Personne n'avait vécu là depuis trente ans et
l'endroit nous parut un jardin enchanté, recouvert
par les herbes, croulant sous les mûriers sauvages
et la vigne vierge. J'aperçus le signor Martini contempler le jardin d'un œil expert d'agriculteur. Le
lierre s'enroulait dans les arbres et recouvrait les
murettes effondrées des terrasses. « *Molto lavoro* »,
beaucoup de travail, fut tout ce que dit notre
agent.

Après des années de recherches, menées parfois
en dilettante, mais aussi jusqu'à l'épuisement, je
n'ai jamais vu une maison me dire *oui* aussi parfaitement. Cependant nous partions le lendemain et,
lorsque nous avons appris le prix, nous avons tristement dit non et sommes rentrés chez nous.

Les mois qui devaient suivre, j'ai mentionné de
temps à autre le nom de Bramasole. J'ai glissé une
photo à l'angle de mon miroir et me suis mise de
tête à en parcourir les jardins. La maison est bien

sûr une métaphore du moi, mais c'est aussi une chose réelle. Et une maison *à l'étranger* accentue tous les caractères propres d'une demeure. Comme mon mariage était disloqué, que je posais les jalons d'une nouvelle relation, la quête de cette maison était de quelque façon associée à l'identité future que je tentais de me forger. Une fois la bataille juridique du divorce terminée, je me suis retrouvée avec une fille d'âge adulte, un travail à plein temps à l'université (après des années d'enseignement partiel), un modeste portefeuille d'actions, et tout l'avenir à inventer. Si mon divorce a eu la dureté de la mort, je me suis curieusement sentie revenir à moi-même au terme de longues années d'une vie familiale soudée. Le besoin s'est affirmé de faire le point sur mon existence, mais dans une autre culture, d'aller au-delà de ce que je connaissais. Je voulais trouver un cadre *physique* qui occupe et remplace l'espace mental de ma vie passée. Ed partage en tout point ma passion pour l'Italie et il profite comme moi des trois mois de vacances que lui autorise son travail à l'université. Nous mettrons à profit là-bas nos longues journées d'été pour parcourir les routes, mais aussi pour écrire et poursuivre nos recherches. Lorsqu'il est au volant, Ed choisira *à chaque fois* de s'engager sur la petite route mystérieuse qui se présente à nous. La langue, l'histoire, les arts, les sites d'intérêt offrent d'infinies richesses en Italie — deux vies ne suffiraient pas à tout explorer. Sans parler de ce nouveau moi à l'étranger. C'est une existence nouvelle. Elle épousera sans doute les formes et les rythmes de cette maison qui a déjà sa place dans le paysage.

Au printemps, j'ai téléphoné à une Californienne qui était en train de monter une affaire immobilière en Toscane. Je lui ai demandé de se renseigner ; si Bramasole n'était pas déjà vendue, le prix aurait peut-être baissé. Une semaine plus tard, elle m'a rappelée depuis un bar après avoir rencontré le propriétaire. « Oui, elle est toujours à vendre, mais selon cette logique typiquement italienne, le prix a augmenté. Le dollar baisse, m'a-t-elle rappelé. Et il y a beaucoup de travaux à faire là-dedans. »

Nous revoilà maintenant en Italie. Le temps a passé et, selon une logique également typique, je me suis décidée à acheter Bramasole. Après tout, le seul problème est le prix. Nous adorons tous deux le cadre, la ville, la maison et le jardin. S'il n'y a que ce petit problème, je me dis qu'il faut y aller.

Il n'empêche. Cela va coûter un *sacco di soldi.* Et la tâche sera immense de nettoyer l'intérieur et l'extérieur, depuis si longtemps négligés. Les fuites, la moisissure, les murettes qui s'effondrent, le plâtre qui s'effrite, l'odeur d'un des deux cabinets de toilette. Il y a une baignoire sabot dans la salle de bains, tout en métal, mais le siège des w.-c. est fêlé.

Pourquoi suis-je excitée à cette idée, alors qu'à San Francisco refaire la cuisine s'est avéré gravement nuisible à mon équilibre ? Il est impossible, à la maison, de mettre un cadre au mur sans déloger une bonne poignée de plâtre. Lorsqu'il faut déboucher l'évier, puisqu'on oublie toujours que le broyeur est allergique aux feuilles d'artichaut, la fange semble remonter du fond de la baie.

Mais pourtant : une villa majestueuse au bord d'une voie romaine, une colline parée de son enceinte étrusque (oui, étrusque !), un château Medici à l'horizon, la vue sur le Monte Amiata, le souterrain près du réservoir, cent dix-sept oliviers, vingt pruniers, sans compter ces abricotiers, amandiers, pommiers et poiriers que nous n'avons pas encore tous dénombrés. Les figuiers ont l'air beau et sain autour du puits. Il y a un grand noisetier tout près du perron. Et la proximité d'une des villes les plus superbes que j'aie jamais vues. Nous serions fous, n'est-ce pas, de renoncer à cette merveille du nom de Bramasole ?

Et si l'un de nous deux se faisait renverser par un camion ? Qu'il ne pouvait plus travailler ? J'énumère, morose, toutes les maladies qui peuvent nous assaillir. Une de mes tantes morte d'une crise cardiaque à l'âge de quarante-deux ans, ma grand-mère devenue aveugle, toutes ces horreurs... Et qu'un tremblement de terre détruise nos bâtiments à l'université ? Celui des Arts et Lettres est en bonne place sur la liste des propriétés d'État susceptibles de s'effondrer lors d'une modeste secousse. Et s'il y avait un nouveau krach ?

Je bondis hors des draps à trois heures du matin et file droit sous la douche où je laisse l'eau froide

envelopper mon visage. Je reviens au lit en tâton-
nant dans le noir et je me cogne le petit orteil sur le
cadre métallique du sommier. La douleur remonte
jusqu'à la nuque. « Ed, réveille-toi, je crois que je
me suis cassé un orteil. Comment peux-tu dormir ? »

Il s'assoit. « J'étais en train de rêver que je ramassais des herbes dans le jardin. De la sauge et de la
citronnelle. On dit *salvia*, pour sauge, en italien. »
Pas un instant Ed n'a fléchi, n'a renoncé à cette
idée merveilleuse, à ce paradis sur terre. Il allume
la lampe de chevet. Je vois qu'il sourit.

L'ongle de mon petit orteil est à moitié arraché.
La partie épargnée a pris une affreuse teinte violette. Je ne supporterai ni de le laisser ni de l'enlever. Je déclare : « Je veux rentrer à la maison. »

Ed pose un pansement adhésif sur mon doigt de
pied et demande : « Tu veux parler de Bramasole ? »

*

Le gros sac d'argent a bien été viré de Californie,
mais on ne l'a pas reçu. Comment est-ce possible,
dis-je à la banque, quand on vire de l'argent, il
arrive tout de suite. Ils continuent de hausser les
épaules. C'est peut-être l'agence principale de Florence qui fait de la rétention. Les jours passent. Au
bar, j'appelle Steve, mon *broker* en Californie. Je
dois hurler pour couvrir le match de football à la
télévision. « Il faut que tu vérifies sur place,
répond-il sur le même ton, ton virement est parti il

y a un bon moment et est-ce que tu sais qu'il y a eu quarante-sept gouvernements différents en Italie depuis la fin de la guerre ? Ton argent a bénéficié des meilleurs taux de croissance et des plus hautes déductions fiscales. Tes obligations d'Australie t'ont rapporté dix-sept pour cent. Ah, la la, *la dolce vita.* »

Les moustiques (qu'ils appellent *zanzare*, quelle onomatopée !) ont envahi l'hôtel avec le vent du désert. Je me retourne dans les draps jusqu'à ce que ma peau brûle. Je me lève au milieu de la nuit et me penche à la fenêtre entre les volets. J'imagine les autres clients, les pieds couverts d'ampoules après des kilomètres de pavés inégaux, leur guide touristique encore à la main. Il est toujours temps de reculer, de jeter nos sacs dans la Fiat de location et de dire *arrivederci*. De rejoindre la côte d'Amalfi et d'y rester un mois avant de rentrer, bronzés et détendus. D'acheter quantités de chaussures. J'entends encore mon grand-père me dire, quand j'avais dix-huit ans : « Sois réaliste. Sors la tête des nuages. » Il était furieux que j'étudie la poésie, le latin, l'étymologie, toutes choses parfaitement inutiles. Et aujourd'hui, j'ai la tête à quoi ? La tête d'une femme prête à acheter une maison en état d'abandon dans un pays dont je parle à peine la langue. Grand-père doit user son linceul à force de se retourner dans son cercueil. Et nous ne disposons pas d'une montagne d'argent pour nous sortir de là, si le mystérieux aléa vient croiser notre chemin.

*

D'où vient cette passion des maisons ? Je descends d'une longue lignée de femmes qui ouvrent leurs sacs à main pour en sortir des échantillons de tapisserie ou de toile de jute, des petits carreaux de couleur, des nuanciers de peinture jaune. Nous sommes amoureuses du concept des quatre murs. « À quoi ressemble sa maison ? » demandera ma sœur à propos de quelqu'un, lorsqu'en réalité nous savons toutes deux que sa question signifie : à quoi ressemble-t-*elle* ? Je ramasse les prospectus immobiliers à la sortie des magasins quand je pars en week-end, même si l'endroit est proche de mon domicile. Une année, au mois de juin, nous avons loué une maison à Majorque avec deux amies ; un autre été, j'ai résidé dans une petite *casa* de San Miguel de Allende où j'ai commencé à nourrir une sérieuse affection pour les fontaines des cours intérieures, les chambres à coucher aux balcons couverts de bougainvillées, et l'austère Sierra Madre. Un été à Santa Fe, je me suis mise à examiner les constructions d'argile sèche, les adobes, et à imaginer que je deviendrais une vraie Sudiste, de celles qui cuisinent des *chilis*, portent des bijoux de turquoise sertis comme des fleurs — une vie différente, l'occasion de donner forme à une autre part de moi. Je suis partie à la fin du mois et n'y suis jamais retournée.

J'aime les îles côtières de la Géorgie, où j'ai passé

plusieurs étés lorsque j'étais petite. Pourquoi pas une de ces maisons délavées, là-bas, dont le bois semble avoir été repoussé par le rivage ? Tapis de coton, thé glacé à la pêche, les pastèques que l'on laisse rafraîchir dans l'eau de la crique, et la mer qui chaque nuit roule et gronde derrière la fenêtre. Un endroit où mes sœurs, mes amies, leurs familles respectives pourraient venir facilement. Mais je ne peux oublier que, toutes les fois où je me suis retrouvée à marcher de nouveau dans mes propres brisées, je n'ai pas senti de renouveau en moi. Si je me laisse envoûter par le charme du connu, celui de la surprise est légèrement plus fort. L'Italie semble exercer sur moi une attirance sans fin — pourquoi, dès lors, ne pas considérer la phrase d'ouverture de *La Divine Comédie* : que devons-nous faire pour grandir ? Je préfère me rappeler mon père, fils de ce grand-père prosaïque et grippe-sou qui fut le mien. « La devise de la famille, disait le premier, c'est "faire nos bagages pour les défaire". » Également : « On voyage en première classe ou pas. »

Allongée sans dormir, je sens poindre la forme familière de La Réponse. À la manière des jeux de questions-réponses de mon enfance, je sens souvent une idée ou la solution d'un dilemme flotter comme dans un paquet de cartes, et j'ai alors l'impression soudaine de retourner l'inscription en lettres blanches. J'aime le lieu chargé de l'attente, la sensation mentale et physique des méandres de mon esprit, tandis qu'un corps mystérieux se fraie un chemin vers la conscience.

Et si tu ne *ressentais* aucune certitude ? demande l'inscription en blanc. Es-tu exempte de tout doute ? Et pourquoi ne pas renommer la chose plaisir ou excitation ? Je suis penchée au bord de cette vaste fenêtre alors que les premières lueurs du lever mordent le ciel mauve et or. Le prieur dort encore. Partout l'ondoyant paysage reste serein. Les fermes aux teintes de miel, placées harmonieusement en creux, se dressent comme d'épaisses miches de pain au sortir du four. Je sais qu'à la période jurassique les collines ont été violemment soulevées, mais leur modelé rond semble l'œuvre d'une grande main. À mesure que la lumière s'intensifie, la terre s'ouvre doucement à un spectre léger : l'encre d'un billet vert passé à la machine, un blanc crème fané, le ciel bleu comme un œil qui ne voit plus. Les peintres de la Renaissance ont su les maîtriser. Je n'ai jamais pensé que les Perugino, les Giotto ou les Signorelli étaient des réalistes, mais leurs paysages sont toujours là au fond, comme le découvrent la plupart des touristes, avec ces cyprès noirs que la brosse a inscrits pour souligner toutes les compositions offertes au regard. Je sais maintenant d'où vient la luminosité de la botte rouge de l'ange blond et doré du musée de Cortona, je comprends pourquoi le bleu cobalt de la robe de la madone paraît si dense, si profond. Devant un tel paysage, sous une telle lumière, tous les contours ressortent. Même la serviette qui sèche

sur la corde tendue à l'étage en dessous devient
parfaitement saturée de son propre rouge.

Penser : et si le ciel ne tombait pas ? Si c'était
merveilleux ? Si, dans trois ans, la maison était
arrangée ? Nous écrirons nous-mêmes les éti-
quettes des bouteilles d'huile d'olive que nous pro-
duirons, nous tirerons pour la sieste de fins rideaux
de toile devant les volets, il y aura sur les étagères
des confitures de prunes, une grande table sous les
tilleuls pour recevoir et fêter, des paniers entassés à
la porte pour aller ramasser les tomates, la
roquette, le fenouil, les roses et le romarin. Et qui
serons-nous dans cette vie inconnue ?

*

L'argent finit par arriver, notre compte est ouvert. Mais pas de chèques. Cette énorme banque,
siège de douzaines d'autres agences du centre for-
tuné de l'Italie, n'a pas de chèques à nous donner.
« Peut-être la semaine prochaine, nous explique la
signora Raguzzi, pour l'instant, on n'a rien. » Nous
en bafouillons. Elle nous appelle deux jours plus
tard : « J'ai dix chèques pour vous. » Mais quel est
leur problème avec les chèques ? Elle nous les dis-
tribue un par un. Toujours humides, les lèvres de
la signora Raguzzi, jupe serrée et tee-shirt moulant,
font sans arrêt la moue. Sa peau luit. D'une beauté
surprenante, elle porte un magnifique collier en or
et des bracelets à chaque poignet qui s'entrecho-

quent tandis qu'elle tamponne notre numéro de
compte.

« Quels beaux bijoux, ces bracelets sont superbes, dis-je.

— Tout est en or ici », répond-elle d'une voix
morne. Elle en a assez des tombeaux et des *piazze*
d'Arezzo. La Californie semble l'attirer. Son visage
s'éclaire à chaque fois qu'elle nous voit. La banque
prend un aspect surréaliste. Nous sommes dans
l'arrière-salle. Un homme pousse un chariot
chargé de lingots d'or — de vraies petites briques
dorées. Personne ne semble monter la garde. Un
autre homme saisit deux lingots qu'il dépose dans
un classeur froissé. Il est habillé comme un ouvrier.
Puis il sort dans la rue, son butin sous le bras. Pas
de camion blindé, rien — mais quel déguisement
génial ! Revenons-en à nos chèques. Ils ne porte-
ront en filigrane ni palmier, ni port de plaisance,
ni cavaliers du Pony Express, ni encore de nom,
d'adresse, de numéro de permis de conduire ou de
sécurité sociale. Ce sont d'ordinaires chèques que
l'on croirait imprimés dans les années vingt. Nous
sommes parfaitement heureux. Avoir un compte
en banque, c'est presque être citoyen.

Nous finissons par nous retrouver dans le bureau
du *notaio* pour régler l'affaire. Tout le monde parle
en même temps et personne n'écoute. Le marteau
piqueur, à l'extérieur, perfore mes neurones. On
mentionne deux bœufs et deux jours. Ian, qui traduit, s'interrompt et nous explique cette image
archaïque qui correspond à la description légale

employée au XVIIIe siècle pour mesurer l'étendue
du terrain, selon le temps nécessaire pour le labourer avec deux bœufs. Nous disposons, semble-t-il,
d'une propriété équivalant à deux jours de labour.

Je rédige les chèques. J'ai des crampes aux doigts
à chaque fois que j'écris *milione*. Je pense à toutes
mes belles actions et obligations, sûres et garanties,
à mes valeurs mobilières de premier ordre, qui se
transforment comme par magie en une grande
maison vide et un jardin en terrasses. La serre californienne dans laquelle je viens de vivre dix ans,
avec ses mandariniers nains, ses citronniers, ses lauriers-cerises et ses goyaviers, semble s'éloigner derrière le champ de vision d'une paire de jumelles.
Million est un si gros mot dans notre langue que
j'ai du mal à m'en servir comme si de rien n'était.
Ed compte soigneusement les zéros, de peur que
par mégarde je n'écrive *miliardo*. Il paie le signor
Martini, *cash*. Celui-ci n'a jamais parlé de ses honoraires ; c'est le propriétaire qui nous a appris quel
pourcentage lui revient. Martini semble content,
comme si nous venions de lui faire un présent.
Voilà pour moi une manière incompréhensible,
quoique fort agréable, de conclure une affaire. Ils
se serrent tous la main. Crois-je déceler un sourire
sournois sur les lèvres de l'épouse du docteur ?
Nous nous attendons à recevoir un acte de vente
sur parchemin, avec de belles lettres anciennes,
mais non, madame le *notaio* prend bientôt ses
vacances et s'efforcera de terminer la paperasse
avant de partir. « *Normale* », affirme le signor Mar-

tini. J'ai remarqué depuis longtemps que l'on croit ici sur parole quiconque prononce ce mot. Les contrats et leurs clauses infinies ne sont simplement pas de mise. Nous nous retrouvons dans la chaleur brutale de l'après-midi, sans autre bien que deux lourdes clefs de métal plus grandes que ma main. La première ouvre le portail rouillé, l'autre, la porte d'entrée. Elles ne ressemblent en rien aux clefs que j'aie jamais tenues. Et il ne faut pas espérer en demander les doubles.

Giuseppe nous fait signe depuis la porte du bar et nous lui apprenons que nous venons d'acheter une maison. « Où est-elle ? demande-t-il.

— Bramasole, commence Ed, avant d'expliquer où elle se trouve.

— Ah, Bramasole, *una bella villa !* » Giuseppe allait y ramasser des cerises quand il était petit. C'est le milieu de l'après-midi, mais il nous tire à l'intérieur pour nous offrir deux verres de *grappa*. « *Mama !* » crie-t-il. Sa mère et sa sœur quittent l'arrière-salle pour nous rejoindre et tous trinquent avec nous. Tout le monde parle en même temps. Ils nous appellent les *stranieri*, les étrangers. Leur *grappa* m'aveugle tant elle est forte. Nous buvons nos verres aussi vite que la signora Mantucci avale ses *espressi* et nous repartons sous le soleil. La voiture est brûlante comme un four à pizza. Nous restons assis sans refermer les portières et le fou rire nous prend.

*

En signant les derniers papiers, nous nous sommes arrangés pour que l'on vienne nettoyer un peu la maison et nous avons fait livrer un lit. Nous avons acheté en ville une bouteille fraîche de *prosecco*, puis nous sommes arrêtés à la *rosticceria* prendre des courgettes à l'huile, des olives, un poulet rôti et des pommes de terre.

Nous arrivons à la maison, étourdis par les événements et le verre de *grappa*. Anna et Lucia ont lavé les fenêtres, exorcisé des couches de poussière, et autant de toiles d'araignées. À l'étage, la salle de bains qui donne sur la terrasse dallée est immaculée. Elles ont paré le lit de ses draps bleus et neufs, et laissé la porte-fenêtre ouverte, devant les tilleuls, au chant des coucous et des canaris. Nous cueillons les dernières roses — roses — dans le jardin extérieur et les serrons dans le goulot de deux vieilles bouteilles de chianti. Une fois les volets fermés, la chambre aux murs chaulés, au plancher juste ciré, au lit tout propre et aux draps neufs, éclairée de roses légères devant la fenêtre, semble aussi pure sous notre ampoule de quarante watts que la cellule d'un franciscain. J'y mets à peine le pied que je suis déjà sûre qu'il n'en est pas de plus parfaite.

Nous nous douchons et nous changeons. Puis, assis sur la murette de la terrasse, dans la sérénité du couchant, nous buvons à notre santé, à celle de la maison, partageant de grands verres de ce *prosecco* parfumé qui semble une forme liquide de l'air ambiant. Nous buvons pour les cyprès alignés le long de la route, pour le cheval blanc dans le champ du voisin, pour la villa au loin que l'on avait construite pour y accueillir un pape. Nous jetons les noyaux d'olives de l'autre côté de la murette, en espérant que l'année prochaine de nouveaux arbres naîtront. Le dîner est exquis. L'obscurité tombant, une chouette-effraie vole si près de nous que nous entendons le froufrou de ses ailes. Elle va se poser sur une branche invisible du sombre acacia, et son curieux ululement semble un cri de bienvenue. La Grande Ourse domine le toit, comme prête à s'y poser. Les constellations apparaissent, nettes comme une carte du ciel. Lorsqu'il fait vraiment nuit, nous remarquons la voie lactée qui se dessine entièrement au-dessus de la maison. À vivre dans les lumières de la ville, j'oublie l'existence des étoiles. Elles sont toutes ici, pailletées et profondes, qui chutent et palpitent. Nous les fixons jusqu'à avoir des crampes le long de la nuque. La voie lactée ressemble à un voile de dentelle précipité dans le ciel. Ed, qui aime les murmures, se penche à mon oreille : « Tu veux toujours rentrer, demande-t-il, ou sommes-nous déjà chez nous ? »

La maison et la terre
que labourent deux bœufs
en deux jours

J'admire la beauté des scorpions. Ils ressemblent à un portrait hiéroglyphique d'eux-mêmes à l'encre noire. Je suis également stupéfaite qu'ils puissent se diriger à l'aide des étoiles. Je me demande d'ailleurs comment ils arrivent à repérer les constellations depuis les coins sombres des maisons désertes qui leur servent de villégiature. J'en vois un qui détale autour du bidet chaque matin. Le nouvel aspirateur en avale toujours quelques-uns sans le vouloir, mais dans l'ensemble la chance est avec eux : je les enferme dans un pot pour les emmener au-dehors. Il s'en est trouvé un, un scorpion albinos, qui a chu sur mon épaule nue alors que je redonnais sa forme à un oreiller. Nous irritons des armées d'araignées en vidant le placard en dessous de l'escalier, plein de bouteilles vides. Impressionnants, ces longs fils en guise de pattes autour d'un corps de mouche ; je distingue même leurs yeux. Avec ces résidents, l'héritage des derniers occupants se compose seulement de milliers et de milliers de bouteilles de vin vides, entreposées dans l'étable et dans la remise. Nous monopolisons les conteneurs de recyclage des alentours — de vraies cascades de verre pleuvent des caisses que nous emplissons les unes après les autres. L'étable et la *limonaia* (grande comme un garage, c'était une pièce utilisée pour y garder l'hiver les citronniers en pots) sont encombrées de poêles rouillées, de journaux de 1958, de câble électrique, de pots de peinture et de divers débris. Nous détruisons de parfaits écosystèmes d'araignées et de scorpions qui semblent se régénérer spontanément quelques heures plus tard. Je suis à la recherche de vieilles photographies, de petites cuillers, mais nous ne trouvons rien d'intéressant à l'exception de quelques outils métalliques ouvrés à la main, et d'un « moine », un cou de cygne en bois, terminé d'un crochet servant à recevoir un plateau de braises chaudes, que l'on insérait sous les couvertures pour réchauffer les draps humides. Un autre outil, petit, astucieux et joliment sculpté, se compose d'un croissant long comme ma main, fiché sur une poignée de châtaignier usée. N'importe quel Toscan le reconnaîtrait instantanément : il sert à élaguer les vignes.

La première fois que nous avons visité la maison, elle était meublée de ces lits aux élégantes structures métalliques — incrustés de médaillons de la Vierge Marie et de gentils bergers, brebis au bras —, de commodes aux dessus de marbre et aux tiroirs grouillant de vers, de lits d'enfants, de berceaux, de miroirs maculés et de lugubres et san-

glantes crucifixions. Le propriétaire a tout enlevé
— y compris les ampoules électriques et les caches
des interrupteurs — sauf l'armoire années trente
de la cuisine et un horrible lit rouge dont nous
nous demandons comment lui faire descendre l'escalier étroit qui mène au second étage. Nous finissons par le démonter pour le jeter en morceaux
par la fenêtre. Nous poussons également le matelas
par la petite ouverture et j'ai l'estomac qui se soulève tandis que j'ai l'impression de le voir tomber
au ralenti.

En balade l'après-midi, les Cortonais s'arrêtent
sur la route et, toutes têtes levées, étudient notre
folle effervescence, les bouteilles qui encombrent
le coffre de la voiture, moi qui hurle parce qu'un
scorpion tombe dans mon chemisier tandis que
je balaie les murs de l'étable, Ed qui fouette les
mauvaises herbes à coups de faux. Certains deman-
dent tout fort : « Combien l'avez-vous payée, la
maison ? »

Je suis à la fois surprise et charmée par leur
franc-parler. « Sans doute trop cher », dis-je. Quelqu'un se rappelle qu'il y a très longtemps un
peintre napolitain a demeuré ici ; pour la plupart
des gens, autant qu'ils s'en souviennent, la maison
a toujours été vide.

Chaque jour nous vidons et frottons. Nous rôtis-
sons plus vite que les collines alentour. Nous avons
acheté toutes sortes de produits de nettoyage, une
cuisinière neuve et un frigidaire. Nous avons doté
la cuisine d'un plan de travail — deux planches sur

deux tréteaux. S'il nous faut quand même transporter l'eau chaude dans une bassine depuis la
salle de bains, la cuisine, à notre grand étonnement, est tout à fait pratique. Moi qui, pendant de
longues années, me suis approvisionnée en dî-
nettes et accessoires chez Williams-Sonoma, je
commence à retrouver des pratiques plus élémentaires. Trois cuillers en bois, deux pour la salade,
une pour les cuissons. Une sauteuse, un couteau à
pain, un couteau de cuisine, une râpe à fromage,
une casserole pour les pâtes, un plat à gratin et une
cafetière — italienne. Nous avons rapporté de
vieux couverts à pique-nique avec quelques verres
et assiettes. Nos premières pâtes sont divines. Après
de longues heures de travail, nous avalons tout ce
que nous trouvons avant de nous effondrer au lit
comme des vendangeurs. Notre plat préféré : des
spaghettis recouverts d'une sauce rapide composée
de dés de *pancetta* (lard maigre) à peine passés au
feu, de crème fraîche et de *ruchetta* (roquette) ciselée, que l'on trouve facilement dans l'allée et le
long des murettes. Nous râpons du *parmiggiano* par-
dessus et nous engloutissons des assiettées d'ogres.
En sus de la meilleure de toutes les salades
— incroyables tomates coupées en tranches grossières, agrémentées de mozzarella et de feuilles de
basilic —, nous apprenons à préparer les haricots
blancs à la toscane, avec sauge et huile d'olive. Je
les écosse le matin, les cuis à petit feu, puis les laisse
refroidir avant de les garnir d'huile. Nous consom-
mons une quantité surprenante d'olives noires.

La plupart du temps, nous nous contentons le soir de trois denrées simples qui semblent toujours suffire à un repas glorieux. L'idée même de faire la cuisine ici m'inspire — avec des produits aussi superbes, tout paraît facile. Je décide de préparer moi-même la pâte de ma tarte aux prunes sur une plaque de marbre qui a perdu sa commode. Je l'étends à l'aide d'une vieille bouteille de chianti et je repense, étonnée, à ma cuisine de San Francisco : son carrelage noir et blanc, les murs garnis de miroirs entre les placards et le plan de travail, le long comptoir blanc et lustré, ma cuisinière assez grande pour y faire décoller un avion, le soleil qui tombe de la lucarne, et toujours Vivaldi, Robert Johnson ou Villa-Lobos pour cuisiner en rythme. J'ai pour compagnie ici l'araignée entêtée de la cheminée qui tisse sa nouvelle toile. La cuisinière et le réfrigérateur ont l'air flambant neufs devant le mur de chaux écaillé, sous l'ampoule qui semble bel et bien accrochée à un fil dénudé.

En fin d'après-midi, je prends de longs bains moussants dans la baignoire sabot. J'ai des toiles d'araignées plein les cheveux, du sable sous les ongles, des rivières de poussière tout autour de mon cou. Je n'ai pas connu cela depuis l'époque des jeux de massacres au fond du jardin avec nos boîtes de conserve, les longues soirées d'été, quand j'étais enfant. Ed semble renaître au sortir de la douche. Sa peau hâlée ressort sous sa chemise blanche et ses pantalons kaki.

Une sensation d'espace et de pureté se dégage

de la maison vide, maintenant qu'elle est propre.
Les scorpions, pour la plupart, ont émigré ailleurs.
Les murs épais nous préservent un peu de fraîcheur, même les jours les plus chauds. Nous dînons
sur la terrasse, sur cette table rustique, élémentaire, que nous avons trouvée dans la *limonaia*.
Nous restons tard le soir, dehors, à parler de nos
travaux, en dégustant du gorgonzola avec une
poire cueillie sur l'arbre, arrosée d'un verre de vin
de la proche vallée du lac Trasimeno. Rénover
paraît si facile, vraiment. Il nous faut un chauffe-
eau qui alimentera une autre salle de bains, celles
dont nous disposons et la nouvelle cuisine — mais
en rester là, garder cette essentielle simplicité.
Combien de temps vont-ils mettre pour délivrer les
permis ? A-t-on vraiment besoin du chauffage central ? Vaut-il mieux laisser la cuisine où elle est, ou
en installer une autre dans l'étable ? La première,
dans ce cas, deviendrait le living-room, et nous pro-
fiterions de la grande cheminée. Nous distinguons
dans l'obscurité les vestiges incertains du jardin
agencé autour de la longue haie de buis, les cinq
immenses boules de verdure autrefois bien taillées,
aujourd'hui anarchiques. Faut-il rendre au jardin
son aspect initial, redonner vie à ces curieux fantômes ? Ou bien égaliser la haie ? Voire la supprimer
entièrement et planter ce que l'on voudra, de la
lavande par exemple, sans nous soucier d'élégance
topiaire ? Je ferme les yeux en essayant d'imaginer
ce que sera le jardin dans trois ans, mais l'image de
cette jungle reste dans mon esprit, presque impri-

mée d'une encre indélébile. Le dîner terminé, je suis prête à m'endormir debout, comme les chevaux.

La maison doit profiter d'une situation favorable, si l'on en croit la théorie chinoise du Feng Shui. Quelque chose nous donne cette extraordinaire sensation de bien-être. Ed déploie l'énergie de trois personnes. Moi qui suis depuis toujours insomniaque, je m'endors chaque nuit morte de fatigue, mais comme un nouveau-né, pour plonger dans un monde de rêves harmonieux. Je nage dans le courant de rivières vertes et claires. L'eau semble être la maison de mes jeux. J'ai rêvé, la première nuit, qu'au lieu de Bramasole la nôtre s'appelait Cento Angeli — Cent Anges que j'allais découvrir les uns après les autres. Cela porte-t-il malheur de rebaptiser une demeure, comme on le prétend au sujet des bateaux ? Je suis une étrangère inquiète, je ne m'y hasarderais pas. Toutefois notre maison a maintenant deux noms, le sien et celui que je lui ai secrètement donné.

*

Il n'y a plus de bouteilles. La maison est propre. Les sols carrelés brillent d'un éclat patiné et cireux. Nous avons suspendu quelques cintres aux portes, histoire de débarrasser nos valises. De vieux casiers à lait, coiffés de plaquettes de marbre que nous avons sauvées de l'étable, nous servent de tables de chevet et accompagnent les deux chaises ramenées d'une pépinière.

Nous nous sentons prêts à affronter les réalités de la remise en état. Nous gagnons Cortona à pied pour téléphoner à M. Rizzatti, le *geometra*. Ce n'est ni l'architecte ni le topographe que nous connaissons aux États-Unis. Ici le *geometra* est l'homme qui fait la liaison entre les propriétaires, les entrepreneurs et les responsables de l'aménagement. Ian nous a assurés que Piero Rizzatti est le meilleur de la région. Il dispose des contacts les plus utiles et devrait nous permettre d'obtenir nos permis rapidement.

Ian nous amène le lendemain le *signor geometra*, avec son mètre à ruban et son bloc-notes. Et nous entamons d'un œil froid le tour du propriétaire.

Le rez-de-chaussée se compose de cinq pièces, pratiquement en enfilade — la cuisine des anciens employés, la nôtre, le salon, une écurie et une étable. L'entrée et l'escalier sont situés entre le salon et les deux cuisines. La villa est coupée en deux par la grande cage d'escalier qui monte depuis l'entrée avec ses marches de pierre et sa rampe de fer forgé. C'est une curieuse architecture : on croirait une maison de poupées. L'épaisseur de la villa est toujours celle des pièces, et ces dernières ont à peu près la même taille. Ce qui reviendrait pour moi à donner le même nom à tous ses enfants. Les deux étages supérieurs réunissent quatre chambres, deux de chaque côté. Il faut donc traverser une pièce pour accéder à la seconde. Pendant longtemps l'absence d'intimité n'était guère un problème pour les familles d'ici. Si je me souviens bien, Michel-Ange dormait parfois dans un même lit avec quatre ouvriers lorsqu'il travaillait sur un chantier. Et, dans les grands *palazzi* florentins, on passe toujours d'une immense pièce à la suivante ; les couloirs devaient être considérés comme un espace perdu.

Un mur empêche de communiquer avec l'extrémité ouest de la maison, dotée d'une pièce à chaque étage, et autrefois réservée aux *contadini*, la famille de paysans qui s'occupait de la vigne et des oliviers. Un étroit escalier de pierre est situé à l'arrière et l'accès est interdit depuis le bâtiment principal hors de notre cuisine. La porte des métayers, celles de l'écurie et de l'étable, et la grande entrée de la maison forment un alignement de quatre portes-fenêtres, côté cour. Je les vois déjà parées de nouveaux volets, tous ouverts sur la terrasse, entre lavandes, roses et citronniers dont les douces senteurs glisseront à l'intérieur. Je vois surtout la vie se mouvoir naturellement du dedans au dehors. Le signor Rizzatti actionne la poignée de la petite cuisine qui lui reste dans la main.

Au deuxième étage de l'aile des fermiers, une pièce rudimentaire dotée de toilettes cimentées à même le sol — un genre de latrines intérieures — a été ajoutée au fond. Les *contadini* n'avaient pas l'eau courante en haut et devaient se servir d'un broc. Nos deux salles de bains sont également construites en retrait, l'une au-dessus de l'autre

sur les deux paliers. Ce genre d'installation répugnante est commun aux maisons de pierre
construites avant l'avènement de la plomberie intérieure. J'aperçois souvent ces w.-c. « en encorbelle-
ment », parfois soutenus par de piètres piliers de
bois qui font équerre avec les murs. Notre petite
salle de bains, dont je suppose qu'elle fut la première, est très basse de plafond. Son adorable baignoire sabot est posée sur un carrelage en damier.
La seconde, plus grande, a sans doute été installée
dans les années cinquante, peu avant que la maison
ne soit délaissée. L'un des occupants devait être
fou de carrelage — du sol au plafond, de petits carreaux roses, bleus et blancs dessinent des papillons.
Le sol est bleu aussi, mais d'un bleu différent. La
douche s'écoule tout simplement par terre ; on
met de l'eau partout. La pomme est accrochée si
haut que le jet déplace de l'air et que le rideau que
nous avons suspendu se colle autour de nos
jambes.

Nous sortons sur le grand balcon en L du premier étage et nous accoudons à la balustrade pour
profiter de la vue formidable qu'il offre d'un côté
sur la vallée et, de l'autre, sur les oliviers et les
arbres fruitiers. Nous sommes bien sûr déjà en
train d'imaginer de futurs petits déjeuners sous
l'abricotier en fleur, quand le flanc de la colline
sera couvert d'iris sauvages dont nous remarquons
partout les tiges décharnées. Je vois ma fille et son
ami, couverts d'ambre solaire, en train de lire dans
une chaise longue devant un pichet de thé glacé.

Comme le reste de la maison, le balcon est carrelé, mais ici les carreaux ont pris avec le temps une jolie patine. Ils sont aussi couverts de mousses. Le signor Rizzatti les regarde pourtant d'un air soucieux. Nous redescendons et il me montre le plafond de la *limonaia*, sous le balcon, où la mousse forme des croûtes. Il s'effrite également par endroits. Il y a des craquelures et des fuites. Apparemment cher à réparer. Notre *geometra* a couvert deux pages de son bloc-notes.

Nous pensons que ce délabrement provisoire nous convient. Nous n'avons de toute façon pas besoin de huit chambres à coucher. On peut en garder quatre et leur adjoindre un bureau ou un petit salon. Nous décidons en revanche d'avoir une salle de bains attenant à la nôtre. C'est certainement assez d'en posséder deux, mais comment résister au luxe d'une baignoire à nous, contiguë à notre chambre. Si, de plus, nous pouvions nous débarrasser de l'immonde cabinet des anciens *contadini* — il borde l'actuelle seconde chambre —, nous disposerions d'une penderie privée, la seule de la maison. Du bout de son mètre à ruban, le *geometra* indique la porte murée qui, depuis l'étage, permettait d'accéder à l'annexe. La dégager, selon nous, ne devrait guère prendre de temps.

Au rez-de-chaussée, l'enfilade des pièces n'est pas un avantage. Lors de notre première visite, je m'étais laissé dire avec nonchalance : « Il suffirait d'abattre ces murs et nous aurions deux immenses pièces en bas. » Mais le signor Rizzatti nous apprend que nous ne pouvons pratiquer d'ouverture de plus de un mètre quatre-vingts, à cause des tremblements de terre. Je remarque la façon dont les murs du rez-de-chaussée sont plus épais au sol pour épouser l'assise des larges fondations de pierre. La maison fut construite d'une manière qui rappelle les murettes des terrasses, sans mortier. Les pierres étaient simplement empilées et calées. Les portes et les fenêtres montrent clairement que les murs deviennent plus fins à mesure qu'ils s'élèvent. Épais d'un mètre au rez-de-chaussée, ils n'en font plus que la moitié au second étage. Comment la maison tient-elle debout là-haut ? De modernes poutrelles d'acier, insérées çà et là, sauraient-elles renforcer ces énormes pierres de taille dont mes bras ne suffisent pas à mesurer l'envergure ?

Lorsqu'on a, à Florence, dessiné le *duomo*, personne ne disposait d'une technique qui permette de construire une coupole aussi large. Quelqu'un suggéra de l'ériger par-dessus un énorme tas de terre amassé dans la cathédrale, où l'on cacherait aussi de l'argent. Puis, une fois le dôme achevé, on aurait invité les paysans à creuser à la recherche des pièces ensevelies, et ils auraient en même temps nettoyé l'intérieur. Par bonheur, Brunelleschi a trouvé le bon système. J'espère que l'architecte de notre maison s'est appuyé lui aussi sur des principes solides, cependant j'ai quelque pressentiment à l'idée de déplacer les murs de forteresse qui poussent au rez-de-chaussée.

Notre *geometra* a des avis sur tout. Il pense que

l'escalier arrière devrait être retiré. Alors que nous l'adorons — c'est une sortie dérobée. Il croit que nous devrons replâtrer la façade de stuc qui se fendille et s'effrite, puis la repeindre en ocre. Jamais. J'aime ces couleurs qui changent avec la lumière, et l'éclat intense des ors lorsqu'il pleut, comme si le soleil lui-même s'infiltrait dans les murs. Il affirme que le toit est prioritaire. « Mais il n'y a pas de fuite. Pourquoi s'en encombrer, alors qu'il y a tant de choses urgentes ? » Nous lui expliquons que nous ne serons pas en mesure de tout faire à la fois. Cette maison nous coûte les yeux de la tête et les travaux devront s'étendre dans le temps. Nous en ferons la plus grande partie nous-mêmes. J'essaie de lui faire comprendre que les Américains sont des adeptes du *do-it-yourself.* Je vois aussitôt un éclair de panique traverser le visage de Ed. « Do it yourself », à faire soi-même, ne se traduit pas en italien. Le *geometra* hoche la tête comme si la situation était désespérée, puisqu'il faut nous expliquer des choses aussi élémentaires.

Il nous parle gentiment, espérant sans doute qu'un énoncé précis des problèmes nous permettra de comprendre. « Écoutez, le toit doit être consolidé. On gardera les tuiles, on les numérotera, on les remettra à la même place, mais la maison sera correctement isolée et le toit sera sain. »

À ce stade des choses, ce sera soit le toit, soit le chauffage central, mais pas les deux. Après tout, nous serons surtout là l'été. Mais je ne veux pas geler sur place à Noël quand nous viendrons cueillir les olives. Si nous devons jamais installer le chauffage dans la maison, il faudra en même temps refaire la plomberie. Le toit peut être arrangé plus tard — ou jamais. Pour l'instant, l'eau est fournie par une citerne, à l'étage, dans le second appartement. Lorsque nous prenons une douche, ou que nous allons aux toilettes, une pompe se met en marche et l'eau du puits vient gargouiller dans la citerne. Chacune des deux salles de bains dispose d'un cumulus individuel, au-dessus de la douche (par miracle, ils marchent). Il nous faudra une chaudière centrale, reliée à une citerne plus grande pour que la pompe n'ait pas à fonctionner continuellement avec ce bruit affreux.

Nous optons pour le chauffage central. Le *geometra*, certain que nous finirons par entendre raison, affirme qu'il demandera en même temps l'autorisation de refaire le toit.

Au cours des années sombres de notre maison, un fou furieux s'est attaché à couvrir dans chaque pièce les poutres de châtaignier d'un abominable vernis aux couleurs de vinaigre. Ce procédé inimaginable était jadis à la mode dans le sud de l'Italie. Il consiste à enduire de vraies poutres d'une épaisse mélasse et à peigner ensuite des rainures pour imiter le bois ! Donc, priorité des priorités, décaper le tout au sable. Cela ne sera pas une partie de plaisir, mais c'est rapide, et nous nous occuperons d'apprêter et de cirer nous-mêmes. J'ai autrefois remis en état un coffre de marin et je me suis amusée. Il nous faudra réparer portes et fenêtres. Les battants et les volets intérieurs sont tous couverts de la même décoction immonde. Le mauvais génie des poutres et du bois est probablement aussi responsable de la cheminée, garnie elle de carreaux de céramique censés imiter la brique. Faut-il avoir l'esprit tordu pour recouvrir le vrai par une imitation. Tout cela doit disparaître, avec le carrelage bleu sur le rebord des fenêtres et les papillons de la salle de bains. La grande cuisine et celle des employés sont dotées toutes deux d'affreux éviers de ciment. La liste du signor Rizzatti est maintenant longue de trois pages. Le sol de la seconde cuisine est incrusté d'éclats de marbre brisé, d'une laideur atroce. Le plafond y est cerné de vieux fils électriques tire-bouchonnés, au bout desquels pendent des douilles de porcelaine blanche. Des étincelles jaillissent parfois lorsque j'allume la lumière.

Le *geometra*, assis sur la murette de la terrasse, se tamponne le visage à l'aide d'un gigantesque mouchoir brodé à ses initiales, puis braque sur nous un regard plein de pitié.

*

Règle numéro un en matière de travaux : être là. Nous nous trouverons à onze mille kilomètres de Bramasole quand ils feront le gros œuvre. Ce dont nous nous consolons en demandant des devis.

Nando Lucignoli, que nous envoie le signor Martini, arrive au volant de sa Lancia dont il descend au bas de l'allée, ignorant la maison pour regarder la vallée. Je le crois amateur de paysages jusqu'à ce que je comprenne qu'il est en train de parler sur son téléphone portable, une cigarette allumée, en faisant de grands gestes. Puis il jette l'appareil sur le siège avant.

« *Bella posizione.* » Sa Gauloise fend l'air à nouveau, tandis que nous nous serrons la main. Il me ferait presque la révérence. Son père est tailleur de pierres, c'est pourquoi il est devenu entrepreneur — mais d'une extraordinaire élégance. Comme c'est le cas pour beaucoup d'Italiens, son eau de toilette se déplace avant lui. La senteur citronnée, ensoleillée, est à peine dissipée par l'odeur du tabac. Avant qu'il ne dise un mot de plus, je sais que c'est l'homme qu'il nous faut. Nous l'emmenons faire le tour du propriétaire. « *Niente, niente* », se plaît-il à répéter : rien. « On regroupera les conduites du chauffage à l'arrière de la maison : une semaine. La salle de bains : trois jours, *signora*. En un mois, c'est fini. Fermez bien la porte en partant, laissez-moi les clefs et, quand vous reviendrez, tout sera prêt. » Il affirme pouvoir nous trouver de vieilles dalles, semblables à celles de la maison, pour la nouvelle cuisine dans l'étable. L'électricité ? Il a un ami. Les murettes qui s'effondrent ? Il hausse les épaules : bah, un peu de mortier. Percer un mur ? Son père est spécialiste. Ses cheveux gominés, coiffés en arrière, lui retombent malgré tout sur le front en mèches rebelles et bouclées. Il ressemble au Bacchus de Caravaggio — exception faite de ses yeux vert-de-mousse et de sa démarche voûtée, due sans doute aux vitesses infernales de sa Lancia. Il trouve mes idées sublimes, j'aurais dû être architecte, mes goûts sont excellents. Nous restons assis sur la murette pour boire un verre de vin. Ed part à la cuisine se faire un café. Nando trace le schéma des conduites du chauffage au dos d'une enveloppe. Mon italien le charme, dit-il. Il comprend tout ce que je m'efforce de lui expliquer. Il passera nous donner son devis demain. Je suis sûre que le montant sera raisonnable, que l'hiver suffira à Nando, son père et quelques ouvriers de confiance pour transformer Bramasole. « Profitez de la vie — je m'occupe de tout », dit-il avant que ses pneus ne dérapent dans l'allée. Je lui fais au revoir d'une main et je remarque que Ed est resté sur la terrasse. Sans se prononcer sur notre entrepreneur, il se contente de dire qu'il cocotte comme une *profumeria*, que les snobs fument des Gauloises, et que ce n'est certainement pas la bonne façon d'installer le chauffage central.

Ian nous amène Benito Cantoni, un petit homme solidement bâti aux yeux vert clair qui ressemble étrangement à Mussolini. Il doit avoir la soixantaine et l'homonymie est sans doute voulue. Je me souviens que Mussolini a été baptisé Benito en référence à Benito Juárez, un Mexicain qui a combattu l'oppression française. Curieux de voir ainsi le prénom d'un révolutionnaire devenir celui d'un dictateur, puis de cet homme tranquille dont le visage large, placide, et le crâne chauve brillent comme une noix cirée. Lorsqu'il parle, c'est-à-dire peu, il utilise le dialecte local du Val di Chiana. Il ne comprend rien de ce que nous lui disons et c'est bien réciproque. Même Ian a du mal. Benito a travaillé à la restauration de la chapelle de Le Celle, un monastère voisin. C'est une sacrée recommandation. Nous sommes plus impressionnés encore lorsque Ian nous emmène regarder une maison que Cantoni est en train de réparer près de Castiglione del Lago. C'est une ferme dont la tour a été construite, dit-on, par les Templiers. Le travail paraît soigné. Contrairement à Benito, ses deux maçons sont très souriants.

De retour à Bramasole, Benito Cantoni parcourt la maison sans prendre la moindre note. Il respire l'assurance et le calme. Lorsque nous prions Ian de lui demander un devis, Benito regimbe et se dérobe. Impossible de savoir à l'avance quel genre de problèmes il va rencontrer. Combien voulons-nous mettre ? (Quelle question !) Il doute des dalles du plancher, de ce qu'il découvrira sous le carrelage du balcon. Il remarque, au troisième étage, qu'une poutrelle doit être remplacée.

Les entrepreneurs ignorent les devis ici. Ils ont l'habitude d'être payés à la journée. Quelqu'un est toujours là chez eux pour noter leur heure de départ et celle du retour. Les estimations sont incompatibles avec leur façon de travailler, bien que, parfois, ils sauront dire « d'ici trois jours » ou « *quindici giorni* ». Nous savons maintenant que *quindici giorni* — quinze jours — est juste un terme commode pour votre interlocuteur lorsqu'il n'a aucune idée du délai demandé, mais que celui-ci, *a priori*, ne reste pas indéfiniment ouvert. « *Quindici minuti* » — nous l'avons appris en ratant un train — signifie quelques minutes, certainement pas quinze, même lorsque le conducteur (du train) semble vous l'affirmer. Je pense que les Italiens, pour la plupart, ont une conception du temps plus large que la nôtre. Qu'est-ce qui presse ? Une fois construit, un immeuble ne bougera pas de sitôt, sinon d'un millénaire. Deux semaines, deux mois, quelle importance.

Décaler les murs ? Benito le déconseille. Il fait un geste qui imite la maison en train de s'effondrer sur nous. Il arrivera à nous fournir une estimation dont il fera part cette semaine à Ian. Il sourit enfin une seconde en partant. Ses dents jaunes et carrées semblent assez solides pour mordre dans la brique. Ian le soutient et raille Nando qu'il surnomme le « playboy of the Western world* ». Ed semble satisfait.

Notre *geometra* recommande le troisième entrepreneur, Primo Bianchi, qui arrive dans un Ape, une de ces minuscules camionnettes à trois roues. Haut d'un mètre cinquante à peine, il est lui-même un genre de miniature, quoique épais, vêtu d'une salopette et d'un foulard rouge autour du cou. Il marche rondement et nous salue d'un mot désuet :

---

* *Cf.* la pièce de J. M. Synge, *Le Baladin du monde occidental.* (Toutes les notes sont du traducteur.)

« *Salve, signori.* » Il ressemble aux aides du Père Noël, avec ses lunettes cerclées d'or, ses cheveux blancs ébouriffés, ses hautes bottes. « *Permesso ?* » demande-t-il avant d'entrer avec nous. Il s'arrête devant chaque porte et répète « *Permesso ?* » comme s'il craignait de trouver à l'intérieur quelqu'un qui se déshabille. Il tient sa casquette dans sa main d'un geste que je reconnais. C'est ainsi que se comportaient dans le Sud les employés de la filature de mon père. Bianchi fait le « paysan » qui parle au « *padrone* ». Il émane toutefois de lui une certaine assurance, une fierté que j'ai souvent remarquée ici, commune aux serveurs des restaurants, aux mécaniciens ou aux livreurs. Il teste la fermeture des fenêtres et les gonds sur les portes ; donne de petits coups de canif le long des poutres, éventuellement pourries ; ferraille gentiment les briques descellées.

Il s'arrête, s'agenouille et frotte deux dalles légèrement plus pâles que les autres. « *Io* », dit-il, rayonnant, le pouce sur la poitrine, « *molti anni fa* ». Il les a remplacées il y a des années. Il nous explique ensuite qu'il a lui-même aménagé la grande salle de bains, qu'il venait autrefois chaque an au mois de décembre aider la famille à rentrer dans la *limonaia* les pots des citronniers alignés sur la terrasse. L'ancien propriétaire avait l'âge de son père. Veuf, sa femme lui avait donné cinq filles qui le quittèrent à leur maturité. Lorsqu'il mourut, les filles laissèrent la maison vide, mais refusèrent de s'en séparer, de sorte que personne ne s'en est occupé pendant trente ans. Ah, j'imagine les cinq sœurs de Pérouse dans leurs petits lits étroits, chacune dans une des chambres, se réveiller toutes en même temps et ouvrir leurs volets. Je ne crois pas aux fantômes, mais la vision m'est fort tôt apparue de leurs épais cheveux noirs, tressés de longs rubans, de leurs robes de chambre brodées avec leurs initiales, et de leur mère qui les alignait chaque soir devant le miroir pour les cent coups de sa brosse en argent.

Arrivé sur le balcon, Primo Bianchi dodeline de la tête. Il faut retirer les dalles, poser par-dessous une couche de papier goudronné et isoler le tout. Nous avons senti qu'il savait ce qu'il disait. Et le chauffage central ? « Faites du feu dans la cheminée et couvrez-vous bien, *signora*, cela coûte beaucoup trop cher. » Les deux murs ? Oui, c'est faisable. Les décisions sont irrationnelles. Nous avons su tous deux que Primo était notre homme.

*

Lorsque, au premier chapitre, l'arme est sur la cheminée, le coup doit partir avant la fin de l'histoire.

Le précédent propriétaire ne s'est pas seulement contenté de dire que l'eau coulerait à profusion. S'immergeant dans le lyrique, il déborda d'orgueil. Après nous avoir fait visiter le terrain tout entier, il ouvrit à fond un robinet dans le jardin et se rafraîchit les mains à l'eau du puits. « Les Étrusques s'alimentaient déjà en eau, ici ! Cette eau est la plus pure qui soit, c'est connu. Tout le système de distribution des Medici », dit-il, montrant d'un geste la forteresse du XVᵉ siècle en haut de la colline, « est enfoui sous le sol. » Son anglais était parfait. Et, sans aucun doute, il s'y connaissait. Il sut décrire les cours d'eau des montagnes environnantes et les réserves abondantes de notre côté du Monte Sant'Egidio.

Bien sûr, nous avons fait inspecter les lieux avant d'acheter. Un *geometra* impartial d'Umbertide, quelques kilomètres de collines plus loin, nous a fourni une évaluation détaillée. L'eau, renchérit-il, coulerait en abondance.

Je prends une douche six semaines après notre entrée dans les lieux, et soudain le débit ralentit, le jet se transforme en goutte à goutte, et enfin plus rien. Le savon à la main, je reste un petit moment debout, perplexe, et je conclus que la pompe a dû être fermée involontairement, ou plus probablement que le courant est coupé. Non, le plafonnier est encore allumé. Je sors de la douche et m'essuie sans me rincer.

Le signor Martini arrive de son bureau, muni d'une longue ficelle, métrée et lestée d'un poids. Nous soulevons la grosse pierre qui ferme le puits et y introduisons la corde. « *Poco acqua* », annonce-t-il tout fort au moment où le poids touche le fond. Peu d'eau. Il remonte le tout, des racines noires restent accrochées à la ficelle, et celle-ci n'est humide que sur une dizaine de centimètres. Le puits est à peine profond de vingt mètres et la pompe doit dater de la Révolution industrielle. Bravo, l'expertise de l'impartial *geometra* d'Umbertide. Le fait que la Toscane subisse une grave sécheresse pour la troisième année de suite n'arrange certes pas les choses.

« *Un nuovo pozzo* », reprend Martini en parlant plus fort encore. Entre-temps, dit-il, nous achèterons de l'eau à un de ses amis qui nous l'amènera dans un camion-citerne. Par chance, Martini a un « ami » pour chaque situation.

Je demande : « De l'eau du lac ? », en pensant aux têtards et aux algues nauséabondes du lac Trasimeno. Martini assure que notre eau sera pure, fluorée même. Son ami versera tout simplement je ne sais combien de litres dans le puits et cela suffira jusqu'à la fin de l'été. À l'automne, un nouveau *pozzo*, plus profond, et de la bonne eau — assez pour la piscine.

Cette piscine est devenue un leitmotiv. Comme nous venons de Californie, toutes les personnes qui nous ont montré quatre murs ont présumé que la piscine serait pour nous une priorité. Je me souviens qu'il y a des années, tandis que je visitais les pays de l'Est, le fils pâlot d'une amie m'a demandé là-bas si j'enseignais en maillot de bain. Sa vision des choses m'a plu. À défaut d'avoir une piscine, le meilleur moyen d'en profiter revient à connaître un ami qui en possède une. Toutefois m'occuper des colorations subites et intempestives de l'eau chlorée ne fait pas partie de mon programme de vacances. J'ai déjà bien à faire sans cela.

Nous achetons donc notre cargaison d'eau, ce qui nous vaut un sentiment mêlé de soulagement et d'autocommisération. Nous avons encore deux semaines à passer à Bramasole et il nous coûte certainement moins de payer l'ami de Martini que d'aller à l'hôtel — sans parler de l'humiliation évitée. Pourquoi la nappe phréatique est à sec, je n'en sais rien. Nous prenons des douches rapides, nous ne buvons que de l'eau en bouteille, nous mangeons fréquemment au restaurant, et la blanchisserie s'enrichit grâce à nous. Nous entendons toute la journée le martèlement cadencé des foreuses électriques qui creusent des puits en contrebas dans la vallée. Les voisins, semble-t-il, ne disposent pas non plus de puits assez profonds. Je me demande si, à part nous, il s'est jamais trouvé quelqu'un en Italie qui fasse livrer de l'eau dans le sien. Je confonds tout le temps *pozzo*, le puits, avec *pazzo* qui veut dire fou, ce que nous devons être.

Nous commençons à peine à comprendre ce qui manque chez nous — en sus de l'eau — et qui nous sommes en ces lieux, qu'il nous faut déjà rentrer. En Californie, nos étudiants achètent leurs livres et consultent les horaires des cours. Nous déposons nos demandes de permis. Les devis sont tous astronomiques — nous devrons entreprendre nous-mêmes une part des travaux bien plus importante que prévu. Je me souviens avoir pris le courant en changeant un interrupteur dans mon bureau chez moi. Le pied de Ed a une fois traversé le plancher, alors qu'il était monté au grenier repérer une fuite dans le toit. Nous appelons Primo Bianchi pour lui dire que nous souhaiterions qu'il prenne en charge le gros œuvre et que nous le contacterons dès que nous aurons nos autorisations. Par bonheur, Bramasole est incluse dans une « zone verte », une région des « *belle arti* », où il est interdit de construire du neuf, et où l'on protège les constructions de toute altération susceptible de nuire à leur intégrité architecturale. Mais, du fait que les demandes doivent être agréées par les autorités locales et nationales, leur examen peut prendre des mois — voire une année. Nous espérons que Rizzatti bénéficie des bonnes relations qu'on lui attribue. Bramasole va rester vide un hiver de plus. Et ce puits tari m'assèche la gorge.

Peu avant notre départ, nous rencontrons l'ancien propriétaire sur la *piazza*. Toujours convivial, avec sa nouvelle Armani à l'épaule. « Comment ça se passe à Bramasole ? demande-t-il.

— Ça ne pourrait aller mieux, dis-je. Tout est parfait. »

*

J'ai compté en fermant la maison. Dix-sept fenêtres aux lourds contrevents dotés de jalousies, et sept portes à fermer. J'ai tiré les volets et chaque pièce s'est soudain obscurcie, malgré les rais de lumière qui venaient peigner le sol. Toutes les portes sont protégées par des barres métalliques le long d'une glissière, à l'exception du *portone*, la grande porte d'entrée, que l'on ouvre à l'aide d'une des grosses clefs et qui, je suppose, rend douteux l'astucieux blocage des autres portes et fenêtres, puisqu'un voleur déterminé arriverait à entrer malgré le double *clac* du verrou. Cependant la maison est déjà restée vide trente hivers de suite, alors un de plus ou de moins, quelle importance ? Le cambrioleur qui s'introduirait dans la maisonnée sombre n'y trouverait qu'un lit et ses quelques draps, la cuisinière, le frigo, les casseroles et les poêles.

Quelle sensation étrange de plier bagage et de prendre la route, de laisser simplement les murs se dresser dans cette lumière matinale que j'apprécie tant, comme si nous n'avions jamais été là.

Prenant la direction de Nice, nous traversons la Toscane et suivons la côte ligurienne. Les collines brûlées, les champs aux tournesols penchés, les panneaux de sortie aux noms magiques défilent devant nous : Montevarchi, Firenze, Montecatini, Pisa, Lucca, Pietrasanta, Carrara et son fleuve laiteux de poussières de marbre. Les maisons sont pour moi réellement anthropomorphiques. Elles mènent une existence *personnelle* et entière. Bramasole m'a semblé restituée à elle-même lorsque nous sommes partis, droite et intègre face au soleil.

Je m'entends fredonner sans cesse : « Le fromage est battu », tandis que nous passons les tunnels en trombe.

« Mais qu'est-ce que tu chantes ? » Ed double les autres voitures à cent quarante kilomètres-heure ; je crains qu'il n'ait viscéralement adopté la conduite sportive *à l'italienne*.

« Tu n'as jamais joué au fermier dans son champ, à l'école ?

— Non, moi, c'était plutôt cache-tampon. C'est les filles qui jouaient à ces trucs.

— J'ai toujours aimé à la fin quand on se mettait à hurler "Le fromage est battu", en appuyant toutes les syllabes. C'est triste de partir comme ça, de savoir cette maison toute seule pendant l'hiver. On sera tellement occupés qu'on n'y pensera même plus.

— Tu veux rire ? On pensera tous les jours à ce qu'on va mettre dedans, à ce qu'on va faire pousser — et à ce que les cambrioleurs voudront bien nous laisser. »

À Menton, nous choisissons un hôtel et finissons l'après-midi à la plage. L'Italie n'est plus maintenant que ce lointain bras de terre dans la brume du soir. Quelque part, à des années-lumière, Bramasole baigne dans l'ombre ; là-bas le soleil vient de disparaître derrière la colline. À d'autres années-lumière d'ici, c'est le matin en Californie ; le jour éclabousse la salle à manger où Sister, la chatte, réchauffe son pelage couchée sur la petite table devant la fenêtre. Nous suivons la longue promenade vers le centre-ville où nous savourons une soupe au pistou et du poisson grillé. Tôt le lendemain matin nous partons à Nice prendre l'avion.

L'appareil s'élance sur la piste et j'ai juste le temps d'apercevoir quelques branches de palmiers qui oscillent au vent sous le ciel radieux ; nous décollons et c'est au revoir pour neuf mois.

Ma Sœur l'Eau, Frère le Feu

Juin. Nous avons appris que l'hiver fut redou-
table, mais le printemps extrêmement fleuri, pro-
digue. Les coquelicots nous ont attendus et le parfum des genêts reste suspendu. La maison me
donne l'impression de s'être enivrée de soleil en
mon absence. J'admire l'œuvre des saisons qui
réussissent admirablement à donner cette patine
que tous les peintres de la création s'efforcent de
reproduire. Pour le reste, rien n'a changé, et
l'illusion voudrait que les mois écoulés ne furent
que quelques jours. Je coupais déjà les mauvaises
herbes et me voilà qui recommence, bien que
je m'interrompe souvent. Je guette l'arrivée de
l'homme aux fleurs.

Un brin de laurier-rose, une poignée de faux
chervis et de fenouil liés d'une petite tige, un bouquet entier d'églantines, des aigrettes de pissenlits,
des boutons d'or et des clochettes de lavande — je
regarde chaque jour ce qu'il a posé sur l'autel de la
niche au bas de l'allée. La première fois que j'ai
remarqué ces fleurs, j'ai pensé que l'offrande

venait d'une femme. Que je l'apercevrais bientôt dans sa robe marine en tissu imprimé, un cabas accroché à sa vieille bicyclette.

Il se trouve bien une dame voûtée, enveloppée d'un châle rouge, qui passe parfois tôt le matin. Elle dépose un baiser sur le bout de ses doigts dont elle effleure ensuite la Vierge de céramique. J'ai aperçu un jeune homme s'arrêter en voiture et bondir un instant au-dehors, avant de repartir en vrombissant. Enfin un jour j'ai vu cet homme qui descendait la route de Cortona, d'une démarche digne et lente. J'ai entendu sur le gravier le crissement de ses pas s'arrêter un instant. Je découvris plus tard une touffe toute fraîche de pois de senteur pourpres dans la niche, puis, hier, ces asters posés sur le petit tas desséché.

Et maintenant je l'attends. Il étudie ce qu'offrent la route et les champs, puis se penche et choisit. Sa sélection est toujours variée, il cueille les fleurs qui viennent d'éclore. Sur la troisième terrasse, je dégage le lierre qui encombre la murette et je sectionne les branches mortes des arbres négligés. Cette profusion de fleurs m'interrompt chaque instant. Je connais parfois mal leurs noms en anglais, encore moins en italien. Un arbre, qui rappelle la forme d'un sapin de Noël, est couvert de fleurs blanches. Je crois que nous avons aussi des glaïeuls rouges. Les coquelicots si vifs tapissent littéralement les collines, piquetées de grappes d'iris bleus qui s'étiolent maintenant d'un léger gris cendré. Les herbes me fouettent les genoux. Le regard attiré par une nouvelle plante, je remarque finalement mon pèlerin qui approche. Il s'arrête sur la route et lève les yeux vers moi. Je lui fais un signe auquel il ne répond pas et se contente de rester là à me fixer comme une étrangère, une créature peu soucieuse qu'on la regarde, une bête dans un zoo.

Lorsqu'on vient à la maison, la niche avec son autel est la première chose que l'on voit. D'un genre commun à la région, c'est une petite alcôve dans la murette, au centre de laquelle on a installé une assiette de porcelaine qui représente la Vierge. Cernée de bleu, elle ressemble aux sculptures de Della Robbia. J'en ai remarqué d'autres ici ou là, poussiéreuses, oubliées. Pour quelque raison, celle-ci est honorée.

Mon promeneur est un vieil homme, le manteau posé sur les épaules, qui arpente lentement la route d'un air contemplatif. Je l'ai une fois rencontré aux abords de Cortona, dans le parc, et il m'a dit très sérieusement « *buon giorno* », ou plutôt répondu car j'ai parlé la première. Il avait ôté sa casquette un instant et j'ai découvert un croissant de cheveux blancs autour de sa tonsure — presque aussi lumineuse qu'une ampoule électrique. Son regard est voilé, lointain, ses yeux d'un bleu pierreux. Je l'ai aussi aperçu en ville. Il n'est en rien grégaire, ne retrouve pas d'amis dans les bars, traverse la grand-rue tout droit sans saluer quiconque. Je commence à me demander si ce n'est pas un ange, puisqu'il garde son manteau toujours sur ses épaules, et qu'il semble invisible au regard d'autrui. Je me rappelle le rêve de ma première nuit ici, selon lequel j'allais découvrir cent anges, les uns après les autres. Cet ange-là, pourtant, a un corps, il s'essuie le front avec son mouchoir. Peut-être est-il né dans notre maison, ou y a-t-il aimé quelqu'un. Ou bien les cyprès qui bordent la route, commémorant chacun l'un des garçons de la ville morts à la Première Guerre mondiale (cela en fait tant pour cette petite bourgade), lui rappellent-ils ses amis. Des carrosses venaient prendre sa mère, d'une grande beauté, à cet endroit précis, ou bien son père, raide comme la justice, lui a-t-il interdit de remettre une seule fois les pieds à la maison. Remercie-t-il le Christ d'avoir ôté sa fille des mains de quelque chirurgien ? Ou alors est-ce seulement le but de sa promenade, cette douce habitude, cet honneur rendu chaque jour au dieu de la Marche. Quoi qu'il en soit, j'hésite à essuyer la poussière de gravier sur le visage de Marie, à faire briller le bleu de l'assiette, à déplacer le tas des bouquets desséchés, toujours intacts dans la niche. Les vieilles pierres ont une vie et nous ne faisons que passer. Cet homme me communique l'impression que de très larges cercles cernent notre maison. Des années durant, j'apprendrai à reconnaître ce que je peux ou pas toucher, et de quelle façon le faire. J'imagine les cinq sœurs de Pérouse qui détenaient ce domaine de famille, préférant sans doute laisser les pièces fermées se couvrir de pierre en pierre d'une ouate blanche et moisie, tandis que la vigne vierge étranglerait les arbres, que d'été en été les prunes et les poires tomberaient lourdement au sol. Qu'importe, elles ne s'en départiraient pas. Petites filles, se réveillaient-elles à la même seconde, pour ouvrir d'un même geste leurs contrevents et respirer ensemble la verdeur de l'air ? Cet unique souvenir les aura gardées propriétaires.

Elles ont fini par se défaire des lieux et je possède aujourd'hui, moi qui me suis simplement promenée ici, plusieurs plans du XVIIIe siècle qui désignent les limites de mon domaine. En dessinant un triangle par-dessous celles-ci, je découvre une série de marches en cantilever, au-delà d'une murette de pierre, assemblées avec la netteté d'une grille de mots croisés. L'intégrité sculpturale de ces dalles de calcaire posées en porte à faux n'est en fait qu'une trouvaille ingénieuse des fermiers d'une époque révolue, désireux d'accéder à la terrasse suivante. Un lacis de lichen bleu et gris y a effacé toute trace de pas, mais je sens une légère courbure au milieu des marches en passant la main.

De la plus haute terrasse, je contemple la maison. Le plâtre est tombé par endroits où il laisse apparaître cette pierre carrée et dure du nom de *pietra serena*. Les deux palmiers qui s'élèvent de chaque côté de la porte feraient passer notre demeure pour une de ces bâtisses de la Costa Rica ou de Tanger. J'aime les palmiers, leur bruit de crécelle sous le vent et leur touche d'exotisme. Je contemple le balcon de fer forgé sous l'imposte de la double porte d'entrée. Il est juste assez large pour y admirer les géraniums et le jasmin exubérants que je ferai pousser.

De cette terrasse, je ne distingue ni n'entends le chaos des ouvriers qui règne en contrebas. Je vois nos oliviers. Certains sont morts ou sont restés figés à cause des célèbres gelées de 1985, quand d'autres s'épanouissent, tout étincelants de feuillage vert argent. Je compte trois figuiers aux grandes feuilles voilées en me représentant les lis jaunes qui se détacheront de leurs ombres. Je me repose et m'émerveille devant les collines inégales, la route bordée de cyprès, le bleu d'un ciel aux grands nuages baroques derrière lesquels on croirait deviner quelques chérubins en train de nous épier, puis les lointaines maisons de pierre à peine esquissées, leurs terrasses parfaites d'oliviers et de vignes (les nôtres leur ressembleront-elles un jour ?).

Ébahie d'avoir acquis un semblant de chapelle, je le suis plus encore d'imiter maintenant le rituel de l'homme aux fleurs. Je laisse mon sécateur dans l'herbe. Mon promeneur approche doucement, il cache pratiquement son bouquet dans son dos. Je ne le regarde jamais lorsqu'il atteint la Vierge. Je descendrai plus tard de ma terrasse, puis dans l'allée, voir ce qu'il a posé. Des genêts éclatants, que l'on appelle *ginestra*, rehaussés de coquelicots ? Des tiges de lavande et des épis de blé ? Je pose toujours un doigt sur le brin d'herbe noué qui retient son bouquet.

*

Ed se trouve deux terrasses au-dessus de moi, en train de détacher le lierre qui étouffe un caroubier. À chaque nouveau craquement brusque, chaque petit claquement sec, je m'attends à le voir dégringoler tout en bas. Je m'acharne sur les lianes récalcitrantes d'une des murettes. Le lierre tue. Il y en a des kilomètres. Il fait chuter les pierres, les murs. Certaines branches ont l'épaisseur de mon poignet. Je pense aux pousses que j'entretiens à San Francisco dans de jolies jardinières sur la cheminée et je les imagine en train de proliférer en mon absence, de couvrir les fenêtres et d'étrangler les meubles. La terrasse penche à mesure que j'avance le long de la murette, et mes pas deviennent incertains. Des senteurs fraîches de citronnelle et de *nepitella* — de petites feuilles de menthe sauvage — s'élèvent de mes foulées. Je prends appui sur le mur, je tranche une branche de lierre et l'arrache. Une poussière caillouteuse me vole au visage et tombe sur mes chaussures. Je ne dérange en rien le long serpent qui somnole là. Sa tête est enfouie entre les pierres (à quelle profondeur ?). Seule sa queue dépasse de quelque soixante centimètres. Comment va-t-il sortir — en reculant, ou en faisant demi-tour par une autre anfractuosité ? Je lui laisse six mètres de chaque côté pour manœuvrer et je poursuis. Soudain la murette disparaît et je manque de me laisser engloutir par un trou.

Je demande à Ed de me rejoindre en bas. « Regarde — ça ne serait pas un puits ? Mais comment pourrait-il y avoir un puits dans la murette ? » Il atteint la terrasse qui domine la mienne et se penche pour regarder. À l'endroit où il se trouve, le lierre et les mûriers ont une densité anormale.

« On dirait qu'il y a une ouverture, là. » Il met la déchaumeuse en marche, mais les mûriers bloquent bientôt les pales, et il lui faut recourir à cette bonne vieille faux. Il arrive peu à peu à dégager une sorte de plan incliné, une immense pierre taillée en forme de toboggan, cernée de nombreuses petites sœurs, qui s'enfonce sous terre et réapparaît à l'endroit que je tentais d'élaguer.

Nos cerveaux ne savent peut-être plus penser qu'en termes de puits et d'eau. Quelques jours plus tôt, quand nous sommes arrivés, nous avons été accueillis par une série de camions et de voitures le long de la route, puis par un amas de terre au milieu de l'allée. Le nouveau puits, œuvre de l'ami du signor Martini, était presque achevé. Giuseppe, le plombier qui installait la pompe, avait coincé sa *cinquecento* sur une dalle trop basse de l'allée. Il s'est présenté poliment, puis s'est retourné pour donner d'autres coups de pied à sa voiture en jurant. « *Madonna serpente ! Porca Madonna !* » La Vierge, un serpent ? Une cochonne ? Il a fait rugir son moteur, mais les trois roues qui restaient sur le sol n'ont pas réussi à tirer la quatrième de l'ornière. Ed tenta en vain de pousser la voiture et Giuseppe se remit à la rosser. Les trois puisatiers rirent en le voyant, puis aidèrent Ed à soulever, littéralement, la grosse miniature pour la poser ailleurs. Giuseppe en extirpa alors la nouvelle pompe et prit la direction du puits, en continuant de marmonner ses *Madonna*. Nous les avons regardés descendre la pompe une centaine de mètres sous le sol. Notre puits doit être le plus profond de toute la chrétienté. Ils atteignirent très vite la surface de l'eau, mais Martini leur a demandé de continuer, puisque nous ne voulons plus jamais manquer d'eau. Nous avons trouvé le *signor* dans la maison, en train de superviser le travail de l'assistant de Giuseppe. Sans demander notre avis, ils avaient installé dans la cuisine le chauffe-eau de la vieille salle de bains, pour que nous ayons de l'eau chaude dans notre cambuse d'été. Je fus touchée que le *signor* ait fait nettoyer la maison, et planter soucis et pétunias autour des palmiers — une touche de civilisation dans ce jardin des enfers.

Il semble déjà hâlé et son pied est guéri. Je lui demande : « Comment vont les affaires ? Combien de maisons vendues à d'autres étrangers candides ?

— *Non c'è male* » : pas mal. Il nous fait signe de le suivre. Arrivé au vieux puits, il sort un poids de sa poche et le jette dans l'ouverture. Nous l'entendons immédiatement toucher la surface. Il rit. « *Pieno, tutto pieno.* » Le vieux puits s'est entièrement rempli cet hiver.

Je lis dans un livre d'histoire régionale que Torreone, le district de Cortona dont fait partie Bramasole, est un bassin hydrographique ; d'un côté de la maison, l'eau irrigue le Val di Chiana. De

l'autre, elle court rejoindre la vallée du Tibre.
Nous sommes déjà intrigués par la présence d'un
réservoir souterrain au bord de l'allée. En braquant une torche dans l'ouverture, nous avons
découvert une voûte de pierre assez grande pour se
glisser dessous et un bassin dont nous n'avons pas
encore pu mesurer la profondeur. Il me rappelle
une histoire de Nancy Drew que j'aimais à l'âge de
neuf ans, *Le Mystère du vieux puits*, mais je ne me
souviens pas de l'énigme. Les souterrains secrets
des Medici m'impressionnent bien plus. Le spectacle du réservoir me ramène à l'esprit mon premier souvenir historique de l'Italie — Mme Bailey,
mon institutrice de cours moyen, en train de dessiner au tableau noir la progression des arcs d'un
aqueduc en nous expliquant à quel point les
Romains étaient ingénieux. Le Acqua Marcia était
long de quatre-vingt-dix-neuf kilomètres — soit les
deux tiers de la route qui relie en Géorgie Fitzge-
rald à Macon, disait-elle — et certaines des arches,
datant de l'an 140, tiennent encore debout. Je me
rappelle avoir tenté de me représenter l'an 140 en
installant mentalement des arches le long de la
branche nord de l'autoroute du Ben Hill County.

L'ouverture attenant au réservoir semble donner
sur un tunnel. Bien qu'il y ait un rebord de chaque
côté du bassin, nous ne sommes ni l'un ni l'autre
assez courageux pour descendre les quatre mètres
cinquante de profondeur suintante et explorer le
fond. Nous regardons dans le noir et nous demandons quelle taille les scorpions et vipères peuvent

atteindre là-dedans. Une *bocca*, une bouche, fait saillie dans le mur au-dessus du réservoir, comme pour permettre à l'eau d'y couler.

Nous continuons de dégager les lianes épaisses et les crampons de lierre le long de chaque murette pour comprendre bientôt que le plan incliné que nous avons découvert est certainement relié à l'ouverture qui domine le réservoir. Les jours suivants, nous dégageons quatre autres plans inclinés qui descendent la colline de terrasse en terrasse et se terminent par une grande embouchure carrée qui s'enfonce près de huit mètres sous terre et réapparaît ensuite au niveau de la terrasse la plus basse au-dessus du réservoir, comme nous l'avions pensé. Tous les plans inclinés ont pour support une grande pierre identique en forme de toboggan. Je commence à me demander si, en installant une seconde pompe plus petite dans le réservoir, nous ne pourrions pas faire circuler de l'eau en circuit fermé. Suite à nos mésaventures artésiennes, un doux clapotis ruisselant serait de fait une musique pour nos oreilles desséchées. Une chance que nous ne nous soyons pas fracassé les os l'année dernière sur ces invisibles toboggans, tandis que nous déambulions heureux d'une terrasse à l'autre, à admirer les fleurs et chercher le nom des arbres.

Sur la murette de la troisième terrasse, un vieux tuyau rouillé s'effrite et tombe alors que nous taillons les épineux mûriers. Nous découvrons une pierre plate en dessous qui grandit sous nos yeux à mesure que nous déblayons la terre et y versons de l'eau. Quelque chose d'immense est enterré ici. Nous ramenons lentement au jour un évier de pierre grossièrement taillé, autrefois utilisé à la cuisine, avant l'installation de son petit frère « moderne » de ciment. J'ai peur qu'il ne soit cassé, mais nous continuons de gratter la boue séchée et nous arrivons à le dégager de son trou en faisant levier avec une pioche. Intact, le bloc de pierre mesure un mètre vingt de long, sur environ quarante-cinq centimètres de large pour une épaisseur de vingt. Il est légèrement creusé à l'intérieur et, de chaque côté, un sillon permet l'écoulement des eaux. Le trou d'évacuation, situé en coin, est bouché par des racines. Nous avions regretté de ne pas trouver dans la maison cette pièce originale et caractéristique. De nombreuses vieilles villas en disposent encore : les eaux s'écoulent directement par le mur de la cuisine et passent dans le jardin où les recueille une grande pierre en forme de coquille Saint-Jacques. J'aimerais tant laver mes verres dans cet objet unique. Nous le mettrons dehors sous les arbres, collé contre la maison, pour y conserver le vin et la glace quand nous recevrons, et nous laver après les travaux du jardin. Il aura assez servi en son heure à récurer les casseroles ; ce sera désormais un évier respectable où boire un bon verre d'eau, orné d'un vase de roses à même la pierre. Il mérite un usage décent après tant d'années enterré.

Je poursuis mon élagage sur environ trois mètres

cinquante et j'aperçois deux crochets rouillés sous
les feuilles, au-dessus d'une nouvelle pierre plate,
partiellement couverte. Éd repousse une montagne de terre et découvre au centre une poignée
sur laquelle est resté enroulé un bout de câble électrique. Nous dégageons un genre d'ouverture circulaire. Éd trouve l'endroit où enfoncer sa pelle et
descelle le vieux couvercle de pierre.

L'après-midi touche à sa fin. L'orage a doré le
ciel de cette couleur lumineuse que j'aimerais tant
pouvoir conserver dans le verre. Le couvercle se
détache et la lumière révèle la présence d'une eau
claire à l'intérieur d'une grande crevasse naturelle
de pierre blanche. Nous remarquons le dessin particulier du bassin qui imprime à l'eau des reflets
bleutés. Allongés par terre sur le ventre, nous passons tour à tour la tête dans la crevasse, une torche
à la main. Friandes d'humidité, les racines des
figuiers sinuent le long des parois. Nous distinguons tout en bas une grande boîte métallique
couchée sur son flanc où nous reconnaissons aisément, grossie par la réfraction, l'inscription en
lettres vertes *Olio d'Oliva.* Pas exactement une
sculpture romaine ni une amphore aux satyres
dansants. Un tuyau rouillé, posé le long de la paroi,
remonte vers les deux crochets qui ont retenu
d'abord notre attention — quelqu'un l'a obturé
avec un bouchon de liège. Il me paraît maintenant évident qu'ils servaient à maintenir une
pompe manuelle et que nous nous trouvons devant
une source naturelle, depuis longtemps cachée.

Combien d'années ? Ce n'est pas tout. Juste à côté
du couvercle de pierre se trouve, semble-t-il, une
autre ouverture, elle aussi oubliée. Deux linteaux
de travertin, sculptés, forment un coude avant de
se fondre, moins de un mètre plus loin, dans la
pierre. En dégageant le reste de la partie supérieure, trouverait-on un ancien bassin à ciel
ouvert ? J'ai lu l'histoire d'un homme, près d'ici,
venu dans son jardin à la veille de Noël pour y
prendre une laitue et qui a découvert, en tombant,
un caveau étrusque aux sarcophages élaborés.
Nous trouvons-nous simplement devant un bassin
creusé dans la roche où l'on conservait l'eau pour
les cultures ? Pourquoi ces linteaux sculptés ? Pourquoi ont-ils été recouverts d'une pierre brute ? Le
bassin a dû être bouché pendant que l'on creusait
le second puits à côté. Nous en avons maintenant
trois, nous qui faisons partie d'une génération
moderne de sourciers et disposons d'une technolo-
gie — ces foreuses sifflantes capables de transpercer la roche la plus dure — si éloignée des décou-
vreurs patients des secrets de la terre.

Nous appelons le signor Martini pour qu'il
vienne contempler notre miraculeuse trouvaille.
Les mains dans les poches, il ne se penche même
pas. « *Boh* », fait-il (*boh* veut tout dire, entre « Eh
bien ! », « Oh ! », « Qui sait ? », voire une simple
négation), avant de lever une main au-dessus de la
source. « *Acqua.* » Il voit en notre fascination pour
les maisons perdues et les vieux puits une preuve
supplémentaire de notre infantilisme — il sourit à

nos caprices. Nous lui montrons l'évier de pierre
en lui expliquant que nous allons le dégager entièrement, le nettoyer et le remettre en usage. Il se
contente de hocher la tête.

Giuseppe, qui l'a accompagné, est plus enthousiaste. Il aurait dû jouer Shakespeare. Ses phrases
sont toujours ponctuées de deux ou trois grands
gestes — son corps souligne littéralement la
moindre de ses paroles. La tête en bas, les pieds
presque à la verticale, il regarde par l'ouverture.
« *Molto acqua.* » Ses mains s'agitent dans tous les
sens. Nous pensions que la source ne coulait que
d'un côté, mais Giuseppe, vu sa dangereuse posi-
tion, remarque que la déclivité naturelle de la
roche permet aux eaux de partir aussi dans l'autre
direction. « O.K., yes ! » Ce sont les seuls mots
d'anglais qu'il connaît, mais il les prononce toujours les bras grands ouverts, en proie à une nouvelle idée. Il propose d'installer une nouvelle
pompe à main qui servira pour le jardin. Nous en
avons déjà vu quelques-unes, brillantes et vertes,
chez les quincailliers du Val di Chiana. Nous en
achetons une le lendemain, nous dégageons le
bouchon qui obstrue le tuyau, et suspendons la
pompe sur ses deux crochets. Giuseppe nous
apprend à amorcer le débit en versant de l'eau
dans l'appareil, tandis que l'on actionne la poignée
en rythme. Le geste ne fait pas vraiment partie de
mon patrimoine génétique, mais sa régularité me
paraît vite naturelle. Quelques coups dans le vide,
puis une eau terriblement fraîche se déverse dans

le seau. Nous avons la présence d'esprit de ne pas la goûter avant un examen bactériologique et préférons ouvrir une bouteille de vin sur le balcon. Giuseppe voudrait qu'on lui parle de Miami et de Las Vegas. Nous étudions la jungle qui recouvre les terrasses. Giuseppe pense que nous devrions nous contenter d'entretenir les palmiers. Mais comment faire ? Ils sont plus grands que toutes nos échelles. Au bout de deux verres, Giuseppe escalade le plus haut d'entre eux. Il affiche le plus vif sourire que je lui ai jamais vu. L'arbre penche et notre homme se laisse glisser au sol, trop vite. Il tombe à terre comme une masse, Éd débouche tout de suite une seconde bouteille.

*

Il s'avère que l'ancien propriétaire avait raison. Si notre système d'irrigation n'est pas exactement comparable à celui des jardins de la Villa d'Este, il reste suffisamment élaboré pour que nous poursuivions nos recherches et nos excavations plusieurs journées de suite. L'ingéniosité des circuits souterrains est là pour nous rappeler à quel point l'eau est précieuse ici. Lorsqu'on en trouve, on cherche aussitôt les moyens de la conserver ; lorsqu'elle coule en abondance, comme c'est le cas maintenant, on l'honore. Saint François d'Assise ne l'ignorait sans doute pas. Il note dans son poème « Le cantique des créatures » : « Sois loué, Seigneur, pour notre Sœur l'Eau, qui est si utile, humble, précieuse et chaste. » Nous faisons tout de suite attention à prendre des douches rapides, à fermer vite les robinets en faisant la vaisselle et en nous brossant les dents.

Nous avons constaté avec intérêt que le plus vieux des puits est doté de canaux de part et d'autre, permettant à tout excédent de s'écouler dans le réservoir. En nettoyant les abords de celui-ci, nous avons découvert deux lavoirs et d'autres crochets dans la murette au-dessus, qui servaient certainement de support à une pompe supplémentaire. Ne pas perdre une goutte. Alors que le second puits, tari l'été dernier, mais éloigné de un mètre vingt à peine, regorge maintenant des pluies de cet hiver. Éd décide que la pompe à main sera réservée aux plantes en pots, que l'eau du vieux puits servira à arroser le jardin, et que l'on utilisera à la maison celle du nouveau *pozzo*, profond de cent mètres, creusé dans la roche dure.

« Une eau merveilleuse », nous assure le *pozzoaiolo*, le puisatier, tandis que nous lui laissons une fortune, « elle remonte des enfers, mais elle est froide comme la glace. » Nous comptons les billets. Il ne veut pas de chèque : qui utiliserait un chèque, s'il a vraiment l'argent ? « *Acqua, acqua* », dit-il, désignant d'un grand geste toute la propriété. « Assez pour une piscine. »

*

Nous avions vaguement remarqué en achetant la maison que le mur perpendiculaire à la façade avant s'était effondré en plusieurs endroits. Mauvaises herbes, sumac et figuiers poussaient sur les pierres tombées. Lors de notre première visite, la partie du jardin qui domine le mur était couverte sur une douzaine de mètres par une pergola tapissée de rosiers et de lilas. Lorsque nous sommes revenus négocier notre achat, la pergola avait disparu. On l'avait abattue avec un zèle égal à celui qui permit de nettoyer les lieux. Roses et lilas étaient rasés. Lorsque je levai les yeux par-dessus la débâcle, je vis que les contrevents vert fané avaient été repeints d'un brun sombre et brillant. Ébahis, nous avions à peine aperçu les montagnes de pierre. C'est plus tard que nous avons compris que la murette, longue de trente-six mètres, devait être reconstruite. Et nous n'avons plus pensé à cette romantique pergola aux rosiers grimpants.

Au cours des quelques semaines passées ici l'an dernier, Éd s'est mis à démonter certaines parties du mur encore debout. Il se découvrit une passion d'assembleur — trouver la bonne pierre à glisser au bon endroit, l'ajuster à coups de maillet, strier les surfaces, buriner de façon à produire les dimensions exactes. Un vieil artisanat qui ne manque pas de charme — avec la gratification du travail dur bien fait. De jour en jour, les tas de pierres se développaient, au même rythme que ses muscles. Ed devint un rien obsédé. Il acheta d'épais gants de cuir, aligna distinctement les grosses pierres, les

petites et les plates. Comme les murettes de toutes
les terrasses de notre propriété, celle-ci est une
construction de pierre sèche, d'une épaisseur
supérieure à un mètre ; le devant se compose de
beaux blocs ajustés, comme un puzzle bien propre,
les pierres plus petites étant réservées au fond. La
structure penche vers l'arrière afin de contrer l'in-
clinaison naturelle de la colline. Contrairement
aux adorables clôtures de la Nouvelle-Angleterre,
qui servirent avant tout à débarrasser les champs de
leurs pierres, celles-ci ont une utilité. Sans murette,
aucun flanc de colline ne peut jamais servir d'olive-
raie ou de champ de vigne : sur l'une de nos terrasses où le mur s'est effondré, le grand amandier
s'est renversé.

Lorsque nous dûmes partir, une part représentant quelque dix mètres du mur était nettement
empilée au sol, sous forme de pierres individuelles.
Ed débordait d'enthousiasme — intimidé toutefois
par le travail restant et l'impressionnante quantité
de roches amassées par terre. Nous étions plus
préoccupés par les immenses tas de pierre qu'il
avait constitués que par la distance qui nous sépa-
rait de chez nous.

Tout l'hiver nous avons lu *Construire en pierre de
taille* de Charles McRaven. Les problèmes d'humidité, de fondations à vérifier, de protection contre
le gel, ont commencé à se poser. La hauteur du
mur précédent était insuffisante pour étayer correctement la vaste terrasse qui mène à la maison.
Le long de ses trente-six mètres, le mur exige une

hauteur de quatre mètres cinquante et nécessite un contrefort arrière. Les matériaux compacts de remplissage, la façon dont le sol se déplace lorsqu'il gèle, la force d'inertie et la poussée dynamique sont autant de variables qui ont fini par nous convaincre que nous allions reconstruire la Grande Muraille de Chine.

Et nous avions absolument raison. Nous venons juste de demander à plusieurs *muratori* — maçons — expérimentés d'examiner la chose. Le travail est monstrueux. À côté, les travaux de restauration intérieure semblent ridicules. Mais Ed se voit déjà l'apprenti de quelque homme rugueux à la casquette bien enfoncée — un artiste tailleur. *Santa Madonna, molto lavoro,* quel travail ! s'exclament nos *muratori* les uns après les autres. *Molto. Troppo.* Nous apprenons que Cortona, étant au centre d'une zone menacée par les tremblements de terre, vient de réglementer la construction de ce type de murs. Il faudra utiliser du béton armé. Nous ne sommes pas prêts à faire du ciment. Nous devons déjà nous occuper de deux hectares de jungle de sumac et de mûriers, et il faut élaguer les arbres. Sans parler de la maison. Les devis pour le mur sont astronomiques. Peu de maçons veulent d'ailleurs s'y atteler.

C'est ainsi qu'en Toscane nous bâtissons la Grande Muraille de Pologne.

Le signor Martini nous envoie quelques-uns de ses amis. Je l'avertis : nous souhaitons que le travail commence tout de suite et nous voulons le prix réservé aux *fratelli*, aux frères, pas celui des *stranieri*, les étrangers. Nous nous relevons juste du nouveau puits et nous attendons encore les permis pour les réaménagements majeurs de la maison. Son ami nous annonce soixante jours de travail. Pour ce prix-là, nous pourrions acheter un petit paquebot et visiter la Grèce. Le deuxième ami, Alfiero, établit un devis aussi surprenant que raisonnable, et lance l'idée géniale d'un autre mur qui devrait suivre la rangée des tilleuls sur la terrasse adjacente. Quand on parle mal une langue, beaucoup d'éléments manquent pour apprécier les gens. Nous pensons tous deux que c'est un visionnaire — qualité rare chez les maçons. Martini soutient juste qu'il est *bravo*. Comme nous voulons que le travail soit achevé pendant que nous sommes ici, nous signons un contrat. Notre *geometra* ne connaît pas Alfiero et nous prévient que, s'il est disponible, c'est sans doute qu'il n'est pas compétent. Ce genre de raisonnement ne nous convainc pas.

Le travail doit commencer le lundi suivant. Lundi, mardi et mercredi arrivent. Puis vient un chargement de sable. Enfin, à la fin de la semaine, Alfiero se montre avec un petit gars de quatorze ans et, à notre grande surprise, trois grands Polonais. Ils se mettent à la tâche et, c'est extraordinaire, au coucher du soleil, le mur entier est par terre. Nous les surveillons toute la journée. Les Polonais soulèvent comme des pastèques des pierres d'au moins cinquante kilos. Alfiero ne parle pas le polonais, et eux ne connaissent que

cinq mots d'italien. Par chance, le langage du travail manuel se traduit bien par signes. « *Via, via* »,
dit Alfiero en leur montrant les pierres et ils atta-
quent aussitôt. Le jour suivant, ils creusent la terre.
Exit Alfiero, sans doute vers d'autres chantiers. Le
garçon, Alessandro, reste là à faire la moue.
Alfiero, son beau-père, voudrait d'évidence l'initier
aux joies du travail. Il ressemble à un jeune prince
Medici, irascible, ennuyé, indolent, et passe ses
journées à shooter dans les pierres du bout de ses
tennis. Les Polonais l'ignorent. Ils travaillent de
sept heures à midi sans interruption, partent
ensuite dans leur Fiat Polski et reviennent à trois
heures pour cinq autres bonnes heures de labeur
constant.

Les Italiens, de tout temps « invités » à venir
maçonner dans de nombreux pays, sont fort
décontenancés de voir le même phénomène se
produire chez eux. Au cours de ce second été à
Bramasole, nous remarquons que les journaux
sont, selon, tolérants ou indignés de voir les Alba-
nais envahir littéralement les côtes de l'Italie du
Sud. Nous vivons à San Francisco, une ville où
chaque journée a son lot d'immigrants, et nous ne
nous sentons pas très concernés. Les villes américaines savent que les migrations sont en hausse ;
que le tissu démographique dans son entier est en
train de se reconstituer sur une vaste échelle en
cette fin de XXe siècle. L'Europe a plus de mal à
accepter cette réalité. Nous avons déjà nos pauvres,
nous dit-on ici. Oui, répondons-nous, nous aussi.

L'Italie est incroyablement homogène ; on croise rarement un visage noir ou asiatique en Toscane. Récemment, les Européens de l'Est, une fois compris que la main-d'œuvre germanique leur était finalement comparable, ont commencé à débarquer dans cette région prospère du nord de l'Italie. Nous comprenons maintenant pourquoi le devis d'Alfiero était si peu élevé. Au lieu de payer son Italien lambda vingt-cinq ou trente mille lires l'heure, il n'en lâche que neuf mille. Il nous assure qu'il s'agit d'ouvriers légaux, qu'ils sont couverts par son assurance. Et les Polonais sont satisfaits de leur salaire horaire ; chez eux, avant que l'usine ne ferme, ils en gagnaient à peine autant sur le travail d'une journée.

Ed a grandi au sein d'une communauté américano-polonaise, catholique, du Minnesota. Ses parents, nés d'immigrants, parlaient encore le polonais tandis qu'ils travaillaient dans les fermes de la frontière entre le Wisconsin et le Minnesota. Ed, lui, naturellement, ne le parle pas. Ses parents voulurent que leurs enfants soient de vrais Américains. Il a tenté de dire trois mots à nos ouvriers, qui ne l'ont pas entendu. Pourtant ces hommes qu'il ne comprend pas ont quelque chose de très familier. Ed a l'habitude de prononcer des noms du type Orzechowski, Cichosz ou Borzyskowski. Nous hochons la tête en souriant quand nous nous croisons dans le jardin. Je suis tombée un après-midi sur un poème de Czeslaw Milosz qui, depuis longtemps exilé aux États-Unis, reste toutefois par essence un poète polonais. Je me suis rappelé qu'il avait effectué un voyage triomphal en Pologne quelques années plus tôt. En retrouvant Stanislao sur la première terrasse, sa brouette à la main, je lui ai demandé : « Czeslaw Milosz ? » Son visage s'est illuminé et il a appelé les deux autres. Les deux ou trois jours suivants, à chaque fois que je croisais l'un d'entre eux, ils me lançaient invariablement un nouveau « Czeslaw Milosz », comme s'il s'agissait d'une phrase de politesse. Et je répondais : « *Sì*, Czeslaw Milosz. » Je savais en outre que je prononçais son nom correctement pour l'avoir répété avant de présenter le poète lors d'une conférence. Plusieurs jours auparavant, je m'étais référée à lui sous le sobriquet de « coleslaw* » et je mourais de peur à l'idée que je puisse l'utiliser par mégarde en public.

Alfiero finit par poser problème. Il papillonne de projet en tâche, commence un travail qu'il bâcle à chaque fois, et s'envole. Certains jours il ne se montre même pas. Constatant que mes questions raisonnables ne produisent aucun résultat, je recours à cette vieille habitude sudiste qui consiste à piquer sa crise. Je me rends compte que je suis encore capable de faire forte impression. Alfiero se raidit et écoute un instant, puis, comme le gamin capricieux qu'il est resté, perd toute attention et se dissipe. Il a du charme. Il se lance dans des descrip-

---

* Salade de chou blanc à la crème, populaire aux États-Unis.

tions enjouées de courses de grenouilles, de
rapides Moto Guzzi, et de quantités de vins. Il parle
le dialecte local en se tapant sur le ventre et aucun
de nous deux ne saisit grand-chose de ce qu'il dit.
Au moment où je décide de me mettre en colère,
j'appelle Martini, qui comprend, à la rescousse. Il
opine du bonnet, secrètement amusé ; Alfiero
arbore une mine confuse, les Polonais restent
impassibles, et Ed est mortifié. Je dis que je suis *mal-
contenta*. Je fais de grands gestes, je hoche méchamment la tête et je tape du pied par terre. Il a monté
des rangées de cailloux minuscules sous d'immenses pierres, il y a des lignes verticales dans le
mur, il a négligé de poser les fondations du seg-
ment qu'il construit, et son ciment est avant tout
du sable. Martini se met à le tancer, et Alfiero lui
répond sur le même ton, puisqu'il n'ose pas m'en-
gueuler, moi. Je l'entends de nouveau jurer « *porca
Madonna* », ce qui n'est pas rien dire, et aussi
« *porca miseria* », cochonne de misère, qui restera
de tout temps mon juron favori. Après ma mise en
scène, je m'attends à le voir bouder, mais non, il
revient le lendemain tout soleil, tout oubli.

   « *Buttare ! Via !* » Jeter, emporter. Le signor Martini donne des coups de pied sur le travail d'Alfiero. « Où est-ce que ta mère t'a envoyé à l'école ?
Où as-tu appris à faire du ciment ? Sur la plage,
avec les châteaux de sable ? » Ils se retournent
ensuite, de conserve, vers les Polonais et les enguir-
landent. Plusieurs fois de suite, Martini se précipite
à l'intérieur pour appeler la mère d'Alfiero, sa

vieille amie. Nous l'entendons continuer de crier au téléphone, avant de se calmer et, enfin, de susurrer.

Ils doivent penser en leur for intérieur que nous sommes plutôt calés en matière de construction. Mais ce que ni Martini ni Alfiero ne savent, c'est que les Polonais nous avertissent à chaque fois que quelque chose ne va pas. « *Signora* », fait Krzysztof (nous l'appelons Cristoforo, à sa demande) en me faisant signe de venir. « *Italia cemento* » : et il effrite un ciment trop sec entre ses doigts. « *Polonia cemento* » : il donne alors un bon de coup de pied sur une section du mur où le béton ne moufte pas. C'est devenu une problématique nationaliste. « Alfiero, *poco cemento.* » Il pose un doigt sur ses lèvres. Je le remercie. Le ciment d'Alfiero est mal amalgamé. Ne dites pas que je vous l'ai dit. Les Polonais lèvent les yeux au ciel en guise de signal ou attendent qu'Alfiero soit parti, en général assez tôt dans la journée, pour nous exposer les problèmes. Alfiero torchonne apparemment tout ce qu'il entreprend, cependant nous avons un contrat, les Polonais travaillent pour lui, et nous sommes coincés. Toutefois, sans lui, nous ne les aurions jamais trouvés.

Près d'une extrémité du mur, ils découvrent une souche au niveau du sol. Alfiero maintient que *non importa.* Nous voyons Ricardo rapidement opiner du chef, c'est pourquoi Ed prend une voix autoritaire pour annoncer qu'il faudra l'enlever. Alfiero accepte à contrecœur mais insiste pour que l'on verse du *gasolio* afin de l'étouffer. Nous indiquons d'un doigt notre beau puits tout neuf à quelques mètres de là. Les Polonais se mettent à creuser et creusent encore deux heures plus tard. Près de la souche mise au jour, trois racines démesurées se sont enroulées autour d'une roche grosse comme un pneu de voiture. Et, par centaines, d'autres racines, sournoises, opportunistes, partent dans tous les sens. C'est bien la raison pour laquelle le mur s'est écroulé. Les Polonais parviennent finalement à arracher la souche et insistent pour égaliser le dessous et le plan supérieur, sans délivrer la roche. Ils chargent le tout sur une brouette pour amener à l'ombre du limettier la table la plus affreuse de toute la Toscane. Elle restera là.

Ils chantent en soulevant les pierres et leurs timbres commencent à résonner de la voix que devraient prendre tous les travaux du monde. Cristoforo entonne parfois d'un filet de *falsetto* un refrain curieusement émouvant, au vu surtout de sa forte corpulence. Jamais ils ne rabiotent une minute, même lorsque le patron n'est pas là, c'est dire. Les jours où ils se trouvent à court de fournitures, Alfiero ayant oublié de renouveler ses commandes, celui-ci par caprice leur ordonne de ne rien faire. Nous les mettons à contribution et ils nous aident à désherber les terrasses. Ils finissent par passer au sable les volets intérieurs. Ces hommes, qui semblent savoir tout faire, travaillent deux fois plus vite que n'importe qui de ma connaissance. À la fin de la journée, ils se déshabillent, se lavent sous le jet, enfilent des vêtements propres, puis nous buvons une bière ensemble.

Don Fabbio, le curé du coin, les loge dans une pièce au fond de l'église. Pour l'équivalent de cinq dollars chacun, il leur sert trois repas par jour. Ils travaillent six jours par semaine — le prêtre le leur interdit le dimanche —, échangent toutes leurs lires en dollars qu'ils mettent de côté pour leurs femmes et leurs enfants. Riccardo a vingt-sept ans, Cristoforo, trente, et Stanislao, quarante. Notre italien se détériore au cours des semaines qu'ils passent avec nous. Stanislao a travaillé en Espagne et nos échanges deviennent un mélange profane de quatre langues. Nous apprenons plusieurs mots de polonais : *jutro*, demain ; *stopa*, pied ; *brudny*, sale ; *jezioro*, le lac. Quelque chose aussi qui sonne comme *grubbia*, et qualifie le ventre affaissé du signor Martini. Ils connaissent maintenant *beautiful* et *idiot*, plus quelques mots d'italien, dans l'ensemble des verbes à l'infinitif.

Malgré Alfiero, le mur est solide et beau. Une série de marches en arc de cercle, rehaussées de chaque côté de supports pour les fleurs en pots, descendent vers les deux premières terrasses. Le puits et le réservoir sont également protégés par des murettes. Vu d'en bas, le mur paraît immense. Nous avons quelque peine à nous y habituer, car nous aimions bien aussi son aspect délabré. De petites plantes vont bientôt pousser dans les niches. Comme la pierre est ancienne, le mur s'intègre naturellement dans le paysage. Il semble

cependant un peu haut. Nous pouvons maintenant, un vrai plaisir, commencer à imaginer la
forme du chemin qui reliera l'allée, le puits et le
petit escalier, à choisir les fleurs que nous planterons autour et les arbustes qui offriront ombres et
couleurs le long du mur. Nous mettons en terre un
hibiscus blanc qui nous gratifie d'une floraison
rapide.

Un dimanche matin, les Polonais nous rejoignent après la messe, avec leurs chemises et leurs
pantalons bien repassés. Nous les avons toujours
vus en shorts. Ils ont tous trois acheté les mêmes
sandales au supermarché. Ed et moi sommes en
train de couper les mauvaises herbes lorsqu'ils font
irruption. Nous sommes sales et nous suons dans
nos shorts — les rôles sont inversés. Stanislao s'est
muni d'un appareil photo soviétique qui semble
dater des années trente. Ils prennent plusieurs
photos pendant que nous buvons un coca ensemble. Chaque fois que nous leur en offrons un,
ils répètent toujours : « Ah, America ! » Avant de se
changer pour travailler, ils nous entraînent au bas
du mur et nettoient la poussière au-dessus des fondations. Ils ont inscrit POLONIA en grandes lettres
dans le ciment.

*

Une rampe de fer forgé court le long de la cage
d'escalier. Ses courbes symétriques cadencent l'ascension. L'imposte, la balustrade du balconnet de

la chambre à coucher, à peine rouillée, et celle du grand balcon au-dessus de l'entrée ont donné du travail à quelque forgeron il y a bien des hivers. Le portail en bas de l'allée fut autrefois majestueux, cependant, comme presque tout le reste, il a été laissé à l'œuvre néfaste du temps. Le bas forme une saillie à l'endroit où les touristes perdus ont froissé une aile en faisant demi-tour, une fois compris que notre route blanche n'était pas celle de la forteresse. Le verrou est rouillé depuis longtemps et, les gonds ayant cédé en haut sur le côté, le battant traîne par terre.

Giuseppe a amené un ami, maître en ferronnerie, pour vérifier si le portail peut être réparé. Giuseppe pense que non. Il nous faut quelque chose de plus adapté à notre *bella villa*. L'homme qui déplie ses jambes au sortir de la *cinquecento* pourrait avoir fait le voyage depuis le Moyen Âge. Il est grand et sévère comme Abraham Lincoln, porte une salopette sombre et ses cheveux sont d'un curieux noir mat. Difficile d'interpréter cette sensation étrange ; il donne l'impression d'être fait pour tout autre chose. Je l'aime bien aussitôt. Sans dire mot, il passe un doigt d'un bout à l'autre du portail. Il parle peu et sourit timidement. Tout ce qu'il dit semble passer par ses mains. On sent aisément que c'est par amour qu'il consacre sa vie à son artisanat. Oui, fait-il en hochant la tête, c'est réparable. Une seule question, le temps. Giuseppe est déçu. Il voit quelque chose de plus grand, ses bras dessinent des formes dans le vide, un genre de

grille arrondie avec des piquants. Un nouveau portail, plus élaboré, doté d'un éclairage et d'un système de fermeture télécommandé depuis la maison, pour que l'on puisse ouvrir sans se déplacer.
Et il nous a amené un véritable artiste pour qu'on
lui demande de *réparer*.

Nous allons à l'atelier étudier différentes possibilités. Giuseppe s'arrête en chemin pour que nous
regardions en vitesse une série de portails forgés
par le *maestro*. Nous remarquons les épées entrela-
cées, le jeu des motifs circulaires qui s'interpénè-
trent autour d'épis de blé. L'un d'eux porte au
sommet les initiales du propriétaire, un autre,
bizarrement, une couronne. Nous préférons les
formes arrondies, les boucles et les courbes, à ces
effrayantes piques qui rappellent quelque peu les
guerres et les pillages des guelfes et des gibelins. Ils
sont tous d'évidence faits pour durer toujours. Le
maître silencieux passe ici et là un coup de torchon, laissant la qualité de son œuvre parler d'elle-
même. Je commence à me figurer un petit soleil
stylisé au milieu de notre portail et des rayons de
fer ondulant tout autour.

Ferro battuto, le fer forgé, est une vieille tradition
toscane. Les villes ont toutes quelque ferronnerie
ornementale sur leurs portes médiévales, d'élé-
gants lampadaires aux formes arrondies, des
hampes pour leurs drapeaux, ou ces anneaux
complexes qui représentent une tête d'animal, de
serpent, et dont on se servait pour attacher les chevaux. Comme de nombreux artisanats, celui-ci est

en train de disparaître et l'on comprendra facilement pourquoi : il faut se couvrir de suie pour devenir forgeron. L'atelier de l'artiste et l'artiste lui-même en sont tout noircis, comme les forges et l'antique matériel qui semblent avoir fort peu changé depuis Héphaïstos et Aphrodite. L'air aussi est chargé, apparemment, d'un fin voile de suie. Les voisins possèdent tous un portail forgé. Cela doit être plaisant de reconnaître son œuvre partout autour de soi. La maison du maître est ornée d'un balcon aux formes rectangulaires, empruntées sans soute au *moderne*, malgré les jardinières de fleurs. L'atelier fait face à la maison. Les poules se promènent dans la cour où je compte une dizaine de cages à lapins, à côté d'un verger. Une échelle de bois, artisanale, permet d'accéder aux branches du prunier, couvertes de fruits. Après le dîner, notre forgeron doit grimper quelques échelons et cueillir son dessert. Cette impression qu'il vient d'un autre temps se renforce. Où *est* Aphrodite ? Sans doute quelque part, dehors.

« Le temps, dit-il. C'est le seul problème. Je suis *solo*. J'ai bien un fils, mais... »

Je n'arrive pas à imaginer qu'à la fin du XXe siècle, alors que les voitures filent devant la devanture, quelqu'un puisse occuper cette forge sombre, au milieu de cercles de tonneaux, de chenets, de grilles et de portails. J'espère toutefois que le fils prendra la suite, ou qui que ce soit. Le maître me montre une barre métallique dotée en son extrémité d'une tête de loup carrée. Il reste un ins-

tant ainsi sans rien dire. Il me rappelle les porteurs
de flambeaux de Siena ou Gubbio. Nous demandons un devis pour la réparation du *cancello*, un
autre pour le nouveau portail. Nous l'aimerions
simple, d'une forme qui rappelle la rampe de l'escalier, doté peut-être d'un soleil en hauteur qui
illustre le nom de la maison. Pour une fois, nous ne
voulons pas savoir quand ce sera terminé. Nous
avons trop longtemps appris à combattre l'enviable
sentiment latin d'un temps illimité.

Avons-nous vraiment besoin d'un portail fait
main ? Nous répétons sans cesse que nous voulons
des choses simples, que cette maison n'est pas
notre vrai domicile. Je sais de toute façon que je
voudrai un de ces modèles, même si cela prend des
mois. Nous ne sommes pas encore partis que le forgeron nous a déjà oubliés. Il choisit des bouts de
fer qu'il soupèse un instant, puis navigue entre ses
enclumes et ses fours. Notre portail est en bonnes
mains. J'imagine le bruit qu'il fera en se fermant
derrière moi.

*

Le puits et le mur nous donnent le sentiment
d'un fabuleux progrès. En revanche, nous n'avons
toujours pas touché à la maison et nous ne pouvons
rien entreprendre ou presque avant les gros travaux. Inutile de commencer à repeindre, puisque
les murs seront percés à cause du chauffage. Les
Polonais ont décapé les fenêtres et commencé à

gratter la chaux sur les murs. Nous travaillons, Ed et moi, sur les terrasses, quand nous ne partons pas en quête de carreaux pour les salles de bains, de mobilier, de matériel ou de pots de peinture ; nous cherchons également de vieilles tomettes pour notre nouvelle cuisine. Nous achetons un jour deux grands fauteuils dans un magasin des alentours. Nous nous rendrons compte, le jour de la livraison, qu'ils sont plutôt encombrants. Le tissu sombre et son motif cachemire sont assez curieux, mais nous les trouvons royaux et confortables, après des semaines assis sur nos sévères chaises de jardin. Les nuits de pluie, nous les installons l'un devant l'autre, de part et d'autre de la caisse couverte de tissu qui nous sert de table. Une bougie, un pot de confiture garni de fleurs des champs, et nos pâtes, aubergines, tomates et basilic deviennent un festin. S'il fait froid, nous embrasons un instant des sarments pour repousser l'humidité.

Contrairement à l'été dernier, il pleut cette année en juillet. D'impressionnants orages grondent fréquemment. Je les aime de jour, lorsqu'ils me rappellent mon enfance dans le Sud où les spectacles son et lumière sont un don naturel. Les orages sont rares et me manquent à San Francisco. Ma mère disait : « Il fait trop lourd, il faut que cela éclate », et ils grondaient avec d'immenses éclairs sous le tonnerre, qui nappaient parfois le ciel d'un bout à l'autre de l'horizon en lâchant des millions de kilowatts. Les orages ici sont souvent nocturnes. Je suis assise au lit, en train de dessiner les plans de la cuisine et de la salle de bains sur un papier quadrillé ; Ed s'adonne à des lectures imprévisibles. Il a troqué la poésie latine pour *Plâtres et enduits*. Sous son bras se trouve *L'Eau et la maison : alimentation et circulation*. La pluie se met à crépiter sur les palmiers. Je vais à la fenêtre et regarde au-dehors, pour reculer presque aussitôt. Les éclairs fendent le ciel et s'enfoncent dans la terre — déchiquetés comme la foudre des dessins animés — quatre, cinq, six d'un coup, tout autour de la maison. Les cumulus s'amassent sur les collines et leur houle contenue change brusquement de tempo pour se mettre à exploser si près que j'ai l'impression d'entendre mes vertèbres craquer. La maison tremble ; cela ne plaisante pas. Les lumières s'éteignent. Nous fermons hermétiquement les fenêtres et le vent brusquement s'engouffre au travers de fissures que nous ne soupçonnions pas. La bourrasque joue aux fantômes dans le conduit de la cheminée. Nuit sauvage. La pluie fouette la maison et les deux pauvres palmiers subissent l'ire du vent. Je sens une odeur d'ozone. Je suis sûre que la foudre est tombée sur nous. L'orage a élu domicile ici. Il ne partira pas : nous en formons le cœur et serons peut-être bientôt emportés tout au bas des collines au lac Trasimeno. Je demande à Ed : « Qu'est-ce que tu préfères, toi ? Mourir dans la boue ou foudroyé ? » Nous nous réfugions sous les couvertures comme des mômes de dix ans, en hurlant : « Assez ! », « Non ! », chaque fois que le ciel s'illumine. Le tonnerre pénètre les murettes et change l'ordre des pierres.

La tempête se dirige finalement au nord, et le ciel noir étoilé semble nettoyé de frais. Ed ouvre la fenêtre et la brise propulse la senteur des branches arrachées et des aiguilles de pins. Le courant n'est pas rétabli. Nous nous adossons à nos oreillers, le cœur encore battant, lorsque nous entendons un bruit derrière la vitre. Une petite chouette vient de se poser sur le rebord. Sa tête oscille d'avant en arrière. Peut-être sa branche favorite vient-elle de tomber ou est-elle désorientée par la violence de l'orage. La lune perce les nuages et nous voyons la chouette qui nous regarde fixement. Nous ne bougeons pas. Je prie : s'il te plaît, ne rentre pas dans la pièce. J'ai une peur mortelle des oiseaux, une phobie qui date de mon enfance, pourtant la petite chouette me ravit. Les chouettes semblent toujours être plus qu'elles ne sont vraiment, totems ou symboles en Amérique, mythologie ici. Je pense à celle de Minerve. Ce n'est pourtant qu'une petite créature qui habite la colline. Nous en avons aperçu de plus grosses plusieurs fois la nuit. Nous ne disons mot. Puisqu'elle veut rester là, nous finissons par nous endormir et remarquons au matin qu'elle s'est envolée. La fenêtre est baignée des lueurs de cinq heures et quart — de minces tisons dorés arpentent la vallée, baignent rapidement l'air avant que le soleil ne révèle les collines et s'élève dans le jour clair et absous.

Le verger sauvage

L'heure de la pastèque — mon moment favori de l'après-midi. On peut défendre que rien au monde n'est aussi goûteux qu'une pastèque, et je dois reconnaître que celles de Toscane ont une saveur comparable aux Sugar Babies que nous cueillions tout chauds, lorsque j'étais enfant, dans les champs de la Géorgie du Sud. Je n'ai jamais su les choisir au bruit. Mûres ou pas mûres, les pastèques ne sonnent pour moi ni creux ni plein, le bruit est simplement le même à mes oreilles. Toutes celles que je coupe, cependant, me paraissent un sommet de douceur croquante, d'audace sucrée. Lorsque nous en dégustons une avec les ouvriers, je remarque qu'ils mangent même la pellicule blanche. Quand ils finissent, leurs tranches ne sont plus qu'une feuille de peau molle. Assise sur la murette, le soleil dans les yeux, avec mon quartier de pastèque, j'ai sept ans de nouveau, plus rien n'a d'importance que la force avec laquelle je presse les graines entre mes doigts pour les lancer devant moi, et les dessins que je trace à la cuiller dans la chair juteuse.

L'effervescence qui vient de s'emparer des cinq pins qui bordent la route attire soudain mon attention. On croirait que les écureuils ont acheté du Velcro, ou qu'ils mordillent des *panini*. Un homme bondit hors de sa voiture, ramasse quatre pignes en vitesse et repart sur les chapeaux de roues. C'est ensuite le signor Martini qui fait son apparition. Il a trouvé quelqu'un, j'espère, pour biner les terrasses. Le voilà qui ramasse une pomme de pin et la frotte contre le mur. Des graines s'en détachent. Il en ouvre une à l'aide d'une pierre et me montre la cosse ovale qu'il vient de dégager. « *Pignolo* », dit-il. Puis il désigne d'un geste les graines sombres éparpillées dans l'allée. « *Torta della nonna* », poursuit-il, au cas où je n'aurais pas compris. Je pense à mieux, au *pesto* que je ferai avec les touffes de basilic qui prolifèrent depuis que j'en ai grossièrement planté six pousses. J'adore les salades aux pignons. Des pignons ! Et dire que j'ai marché dessus.

Je savais bien sûr que les *pignoli* sont le fruit des pins. J'ai même regardé dans mon jardin américain si, cachés dans les pignes, je n'en trouverais pas. Mais je n'ai jamais pensé qu'ici les arbres le long de l'allée pourraient nous en fournir ; ils m'ont jusque-là fait l'effet de n'avoir besoin d'aucun soin particulier. Ce sont les arbres du paysage, parfois déchirés par les vents côtiers, communs à tant de plages méditerranéennes, les arbres que fréquentait Dante lorsqu'il était exilé ici à Ravenna. Ceux de l'allée sont duveteux, élancés. Je comprends soudain que notre espèce de *pino domestico* (je viens de regarder dans le dictionnaire botanique) nous donnera ses fruits secs et gras, délicieux lorsqu'ils sont grillés. L'une des *nonne* inventeur de l'épaisse tourte aux pignons a dû habiter ici. Je pense aux délectables raviolis fourrés de noisettes râpées — *noccioli* —, aux macarons et aux autres *torte* qu'elle devait confectionner, grâce à nos vingt amandiers et à ce noisetier ombreux dont les branches ploient sous le poids des fruits. Les *noccioli* se présentent avec une collerette verte au-dessus de leur coque, comme prêtes à épingler sur le revers du veston. Les amandes sont recouvertes d'un velours tendre et vert. L'amandier qui s'est effondré sur la terrasse et va peut-être mourir nous a tout de même offert une superbe récolte.

Le signor Martini devrait sans doute être déjà rentré pour montrer à ses autres clients étrangers une variété de maisons sans toit ni eau, pourtant il reste avec moi à ramasser les *pignoli*. Comme la plupart des Italiens que je connais, il n'est pas avare de son temps. J'aime sa façon de prendre part à l'instant. Nos mains sont bientôt noires de cette espèce de suie du pin. Je demande : « Comment savez-vous autant de choses — vous êtes né ici ? » Et : « C'est toujours aujourd'hui que les cônes tombent par terre ? » Il m'a appris plus tôt que les noisettes sont mûres le 22 août, jour de la Saint-Philibert, un saint étranger[*].

---

[*] *Filbert tree* est en anglais l'avelinier, qui donne une variété de noisette allongée.

Il m'apprend qu'il est né à Teverina, une *località* sur la route de Bramasole, et qu'il y a vécu jusqu'à la guerre. J'aimerais savoir s'il est devenu partisan ou s'il a soutenu Mussolini jusqu'au bout, mais je me contente de lui demander si la guerre est venue à Cortona. Il me montre la forteresse des Medici au-dessus de la maison. « Les Allemands ont occupé le fort qui leur a servi de relais radio. Certains des officiers cantonnés dans les fermes sont revenus après la guerre pour les acheter. » Il rit. « Ils ne comprenaient pas pourquoi les paysans ne voulaient pas les aider. » Nous avons amassé une vingtaine de cônes sur la murette.

Je ne lui demande pas si notre maison a été occupée par les nazis. « Les partisans ?

— Ils étaient partout », dit-il en joignant le geste à la parole. « Même des petits gars de treize ans — tués pendant qu'ils cueillaient des framboises ou gardaient les moutons. À bout portant. Il y avait des mines partout. » Il ne poursuit pas. Soudain, il m'apprend que sa mère est morte il y a quelques années, âgée de quatre-vingt-treize ans. « Plus de *torta della nonna*. » Il est d'humeur désabusée aujourd'hui. Je casse plusieurs *pignoli* entre deux pierres et il me montre comment briser la coque sans écraser le fruit. Je lui dis que mon père est mort, que ma mère reste confinée depuis une méchante crise cardiaque. Il déclare être tout seul, maintenant. Je n'ose pas demander s'il est marié, s'il a des enfants. Cela fait deux étés que nous nous voyons et c'est la première fois que nous parlons de

choses personnelles. Nous rassemblons les cônes
de pin dans un sac en papier et Martini me quitte
d'un « *ciao* ». Quoi qu'on m'ait appris en cours
d'italien, les adultes de la campagne toscane ne
disent pas cela. Au revoir est ici *arrivederla* ou, plus
familièrement, *arrivederci*. Un petit changement
s'est produit.

Cela fait une demi-heure que je casse des
pommes de pin et j'ai recueilli quatre cuillerées à
soupe de pignons. Mes mains sont noires et pois-
seuses. Pas étonnant qu'à San Francisco un sachet
de cinquante grammes coûte une fortune. J'ai en
tête de faire moi aussi une de ces omniprésentes
torte della nonna, qui sont en quelque sorte l'alpha
et l'oméga du dessert italien. La cuisine locale ne
s'embarrasse tout simplement pas de sucreries à la
française ou à l'américaine : mon idée est qu'il faut
avoir grandi ici pour les apprécier ; les pâtisseries
italiennes sont généralement trop sèches à mon
goût. *Torta della nonna*, tartes aux fruits, parfois un
tiramisu (que je déteste), et c'est tout ce que l'on
trouve, à l'exception des restaurants de luxe. La
plupart des boulangeries-pâtisseries et des bars servent la tourte des grand-mères. S'il arrive qu'elles
soient bonnes, on se demande parfois si l'*intonoco*,
le plâtre, ne figurait pas sur la liste des ingrédients.
C'est sans doute la raison pour laquelle les Italiens
prennent souvent des fruits au dessert. Même les
gelati, ces crèmes glacées jadis divinement bonnes
d'un bout à l'autre de l'Italie, sont aujourd'hui
d'une qualité variable. Nombreux sont ceux qui

affirment les produire eux-mêmes et oublient ce faisant de dire qu'ils ont employé pour cela quelque sachet en poudre. Un vrai *gelato* à la pêche ou à la fraise laissera un souvenir impérissable. Des fruits rafraîchis dans un saladier d'eau froide restent heureusement la meilleure conclusion de nos repas d'été, tout particulièrement s'ils sont servis avec le *pecorino* local, un peu de gorgonzola, ou une tranche de *parmiggiano*.

Je convertis de mon mieux les grammes en *cups**, pour copier une recette. Il existe des centaines de variétés de *torte della nonna*. J'aime celle que l'on fait avec de la polenta et une fine couche de crème au centre. Qu'importe si je dois passer une demi-heure de plus à briser les cosses des pignons, alors qu'à la maison je n'aurais eu qu'à les sortir du congélateur. Je commence par composer un flan épais à l'aide de deux jaunes d'œufs, le tiers d'une tasse de farine, deux tasses de lait, et une demi-tasse de sucre. C'est plus que je n'aurai besoin et je garde de quoi en faire deux parts plus tard. Je laisse reposer le flan et je mets la main à la pâte : une tasse et demie de polenta, une tasse et demie de farine, un tiers de tasse de sucre, deux cuillerées à café de levure, quatre onces** de beurre à mélanger en lamelles, un œuf entier et un jaune seul. Je divise la pâte en deux moitiés égales, j'en étends

* *Cup* (1 tasse) = une demi-pinte ou huit onces, soit environ 225 grammes.
** *Once* (ounce) = 28,35 grammes.

une dans le moule que je couvre de flan, puis j'étends la seconde par-dessus et j'assemble la pâte sur les bords. Je saupoudre le tout d'une poignée de pignons grillés et je mets à cuire trente-cinq minutes à cent quatre-vingts degrés. Des arômes prometteurs emplissent vite la cuisine. L'odeur m'apprend que ma tourte est cuite et je la place, toute dorée, sur le rebord de la fenêtre, avant d'appeler le signor Martini. « Ma *torta della nonna* est prête », lui dis-je.

Je prépare une cafetière en le voyant arriver et lui coupe une large tranche. Ses yeux prennent un air rêveur dès la première cuillerée.

Son verdict : « *Perfetto.* »

*

Outre tous ces fruits à écale, la *nonna* d'origine a installé ici les vergers de l'Éden. Voici ce qui en reste : trois espèces de pruniers (les Santa Rosa locales, grassouillettes, portent le nom de *coscia di monaca*, cuisse de nonne), des figuiers, pommiers, abricotiers, un cerisier (à moitié mort), et plusieurs sortes de poires. Celles qui mûrissent en ce moment sont petites, entre vert et feuille morte, sucrées et craquantes. Les pommiers noueux — j'aimerais bien savoir de quelle variété il s'agit — ne pourront sans doute être sauvés, mais offrent de minuscules fruits qui ressemblent à ceux que les annonceurs présentent avant l'application de produits insecticides. Un grand nombre de ces arbres sont venus là d'eux-mêmes ; trop jeunes pour avoir été plantés par les anciens occupants, ils poussent souvent en des endroits curieux. Quatre de nos pruniers se trouvent sous une rangée de dix autres sur l'une des terrasses, et sont d'évidence la progéniture de ceux-ci.

Je suis sûre que la *nonna* cueillait le fenouil sauvage, en séchait les fleurs jaunes et jetait les bouquets encore verts dans le feu, à griller sous la viande. Nous dégageons des vignes enfouies sous les broussailles le long des terrasses. Certaines projettent encore agressivement de longues tiges emmêlées, où de minuscules grappes se dessinent. Les terrasses ressemblent à un étrange cimetière, avec ces antiques pierres de vignerons restées à leur place, arrondies à hauteur de genou comme leurs sœurs des concessions, mais trouées pour soutenir des tringles perpendiculaires. Celles-ci dépassent parfois de l'arête des terrasses pour donner plus d'espace cultivable. Ed tend du fil métallique de tringle en tringle et relève les vignes pour qu'elles en suivent le plan. Le jardin tout entier fut autrefois un vignoble, et nous n'en revenons pas.

À l'*enoteca* de Siena, une immense vinothèque où l'on présente et goûte les vins de toute l'Italie, un employé nous a appris que la plupart des vignobles de la péninsule couvraient comme le nôtre moins de trois hectares. Un grand nombre de petits viticulteurs se regroupent au sein de coopératives locales pour produire toutes sortes de vins, y compris leur vin de table, *vino di tavola*. Tandis que nous binons les mauvaises herbes qui étouffent les vignes, nous commençons tout naturellement à imaginer un gamay ou un chianti de Bramasole, millésimé 2000. Les ceps maintenant découverts expliquent les montagnes de bouteilles dont nous avons hérité. Ils nous donneront peut-être ce vin rouge et brutal que l'on sert en pichets dans tous les restaurants du coin. Ou encore un *grechetto* siliceux, le vin blanc régional, couleur de citron. Oh oui ! ce pays nous attendait. Ou l'inverse.

La plus essentielle, la plus élémentaire des denrées de la *nonna* était sans nul doute l'huile d'olive. Elle allumait son fourneau à bois en embrasant les branchettes élaguées des oliviers ; trempait son pain dans une assiettée d'huile avant de le griller, arrosait ses soupes et ses pâtes de l'exquise liqueur verte. Des sacs de tissu, pleins d'olives, restaient suspendus à fumer tout l'hiver au-dessus de l'âtre. Son savon même était fait de son huile et des cendres de la cheminée. Son mari ou leur employé passaient des semaines entières à entretenir les terrasses. L'usage voulait alors que les arbres soient taillés de façon à permettre aux oiseaux de passer entre les grandes branches sans y piquer leurs ailes. Ils devaient savoir exactement à quel moment cueillir. Si les troncs sont encore mouillés, les olives moisissent avant d'arriver au moulin. Pour les manger, tout l'amer glucoside qu'elles contiennent doit être éliminé par salaison ou saumurage. En sus du rationnel, une foule de vieilles superstitions permettent de déterminer le moment le plus approprié à la cueillette ou aux semis ; la lune a ses bonnes et ses mauvaises nuits. Il y a bien long-temps, Virgile étudia les croyances des fermiers — planter le dix-septième jour après la pleine lune, éviter le cinquième. Il recommande aussi de fau-cher la nuit, quand l'humidité ramollit le chaume. J'ai peur que Ed ne tombe d'une terrasse s'il s'y essaie.

Certains de nos oliviers sont des figures de style — vieux, tordus, noueux. Un grand nombre se composent de jeunes pousses qui ont émergé en cercles autour d'un arbre brisé. Difficile d'imagi-ner, dans ce petit croissant de colline, que la tem-pérature puisse descendre quinze degrés sous zéro, comme en 1985. Un trou apparent entre deux oli-viers dénonce la présence d'une grosse souche morte. Trop longtemps négligés, ces arbres devront connaître une nouvelle vie. Ils ont tous besoin d'être débarrassés de leurs encombrants parasites : sumac, genêts, herbes folles, puis d'être élagués et nourris. Les terrasses, elles, binées et nettoyées. C'est un gros travail, mais qui devra attendre. Les oliviers étant presque immortels, ils survivront une année de plus.

« C'est une feuille d'olivier qu'elle amène pour la paix », écrit Milton dans *Le Paradis perdu*. La colombe qui est revenue vers l'arche, un rameau d'olivier au bec, a fait le bon choix. De cet arbre émane un sentiment de paix, dû, certainement, à la façon particulière dont ils s'insèrent dans le temps. Ils sont là, le seront, l'ont été. Que nous les accompagnions ou pas, ils replieront chaque matin leurs feuilles en croissant lentement au soleil.

Il y a quelques étés de cela, nous sommes, une amie et moi, parties nous promener à Majorque au-dessus de Soller. Nous avons parcouru de hauts kilomètres bordés d'énormes et terribles oliviers, disposés en terrasses. Nous avons trouvé au sommet les refuges de pierre des sylviculteurs. Bien que nous nous soyons égarées, et malgré la présence d'un taureau furieux dans une des prairies, nous avons ressenti tout le jour une paix intense au contact de ces arbres qui semblaient vivre là, et peut-être est-ce vrai, depuis un millénaire. Arpenter ici nos deux hectares sinueux me procure le même sentiment. Aussi artificielle soit-elle, la culture en terrasses nous paraît naturelle. L'un des plus anciens modes d'écriture, appelé boustrophédon, voulait que les lignes se suivent de gauche à droite, puis de droite à gauche, sans interruption. À condition d'y être initié à temps, la méthode semble particulièrement efficace. L'étymologie grecque nous apprend que le terme signifie l'action d'un « bœuf qui fait un demi-tour en labourant la terre ». Le mode d'écriture est semblable à l'échelonnement des terrasses : l'espace requis pour tourner au bout du sillon est aussi celui qui permet de monter d'une hauteur. Et, ce faisant, on part vers l'autre bout.

*

Nos cinq *tigli*, ces tilleuls du vieux monde, ne portent bien sûr pas de fruits. Ils nous donnent leur ombre le long de la grande terrasse en contrebas, lorsque le soleil nous interdit de rester sur la plus proche. Nous déjeunons presque chaque jour sous l'un de ces *tigli*. Leurs fleurs ressemblent à des boucles de nacre accrochées le long des feuilles, et le jour où elles s'ouvrent — toutes ensemble, semble-t-il — leur senteur enveloppe la colline entière. En pleine floraison, nous restons assis sur le balcon à l'étage, et essayons de décrire leur parfum. Je lui trouve une ressemblance avec l'odeur particulière d'un magasin, ici ; il rappelle à Ed le gel avec lequel son oncle Syl coiffait ses cheveux en arrière. Quoi qu'il en soit, nos tilleuls attirent toutes les abeilles du coin. Même la nuit, lorsque nous prenons un café à l'étage, elles continuent d'en butiner les fleurs. Leur bourdonnement semble celui d'une troupe sur le pied de guerre. Il nous berce et nous effraie en même temps. Allergique à leur venin, Ed n'ose tout d'abord pas sortir, mais elles ne se soucient pas de nous. Elles ont leurs poches de miel à remplir, leurs pattes à lester de pollen.

Allergique ou pas, Ed est un passionné de ruches. Il veut me convaincre de faire l'apicultrice. Le fait que je n'ai jamais été piquée par une abeille implique pour lui que cela ne m'arrivera pas. Je lui fais remarquer que je fus autrefois victime de tout un essaim de guêpes, mais cela ne semble pas compter. Il voit déjà une série de ruches derrière nos tilleuls. « Tu n'en reviendras pas quand tu regarderas dedans, dit-il. Lorsqu'il fait très chaud, des centaines d'ouvrières se postent devant l'entrée en agitant leurs ailes pour aérer la reine. » J'ai remarqué qu'il collectionne toutes les sortes de miel local. Je trouve souvent une casserole d'eau chaude sur la cuisinière où il fait ramollir au bain-marie un miel dur et cireux. L'acacia est pâle, presque jaune ; le miel de châtaignier, sombre et épais au point qu'une cuiller reste droite si on l'y enfonce. Nous avons aussi des pots de *timo*, miel de thym, et, bien sûr, de *tiglio*. Le plus fort s'appelle *macchia* et provient des buissons salés des côtes de Toscane. « On fait des gorges chaudes sur le statut des reines, alors qu'elles passent leur vie à pondre, et pondre, et pondre. La reine s'envole et ne convole qu'une fois. C'est parce qu'elle est féconde qu'elle reste emprisonnée toute son existence dans la ruche. Ce sont les ouvrières — les femelles asexuées — qui s'amusent le plus. Imagine-toi des journées entières à butiner les roses. » Je vois Ed parfaitement transporté. Je me laisse même intéresser.

« Qu'est-ce qu'elles mangent tout l'hiver dans leurs ruches ?

— De la pâtée.

— De la pâtée ? Mais de quoi ?

— C'est un mélange de pollen et de miel. Les apiculteurs en font eux-mêmes pour le couvain, les rayons qui contiennent les larves et les œufs. Et c'est les ouvrières qui sécrètent dans leur estomac la cire des hexagones. »

J'essaie d'imaginer les dimensions du système digestif de ces dames. Combien de milliers de fois doivent-elles circuler des tilleuls à la ruche avant de produire une seule cuillerée de miel ? Un pot moyen doit être le produit de millions d'aller et retour, l'équivalent d'un cargo entier de miellée rapportée sur leurs pattes de mouches. Dans *Les Géorgiques*, qui est en quelque sorte un almanach des temps anciens, Virgile écrit que les abeilles se lestent de petits cailloux pour ne pas se laisser emporter par les violents vents d'est. Il a souvent raison au sujet des abeilles, mais pas toujours : Virgile pensait qu'elles prenaient vie spontanément sur les carcasses pourrissantes des vaches. J'aime bien l'image de la vaillante abeille qui s'accroche à son caillou, comme le rugbyman qui traverse le terrain, son ballon dans les bras. « Oui, je verrais bien quatre ruches toutes vertes. Je suis assez séduit par les combinaisons d'apiculteurs, ce côté médiéval, la main gantée qui va chercher les rayons de miel. On pourrait même faire nos propres bougies avec la cire. » L'idée finit par me séduire.

Mais Ed s'est déjà levé et se laisse griser par l'odeur des tilleuls. Il s'envole dans l'abstrait. « Les guêpes vivent en anarchistes, alors que les abeilles... »

Je rassemble les tasses à café. « On peut peut-être attendre que les travaux soient finis. »

*

La présence de figuiers est synonyme d'eau. Les nôtres poussent sur la terrasse près des plans inclinés que nous avons découverts. Les parois du puits naturel sont couvertes par les racines du figuier qui le domine. J'ai un sentiment partagé à propos des figues. Leur chair me paraît douteuse, répugnante. *Il fico*, le figuier et la figue en italien, a donné *fica* en argot, qui veut dire la vulve. Sans doute parce qu'il est lié à l'exode célèbre du jardin d'Éden, le figuier semble l'arbre le plus ancien. Il est aussi franchement étrange que la fleur se trouve à l'intérieur du fruit. Ouvrir une figue revient à contempler la représentation complexe, primitive et infiniment sophistiquée d'un cycle de vie. La pollinisation des figues se fait par l'entremise d'une espèce particulière de petites guêpes d'environ trois millimètres. La femelle perce un trou dans la fleur qui se développe à l'intérieur du fruit. Une fois entrée, elle introduit son ovipositeur, semblable à une épine de rose courbée, dans l'ovaire de la fleur femelle et y dépose ses œufs. Lorsque l'ovipositeur, ou tarière, ne parvient pas à atteindre l'ovaire (certaines fleurs ont de longs styles), la guêpe fertilise quand même la fleur du figuier à l'aide du pollen qu'elle a collecté jusque-là. Dans les deux cas, l'un ou l'autre aspect de la symbiose est servi — les larves de guêpe se développent si l'insecte a pu poser ses œufs, sinon c'est la fleur de figuier, fécondée, qui produira ses graines. Si la réincarnation est une réalité, qu'on ne me laisse pas revenir sous la forme d'une guêpe térébrante. Lorsque la femelle est incapable de trouver un nid correct pour ses œufs, elle meurt en général d'épuisement à l'intérieur de la figue. Mais si elle y arrive, les jeunes guêpes éclosent dans le fruit et les mâles naissent dépourvus d'ailes. Leur seule et brève fonction est d'ordre sexuel. Ils se réveillent, inséminent les femelles, puis les aident à quitter le fruit. Cela fait, ils meurent. Les femelles s'envolent, munies du sperme de leur fugace union, suffisant toutefois à la fécondation. Cela met-il l'eau à la bouche de savoir, si délicieuse aucune figue soit-elle, qu'elles sont toutes un minuscule cimetière de guêpes mâles et aptères ? Ou peut-être la sensualité du fruit provient-elle de quelque parfum qu'ils dissolvent au terme de leur brève et jouissive existence.

*

Dans ma famille, les femmes ont toujours fait des conserves de tout — *pickles*, gelées de muscats nains, écorces de pastèque confites, confitures de pêches, pâtes de pruneaux. Je ne peux résister à l'appel du chaudron, à l'attrait des framboises qui perdent lentement leur jus, aux saladiers de pêches parfumées de girofle, prêtes à être versées dans un bain vinaigré, ni aux petits cornichons. J'ai pleuré, en Californie, sur le caoutchouc de mes bocaux transformé en cire, sur des confitures refusant de confire, sur une bassine de goyaves qui m'a donné deux douzaines de pots de gelée grisâtre au lieu de l'exotique teinte topaze attendue. Je n'ai pas hérité du gène maternel qui permettait aux étagères de se remplir de rangées de confitures écarlates ou émeraude, et de conserves à la saumure de ces petites choses que l'on appelle ici *sottacete* (confites dans le vinaigre). J'étudie le produit d'un après-midi de sueur sans pouvoir penser à autre chose que : « botulisme ».

Je suis certaine que les propriétaires d'autrefois — celui et celle qui ont voulu les arbres fruitiers de la terrasse, où le feuillage ondule sur le sentier herbeux — avaient sous l'escalier des étagères de confitures. Et qu'ils ne s'inquiétaient pas en ouvrant un pot de prunes un matin de janvier. Je pense qu'ici je passerai maître dans cet art que ma mère aurait dû me transmettre aussi naturellement que son goût pour les services de porcelaine peinte et les chaussures de prix.

Samedi matin, je porte à la voiture la cagette de pêches toutes fraîches que j'ai prise au marché. Elles sont si belles que je n'ai d'autre envie que les confier à un grand panier et me rassasier de leurs couleurs délicieuses. Dans le seul livre de cuisine que j'ai pour l'instant ici, je trouve une recette de marmelade de pêches signée Elizabeth Davis. Rien de plus simple : on cuit les pêches coupées en deux avec un peu d'eau et de sucre, on laisse refroidir le tout, puis on recommence le lendemain jusqu'à ce que le jus prenne, ce qu'on vérifie en déposant une cuillerée du mélange dans une soucoupe. L'auteur note : « C'est une méthode plutôt extravagante, mais qui permet de réaliser de délicieuses confitures. Malheureusement, une petite couche de moisi a tendance à se former rapidement à la surface, ce qui n'affecte pas le reste, puisque j'ai réussi à les conserver une bonne année et plus, dans une maison déjà humide. » Je suis un rien gênée par cette remarque incertaine. De plus, Mme Davis reste dans le vague pour ce qui est de la stérilisation et ne mentionne jamais la succion caractéristique du couvercle, aspiré par les tomates vertes que maman laissait refroidir. Je me rappelle la façon dont ma mère tapait doucement sur les pots pour s'assurer de leur bonne fermeture. On dirait que Mme Davis se contente de verser ses fruits cuits dans leurs conserves pour ne plus y penser, puis dégage le moisi en toute impunité le jour où elle décide de couvrir ses tartines. Elle affirme néanmoins que son extravagance est synonyme de délice, et si Elizabeth Davis le dit, je la crois. Comme j'ai toutes ces pêches, je décide d'en cuire trois à quatre kilos et de manger les autres. Nous ouvrirons les confitures cet été sans laisser le temps à notre maison humide d'y déposer des couches de vilain moisi. Je donnerai quelques pots à nos nouveaux amis, qui se demanderont pourquoi je ne repeins pas mes volets au lieu de faire des compotes.

Je plonge mes pêches un instant dans l'eau bouillante, j'observe le rose de la chair peu à peu s'empourprer, et je les sors à la cuiller. La peau se détache aussi aisément qu'un vêtement de soie. Ma recette est simple, même pas besoin d'un filet de citron, de gratter une noix de muscade ou de piquer un clou de girofle. Je me rappelle que ma mère ajoutait l'amande qu'elle dégageait des noyaux, parfumée et secrète. La cuisine est bientôt baignée d'une douceur à damner n'importe quel insecte. Pour faire bonne mesure, j'ébouillante mes pots le lendemain, tandis que les pêches cuisent de nouveau. Je remplis à la louche cinq jolis bocaux de fruits bien assez sucrés.

Le *forno* de Cortona confectionne dans ses fours à bois une merveille de pain croustillant. Le petit déjeuner est l'un de mes moments favoris, car le matin toujours frais n'augure jamais des canicules à venir. Je me lève tôt pour prendre mon café sur la terrasse où je reste lire une heure en compagnie des rangs de cyprès vert sombre, plaqués sur le ciel de coton. Les collines étagées avec leurs oliveraies suivent encore les dessins saisonniers des psautiers médiévaux. La vallée par-dessous est un grand saladier de brouillard. Deux figuiers à côté ont leurs premiers fruits verts et durs, le poirier également, tout près. Une fine récolte nous attend. Je délaisse mon livre. Punch aux poires, chutney et sorbets de poire, porc aux figues vertes (à ce stade, les guêpes sont-elles entrées ?), beignets de figues, tourte aux figues et aux *noccioli*. Et que l'été dure cent ans.

Le bruissement du soleil

Située seulement à deux kilomètres de la ville, la maison semble perdue au fond de la campagne. Nous ne voyons jamais aucun de nos voisins, même si nous entendons parfois là-haut une voix masculine crier *vieni qua*, viens ici, à son chien. Le soleil frappe nos murs comme une conviction religieuse. Je connais toujours l'heure à la façon dont il les éclaire, comme si notre demeure était un grand cadran solaire. À cinq heures et demie le matin, les premiers rayons qui embrassent le balcon nous tirent du lit pour offrir leur aube nouvelle. À neuf heures, l'astre gagne la fenêtre de mon bureau et s'abat sur les dalles. C'est celle que je préfère, celle qui encadre le mieux la route et ses cyprès, les cultures des collines et les Apennins au loin. Je voudrais en faire une aquarelle, mais mes couleurs, toujours affreuses, sont juste bonnes à remplir les tiroirs. Une heure plus tard, le soleil s'est hissé par-dessus l'avant de la maison, et une ombre brisée le long de la pelouse nous prévient qu'il se dirige vers l'autre flanc de la montagne. Quand nous partons en ville à la fin de l'après-midi, nous avons droit à un coucher grandiose, tardif, sur le Val di Chiana, qui s'étire jusqu'à dissolution complète et marbre ensuite le ciel de safran et d'or pour éclairer doucement notre retour. Puis à neuf heures et demie s'installe l'obscurité violette.

Les nuits sans lune sont noires comme l'intérieur d'un œuf. Ed est rentré au Minnesota pour le cinquantième anniversaire de mariage de ses parents. Un volet claque ; le reste du temps, le silence se réverbère avec assez d'intensité pour que j'entende mon sang circuler dans mes veines. Je m'attends à ne pas dormir, à ce qu'un drogué en manque, une Uzi à la main, se glisse la nuit dans l'escalier. Mais pas du tout, je m'installe sur le grand lit aux draps fleuris, entourée de livres, de cartes postales et de mon bloc, et je me laisse aller à cette activité si rare d'écrire à mes amis. Un autre plaisir intime remonte à ma vie de collégienne — j'avale une assiette de brownies avec un coca, tandis que je recopie dans mon journal de longues citations et des vers. Si seulement Sister, la chatte angora, était ici. C'est un compagnon de choix pour la solitude. Il ferait bien trop chaud pour qu'elle puisse dormir à mes pieds, comme elle aime le faire : je l'installerais sur un coussin au bas du lit. Je dors comme un nouveau-né, je prends mon café le matin sur le balcon, je pars en ville faire quelques courses, je travaille la terre, je rentre boire et me rafraîchir, et il n'est que dix heures. Le temps passe sans que je sente le besoin de parler.

Au bout de quelques jours, ma vie trouve son rythme naturel. Je me réveille à trois heures du matin et je lis jusqu'à quatre ; je mange de petites choses — une tomate mûre comme d'autres croqueraient une pomme — à onze et quinze heures, plutôt qu'un repas à treize. Je suis debout à six heures, mais au moment de la sieste, quand la chaleur culmine, je retourne deux heures au lit. Ni somme ni somnolence, ce sera un vrai sommeil lourd dans lequel je me laisse enfoncer sous le ventilateur qui ronronne. À la fin de la journée, je trouve le temps de descendre un couvre-lit et je m'étends dehors sur le dos, ma torche sous le bras, sous la carte du ciel. La Grande Ourse est toujours ancrée au-dessus de la maison, et je repère facilement Pollux dans les Gémeaux, Procyon dans le Petit Chien. Les étoiles que j'oublie sont toujours là, fines et vivaces, qui filent et brillent.

Une Française et son mari anglais remontent l'allée et se présentent comme nos voisins. Ils ont appris que les propriétaires sont américains et veulent rencontrer les fous furieux qui se sont lancés dans cette ordalie de travaux. Ils m'invitent à déjeuner le lendemain. Comme ils sont tous deux écrivains, qu'ils restaurent leur fermette, nous lions aussitôt amitié. Où mettre un nouvel escalier, que faire de cette pièce minuscule, la petite étable est-elle trop sombre pour la transformer en chambre à coucher ? La *comune* interdit d'ajouter des fenêtres, même dans une petite ferme qui manque d'air ; les extérieurs doivent rester inchangés sur les terres patrimoniales. Ils me prient de venir dîner le soir suivant et me présentent deux autres écrivains, un couple franco-américain. Ce sont eux qui nous reçoivent lorsque Ed rentre au bout d'une semaine.

La table est installée sous la tonnelle ombreuse. Salades et vin rafraîchis, fruits, un superbe soufflé au fromage improvisé sur la cuisinière. Une chaleur floue enveloppe les oliviers au loin. Il fait frais sur la terrasse dallée. On nous présente les autres convives : des littéraires, romanciers, journalistes, traducteurs et autres — tous expatriés de longue date, ils demeurent dans ces collines où ils ont restauré de vieilles pierres. Vivre à plein temps dans un autre pays me fascine. Je suis curieuse d'apprendre comment le voyage initial ou la première mission a ouvert leur vocation. Je pose d'abord la question à Fenella, à ma droite, qui écrit pour des journaux du monde entier : « Vous n'imaginez pas ce qu'était Rome dans les années cinquante. C'était magique. J'en suis tombée amoureuse comme d'un être vivant, et j'ai cherché à y rester par tous les moyens. Cela n'a pas été facile. J'ai obtenu un temps partiel chez Reuter. Si vous regardez de vieux films, vous verrez qu'il n'y avait presque pas de voitures, à l'époque. La guerre était finie depuis peu et l'Italie était dévastée, mais quelle *vie* ! Tout était incroyablement bon marché. Bien sûr, on n'avait pas beaucoup d'argent, mais nous habitions de somptueux appartements dans les immenses *palazzi*, pour un loyer ridicule

Chaque fois que je rentrais aux États-Unis, il me tardait de revenir ici. Je n'en voulais pas à l'Amérique, mais... — ou peut-être que si. Pourtant, c'est ici que je voulais être, et nulle part ailleurs.

— C'est pareil pour nous », dis-je, même si je m'aperçois ensuite que ce n'est pas tout à fait vrai. Je suis totalement séduite par la magie des lieux, mais je crois surtout trouver ici l'équilibre qui manque à ma vie américaine. Je n'ai pas l'intention de quitter les États-Unis, même si je le pouvais. Je tente de nuancer ce que je viens de dire. « J'ai un travail exigeant, mais je l'adore — c'est le nerf de ma vie. San Francisco n'est pas vraiment chez moi au sens où j'y aurais été élevée, mais c'est un endroit facile à vivre, très beau, malgré les tremblements de terre. Cela dit, le temps que je passe ici me permet d'échapper à la violence, à cette folie surréaliste qui étreint souvent l'Amérique, et à une vie parfois trop remplie. Au bout de trois semaines, je me rends compte que j'ai oublié cette attitude de défense qui est devenue un instinct, à force de vivre dans une grande ville américaine, sans que je l'aie vraiment voulu. » Elle me regarde d'un air attristé. La violence aux États-Unis est aujourd'hui telle que peu de gens se l'imaginent. Je poursuis : « Mon cœur se met à battre plus lentement, ici, c'est évident. Pourtant c'est là-bas que je travaille le mieux — c'est ma culture, ma base, mon passé. » Je ne suis pas sûre de m'être bien expliquée. Mon interlocutrice lève son verre à ma santé.

« *Esatto*, ma fille dit la même chose. Dommage

que vous n'ayez pas connu Rome au moment où il fallait. C'est affreux, maintenant. À l'époque, c'était irrésistible. » Je comprends soudain que leur exil est double — ils ont non seulement quitté les États-Unis, mais Rome quelques années après.

Max renchérit. Il a séjourné la semaine dernière à Rome où la circulation était épouvantable. Des gitans qui le prenaient pour un touriste l'ont accosté en s'efforçant de distraire son attention avec leur carton, dans le but de lui faire les poches. « J'ai appris il y a longtemps à leur jeter le mauvais œil, lance-t-il à notre attention, Ed et moi. Et ils détalent. » Tout le monde s'accorde pour dire que l'Italie n'est plus ce qu'elle était. Qu'était-elle ? J'entends dire, depuis que j'ai dix-huit ans, que la Silicon Valley fut autrefois peuplée de vergers, qu'Atlanta était une ville digne, les éditeurs des gentlemen, et qu'une maison coûtait le prix d'une de nos voitures. Tout cela est sûrement vrai, mais comment vivre autrement ? Nous avons des amis qui viennent d'acheter un appartement à Rome et sont fous de cette ville. Nous l'adorons nous-mêmes. Peut-être les bouchons du Bay Bridge et le prix de la vie à San Francisco nous ont-ils déjà pré-parés à tout.

L'un des invités est un écrivain que j'admire depuis longtemps. Elle a vécu après guerre dans le sud de l'Italie, puis à Rome, avant de s'établir dans la région il y a une vingtaine d'années. Je savais qu'elle résidait ici. Elle passe une partie de l'année chez une amie commune en Géorgie, qui m'avait

donné son numéro de téléphone. J'ai cependant
toujours eu du mal à appeler les gens que je ne
connais pas et je suis, quoi qu'il en soit, un rien
impressionnée par cette femme qui a décrit d'une
prose austère et lumineuse les vies difficiles,
sombres et orageuses des femmes du Sud italien,
dans une Basilicata dévastée.

Elizabeth est assise de l'autre côté de la table,
décalée de quelques sièges. Je la vois poser une
main sur son verre pour empêcher Max de la servir. « Tu sais que je ne bois jamais au déjeuner. » La
même austérité. Elle porte une chemise de coton
bleu et un genre de médaillon religieux autour du
cou. Son regard bleu me semble froid et distant,
elle a une peau de blonde et sa voix me rappelle
par moments mon propre accent.

Je me penche vers elle et je risque : « Auriez-vous
un reste d'accent du Sud ?

— J'espère bien que non », lâche-t-elle aussitôt
— est-ce un sourire voilé que je crois distinguer ? — puis elle se retourne vite vers ce traducteur connu assis près d'elle. Je contemple ma
salade.

Lorsque Richard nous sert son *gelato* au citron
avec le mascarpone, notre petite assemblée est
grisée. Les bouteilles de vin vides trônent sur la
desserte. Le soleil intense reste prisonnier des
branches du châtaignier. Ed et moi nous efforçons
de participer, mais nous faisons face à un vieux
groupe d'amis, tous pétulants, qui ont vécu beaucoup de choses ensemble. Fenella parle de ses

voyages d'études en Bulgarie et en Russie ; Peter, son mari, raconte comment au retour d'une mission en Afrique il a réussi à passer une perruche grise dans son manteau. Cynthia évoque les dissensions familales au sujet des carnets de notes de sa célèbre maman. Max fait rire tout le monde en décrivant la veine incroyable qui lui a valu de voyager, dans un avion à destination de New York, sur le siège voisin d'un producteur de cinéma qui, captif, l'a écouté décrire son scénario et lui a demandé finalement de le lui envoyer. Le producteur a pris une option sur le script et doit leur rendre bientôt visite. Elizabeth semble stupéfaite.

Elle me parle alors que nous allons bientôt partir : « Vous étiez censée m'appeler. J'ai essayé de trouver votre numéro, mais il n'est pas dans l'annuaire. Irby [une amie de ma sœur] m'a appris que vous aviez acheté votre maison. J'ai rencontré votre sœur lors d'un dîner à Rome — Georgia, voilà, je me souviens. » Je m'excuse en mentionnant les travaux de la maison, puis, saisie d'une impulsion, je l'invite à dîner dimanche soir. C'est une vraie impulsion, puisque nous n'avons ni meubles, ni couverts, ni nappes — rien que notre cuisine rudimentaire, ses quelques casseroles et assiettes.

*

Je choisis au marché une nappe en tissu dont je couvrirai la table déglinguée rangée derrière la maison, je dispose quelques fleurs des champs dans un bocal et les installe dans un pot de terre, puis je prépare avec soin un dîner simple : raviolis à la sauge et au beurre, poulet sauté et rouleaux au *prosciutto*, légumes frais et fruits. Elizabeth arrive alors que Ed est en train de tirer la vieille table sur la terrasse. Le plateau entier se détache avec l'un des pieds — désastre ou éclat de rire. Elle nous aide à maintenir la table pendant que Ed la consolide de quelques clous. Une fois rétablie et couverte, elle est tout à fait bien. Nous faisons le tour de notre grande maison vide et commençons à parler gouttières, puits, conduits de cheminées, murs chaulés. Elizabeth a restauré intégralement une noble *casa colonica* en arrivant ici. Un mur s'est écroulé le jour de l'emménagement, ce qui lui a permis de trouver, derrière, la truie mécontente que les paysans lui avaient laissée. Il est évident que notre invitée sait *tout* de l'Italie. Ed et moi entamons alors une série de dix mille questions. Où fait-on analyser l'eau ? Combien mesurait un mille romain ? Où est le meilleur boucher ? Trouve-t-on encore les tuiles d'autrefois ? Vaut-il mieux demander le statut de résident ? Notre hôte, qui depuis 1954 a observé l'Italie de très près, dispose d'une somme impressionnante de connaissances historiques, linguistiques, politiques. Elle détient également le numéro de téléphone des plombiers compétents et le nom de la cuisinière qui prépare les *gnocchi* les plus légers du nord de Rome. Un long dîner au clair de lune à espérer que la table ne se renversera pas. Nous avons soudain une amie.

Chaque matin, Elizabeth monte en ville, achète le journal et boit son *espresso* au même café. Je me lève tôt également, et j'adore voir la ville s'éveiller à la vie. Je prends ma grammaire italienne pour apprendre mes conjugaisons en marchant. Je préfère parfois un livre de poésie, qui rime bien avec promenade. Je lis quelques vers, puis les savoure, les analyse peut-être, avant de poursuivre, et me contente à l'occasion de répéter un court passage ; cette flânerie méditative semble libérer les mots. Le rythme de mes pas suit les pieds du poète. Ed me trouve excentrique, il pense qu'on me surnommera bientôt la Ricaine affolée, c'est pourquoi en arrivant aux portes de Cortona, je range mon livre et ne m'occupe plus que d'observer la façon dont Maria Rita dispose ses légumes, de regarder le coiffeur allumer sa première cigarette avant de s'enfoncer dans son fauteuil, son petit tigre sur les genoux. Je rencontre souvent Elizabeth. Sans nous concerter, nous nous retrouvons là une fois ou deux par semaine.

*

Ed et moi commençons à nous sentir un peu plus chez nous à Cortona. Nous nous efforçons d'acheter tout ce dont nous avons besoin dans les boutiques ; outils, transformateurs, solutions pour lentilles de contact, bougies antimoustiques, pellicules photo. Nous ne voulons pas nous fournir au supermarché de Camucia, moins cher ; nous passons de la boulangerie au magasin de fruits et primeurs, puis chez le boucher, et nous entassons tout dans nos cabas de toile bleue. Maria Rita file dans son arrière-salle, nous ramène des laitues cueillies le jour même et ses meilleurs fruits. « Oh, vous me paierez demain », dit-elle si nous n'avons pas de monnaie. À la poste, la receveuse colle des séries de timbres sur nos lettres, puis les oblitère méchamment à la main, *pam, pam :* « *Buon giorno, signori.* » Arrivés à l'épicerie bondée, je dénombre trente-sept sortes de pâtes et, sur le comptoir, tout frais, des *gnocchi*, des *pici*, ces épaisses et longues mèches, des *fettucine* et deux types de raviolis. Ils savent maintenant quelle sorte de pain nous voulons, et que nous préférons la mozzarella de bufflonne, *bufala*, à la *normale*, à base de lait de vache.

Nous achetons un autre lit en prévision de la visite de ma fille. Les sommiers à ressorts n'existent pas ici. Le cadre métallique soutient des lames de bois croisées sur lesquelles on pose le matelas. J'ai pensé aux lattes de mon lit, quand j'étais petite, qui s'effondrait complètement, matelas, ressorts et le reste, quand je me mettais à sauter dessus. Mais ce sommier est bien conçu, le lit est ferme et confortable. Une très jeune femme aux boucles noires ébouriffées et aux yeux sombres vend du linge de maison ancien le samedi au marché. J'ai choisi pour Ashley d'épais draps de lin aux ourlets crochetés, et une grande paire de taies carrées, bro-

dées et bordées de dentelle. Ils devaient faire partie
du trousseau d'une mariée et se trouvent en si bon
état que je me demande si elle les a jamais sortis de
sa malle. Comme la poussière a épousé les plis, je
mets le tout à tremper dans la baignoire sabot
pleine d'eau savonneuse, puis je les étends dans le
jardin au soleil de midi, cette javel naturelle qui
ravivera le blanc.

Elizabeth a décidé de vendre sa maison et de
louer une aile, autrefois réservée au prêtre, d'une
église du XIIIᵉ, dénommée Santa Maria del Bagno
— Sainte-Marie-aux-Bains. Elle ne déménagera
qu'à l'hiver, mais elle a commencé à trier ses
affaires. En souvenir peut-être de notre premier
dîner, elle nous fait cadeau d'une table de jardin et
de quatre chaises de métal forgé. Elizabeth a participé, il y a des années de cela, à une émission de
télévision sur Moravia, qui a exigé un endroit pour
se reposer entre les prises de vues. C'est à cette
occasion qu'elle a acheté le tout. Je donne à la
« table Moravia » une couche fraîche de cette peinture vert sombre des jardins publics parisiens. Nous
héritons aussi de quelques étagères et de sacs
entiers de livres. L'ermite du XIVᵉ siècle qui vivait
dans notre coin de montagne approuverait sans
doute la simplicité de notre intérieur blanc : deux
lits, des livres, leurs étagères, quelques chaises et
une table sans fioritures. Nous rangeons nos vêtements dans de grandes corbeilles d'osier.

Le troisième samedi de chaque mois, une petite
foire aux antiquités s'installe non loin d'ici sur

la *piazza* de la ville fortifiée de Castiglione del Lago. Nous dénichons une grande photographie sépia d'un groupe de boulangers et deux porte-manteaux en bois de châtaignier. Nous ne faisons presque que regarder, sidérés par les prix demandés pour ces babioles de second ordre. Sur le chemin du retour, nous tombons sur un accident : une petite Fiat qui s'entêtait à doubler dans un virage — un droit de naissance en Italie — vient d'entrer en collision avec une Alfa Romeo toute neuve. La Fiat est couchée sur le toit, une de ses roues tourne encore dans le vide, tandis que l'on extrait deux passagers de la carrosserie ratatinée. Une ambu-lance arrive en hurlant. L'Alfa endommagée semble vide, toutes portes ouvertes. Nous appro-chons lentement et j'aperçois un jeune homme mort, d'environ dix-huit ans, sur la banquette arrière. Il se tient encore droit, sa ceinture atta-chée, mais le doute n'est pas permis. La route est bloquée et nous devons nous arrêter un instant, à soixante centimètres à peine de son regard bleu interdit. Une goutte de sang perle au coin de ses lèvres. Ed nous ramène très prudemment à la mai-son. Nous revenons le lendemain à Castiglione pour nager un moment dans le lac. Au café, nous demandons au serveur si le jeune homme qui a trouvé la mort dans l'accident était d'ici. « Non, non, c'est un gars de Terontola. » Terontola n'est pas à dix kilomètres.

*

Nous attendons nos autorisations bientôt. Pendant ce temps, avant de rentrer fin août en Californie, nous espérons avoir terminé de décaper les poutres à la sableuse, ce qui n'est pas une mince affaire. Chaque pièce est dotée de deux à trois poutres principales et de vingt-cinq à trente autres, plus petites. Vaste entreprise.

Ferragosto, le 15 août, n'est pas seulement une fête religieuse, mais aussi le signal qu'attend l'Italie entière pour interrompre toute activité, la veille comme le lendemain. Lorsqu'une fois la murette terminée nous avons commencé à chercher un *sabbiatrice*, un sableur, deux seulement ont bien voulu considérer se mettre au travail en août. Celui que nous avons trouvé devait arriver le premier du mois, et le tout, durer trois jours. Nous l'avons rappelé le 2, et n'avons cessé depuis. Une femme apparemment très âgée nous répond en hurlant qu'il est en *vacanze al mare*. Il se promène sur les plages dorées au lieu de passer au sable nos poutres sales. Nous attendons, espérons son apparition.

Si nous ne pouvons repeindre avant l'installation du chauffage central, nous commençons tout de même à gratter les murs. Le samedi et les jours où ils n'ont rien à faire, les Polonais viennent nous aider. La chaux sèche, poussiéreuse, se dépose sur nos habits lorsqu'on se frotte aux murs. À mesure qu'ils nettoient les pièces à l'aide d'éponges et de serviettes mouillées, de vieilles couches de peinture ressortent, principalement un pleu cru qui semble inspiré des vêtements de la sainte Vierge. Les peintres de la Renaissance n'obtenaient cette couleur rare qu'en broyant des lapis-lazulis importés des carrières de ce qui est aujourd'hui l'Afghanistan. Nous distinguons à peine les feuilles d'acanthe qui, il y a bien longtemps, ornaient la partie supérieure des murs. Ceux de la chambre de la *contadina* étaient autrefois couverts de bandes verticales bleues et blanches, larges de trente centimètres. Les deux chambres du second étaient jaune pâle, comme le *giallorino* qu'affectionnaient les peintres de la Renaissance, obtenu avec un mélange de verre cuit, de minium et de sable des rives de l'Arno.

J'entends Cristoforo, au deuxième étage, qui appelle Ed, puis moi, sur un ton urgent, excité. Riccardo et lui parlent en même temps, en polonais, et me montrent la partie centrale du mur de la salle à manger. Nous distinguons d'abord une voûte, dont il frotte le tour avec son chiffon humide. Un fond bleu apparaît bientôt, puis un corps de femme, et des touches d'un vert floconneux qui pourraient représenter un arbre. Ils ont découvert une fresque ! Nous nous munissons de seaux et d'éponges et nous mettons à rincer doucement le mur. Chaque nouveau geste révèle quelques détails : deux personnes sur un rivage, de l'eau, des collines distantes. Le bleu des autres pièces a servi ici pour le lac, une teinte plus douce colore le ciel et un corail léger dessine les nuages.

Les maisons de biscuit sont celles que nous reconnaissons autour de nous. L'eau avive les couleurs qui pâlissent en séchant. Un fil électrique qui court dans le mur défigure un paysage classique — des ruines — peint au-dessus de la porte sous un cadre en trompe l'œil. Nous frottons tout l'après-midi. L'eau coule le long de nos bras et se répand par terre. Les miens me semblent faits de caoutchouc mou. La scène lacustre, vaguement familière, qui se poursuit sur le mur adjacent, rappelle les habitations et les alentours du lac Trasimeno. Le style, naïf, n'est pas celui d'un second Giotto, mais l'ensemble est charmant. Quelqu'un d'un autre avis a préféré la chaux. Une chance qu'il n'ait pas utilisé de peinture plus résistante. Ce doux paysage servira de fond à nos dîners intérieurs.

*

Une centaine d'années ne suffiraient sans doute pas à restaurer la maison et les jardins. Je frotte les fenêtres de l'étage avec du vinaigre, comme pour lustrer l'enveloppe verte des collines sous le ciel. J'aperçois Ed sur la troisième terrasse, qui manipule une longue lame pivotante. Ses shorts sont rouges comme un drapeau. Il porte une visière qui protège ses yeux des cailloux qu'il projette. Il ressemble ainsi accoutré à un ange de choc, dépêché tardivement pour quelque annonciation, pourtant il n'est que le dernier d'une lignée infinie de mortels qui ont œuvré les uns après les autres pour que le terrain et la ferme ne viennent pas se refondre dans l'abrupte pente qui les a précédés, sans doute bien avant les Étrusques, quand la Toscane était une forêt dense.

L'horrible miaulement continu de la déchaumeuse absorbe les hennissements des deux chevaux blancs de l'autre côté de la route, et les chants des oiseaux de toutes les cultures qui nous réveillent chaque matin. Mais les herbes sèches doivent être coupées à cause des risques d'incendie, et Ed travaille torse nu sous un soleil violent. Nous avons appris la gravité propre à notre colline, les ruisselets qui jaillissent en soulevant la poussière, et la force des murettes, ces écluses de pierre qui doivent contenir l'élan descendant de la terre. Ed élague les oliviers, plie et jette le bois mort dans un petit tas qu'il conserve pour faire du feu les nuits fraîches. Cette maison est une folie de travail. L'olivier est extrêmement calorifère. On garde les cendres qu'on enterre ensuite sous les arbres. Tout est bon dans l'olivier, c'est comme le cochon.

Le verre des fenêtres est parfois inégal. Pourtant très résistant, semble-t-il, il garde une sorte de liquidité incertaine. La netteté du paysage se fond dans un impressionnisme larmoyant. En général, si en Californie je dois astiquer les cuivres, repasser ou sortir l'aspirateur, la conscience de « perdre mon temps » s'impose à moi de toutes ses forces, puisque j'ai plus important à faire — écrire, noter, préparer cours et rapports. Mon travail à l'université envahit tout. Les travaux ménagers sont une nuisance. Les plantes à la maison ne connaissent que foison ou famine. Pourquoi suis-je en train de fredonner en lavant ces carreaux — l'une des dix corvées mortelles ? Me voilà qui pense à composer un immense jardin. Je vais même me mettre à coudre ! Ne serait-ce qu'un fin mouchoir de poche, en guise de rideau, pour la porte vitrée de la salle de bains. Je finirai par connaître cette maison, chaque brique et chaque serrure, comme mon propre corps ou celui de l'homme que j'aime.

Remettre en état. J'aime l'expression. La maison, le terrain, nous peut-être. Mais quel état ? Nos vies sont pleines. C'est le zèle avec lequel nous nous attelons au travail — et quel travail ! — qui me sidère. Est-ce simplement parce qu'une fois les tâches entreprises, le sens de tout cela s'échappe ? Que l'enthousiasme et la foi occultent toute question ? L'immense roue garde une place pour nos épaules et nous nous contentons de participer au mouvement ? Je sais pourtant qu'il existe au fond une racine aussi vigoureuse que celle, gigantesque, nouée autour de la pierre du jardin.

Je me rappelle avoir rêvé sur *La Poétique de l'espace* de Bachelard, dont je n'ai avec moi que quelques phrases recopiées sur un carnet. Il voyait la maison comme un « outil d'analyse » de l'âme humaine. En nous souvenant des pièces et des maisons que nous avons habitées, nous apprenons à demeurer (joli mot) nous-mêmes. Je me suis sentie proche de cette définition. Bachelard note le curieux bruissement du soleil, lorsqu'il fait son entrée dans une pièce où l'on est seul. Je me rappelle surtout son idée selon laquelle la maison protège le rêveur ; celles qui comptent pour nous sont celles qui nous permettent de rêver en paix. Les invités qui sont restés ici une nuit ou deux sont tous descendus au matin, prêts à nous relater leurs rêves. Ces rêves concernent parfois le père ou la mère, loin derrière. « J'étais dans une voiture et mon père conduisait, mais j'avais mon âge d'aujourd'hui et papa est mort quand j'avais douze ans. Là, il conduisait vite... » Nos invités dorment de longues nuits, comme à chaque fois que nous revenons. Cette maison est le seul endroit au monde où j'ai jamais fait la sieste à neuf heures du matin. Est-ce cela que Bachelard évoque lorsqu'il parle d'un « repos issu de toutes nos profondes expériences oniriques » ? Au bout d'une semaine environ, je retrouve l'énergie d'une gamine de douze ans. Pour moi, *la maison* dans son décor propre a toujours été, premièrement et secrètement, l'image de la terre. Bachelard me force à reconnaître que les maisons auxquelles nous nous attachons profondément nous ramènent à la *première* d'entre elles. Je crois cependant qu'il ne s'agit pas seulement de celle-ci, mais du concept initial de soi. Les gens du Sud ont un gène, non identifié pour l'instant dans les spirales de l'ADN, qui les pousse à croire que le lieu, c'est le destin. Vous êtes l'endroit où vous restez. Et plus ce dernier s'installe en vous, plus votre identité se confond avec lui. Jamais innocent, le choix d'un lieu est le choix d'un besoin.

Un très vieux souvenir : ma petite chambre a six fenêtres, ouvertes par une nuit d'été. J'ai trois ou quatre ans et je veille alors que tout le monde s'est couché. Je me penche à une fenêtre et je regarde les hortensias, bleus et blancs comme des ballons de plage. L'aération soulève les fins rideaux blancs et glisse à l'intérieur l'odeur d'olivier. Je joue avec le loquet de la seconde fenêtre, grillagée, qui s'ouvre brusquement. Je me rappelle la sensation du crochet métallique et la gâche dans laquelle je passais presque le petit doigt. Je monte ensuite sur le rebord et je saute par la fenêtre. Je me retrouve dans le jardin obscur. Je me mets à courir, l'échine parcourue d'un frisson auquel je donne aujourd'hui le nom de liberté. L'herbe est mouillée, les camélias blancs luisent dans les buissons noirs, et le sapin a maintenant ma hauteur exacte. Je rejoins le pacanier et ma balançoire. Je viens juste d'apprendre à m'en servir. Je pousse. Jusqu'où ? Toujours en courant, je fais le tour de la maison, ma famille dort de pièce en pièce, puis je me dresse au milieu de la rue que je n'ai pas le droit de traverser. Je rentre en me faufilant par la porte arrière, jamais verrouillée, et je me glisse dans ma chambre.

L'éruption parfaite du plaisir, la joie qui étincelle — reconnaître le choc électrique d'un endroit extérieur qui rejoint l'intériorité — c'est ça.

À San Francisco, je sors sur la minuscule terrasse du fond de l'appartement, pleine de fleurs, et je regarde le sol deux étages plus bas — un petit jardin urbain et ses jolies plates-bandes d'un entretien facile grâce à un système particulier d'écoulement dont s'occupe le jardinier. Rien qui m'enchante. Je suis heureuse en revanche que l'odeur du jasmin en fleur sur les hautes haies se répande à foison dans l'air et monte jusqu'à mon second étage. Le soir après une journée de travail, je mets le pied dehors, j'arrose mes plantes et je regarde les étoiles. Le lierre et la vigne vierge nous inondent de leur parfum vif. Ces fleurs-là — jasmin, chèvrefeuille, gardénias — sont pour ma psyché l'image du Sud, mon *home* métabolique. C'est pourtant un lien éthéré — je suis deux étages au-dessus du sol. Quand je quitte la maison, le béton isole mes pieds de la terre. Les gens qui ont acheté les appartements du rez-de-chaussée et du premier sont des amis. Nous nous réunissons pour déterminer quand nous ferons réparer l'escalier ou repeindre les murs. Je regarde les branches et les cimes de ces arbres merveilleux. Cette maison-là donne sur des jardins privatifs, invisibles derrière une unité serrée de façades victoriennes. Le cœur de notre petit ensemble est vert. Si nous ôtions tous nos haies respectives, nous pourrions déambuler sur le gazon dru. J'aime tellement mon appartement que je n'aurais jamais cru rater quelque chose.

Y a-t-il vraiment eu une *nonna*, un esprit maître qui habitait la villa ? Cette autre maison à deux étages, avec ses vraies racines, rétablit certains niveaux dans mes heures de sommeil et de veille.

Est-ce bien la maison ? Une lueur : *le choix* est régénérateur lorsqu'il permet de reconnaître d'instinct la présence d'un moi antérieur, primitif. Comme Dante le mentionnait au début de *L'Enfer :* que devons-nous faire pour grandir ?

Je rêve chez moi des maisons que j'ai habitées, j'y trouve des pièces dont je ne connaissais pas l'existence. Bien des amis m'ont confessé faire eux aussi ce rêve. Je monte l'escalier du grenier de cette bâtisse du XVIIIe où j'ai adoré vivre, pendant trois ans, à Somers, dans l'État de New York, et je découvre trois nouvelles chambres. Je tombe, dans l'une, sur un géranium dormant que je descends pour l'arroser. Aussitôt, comme dans un dessin animé, les feuilles poussent et les fleurs s'épanouissent follement. De maison en maison (celle de ma meilleure amie à l'école, celle de mon enfance, celle où mon père a grandi), j'ouvre des portes et j'y trouve plus que je ne savais. Toutes les lumières sont allumées à mon domicile de l'État de New York. Je passe sous chaque fenêtre et découvre une vie derrière chacune. Je ne rêve jamais de la cage à lapins où j'ai logé à Princeton. Ni de mon appartement que j'aime tant à San Francisco — peut-être est-ce parce que de mon lit j'entends avant le sommeil les cornes de brume de la baie. Leurs messes basses déplacent les rêves, appellent un esprit et puis l'autre, loin de cette voix sous-jacente que nous possédons tous sans savoir l'employer.

Une maison que j'ai louée un été à Vicchio il y a quelques années a fait de mon rêve récurrent une réalité. Elle était immense et le gardien vivait dans une des ailes. J'ai ouvert un jour ce que je croyais être un placard dans une pièce inutilisée pour trouver un long couloir en pierre de taille, bordé de pièces vides de chaque côté. Des colombes blanches entraient et sortaient à tire-d'aile. C'était le premier étage de l'annexe du gardien et je ne m'étais pas rendu compte qu'il était abandonné. Depuis, bien des fois dans mes heures de veille, j'ai ouvert cette porte sur la lumière ocre du corridor, où le soleil traçait d'oblongs panneaux sur le plancher, pour apercevoir rapidement un battement d'ailes blanches.

Je retrouve ici le plaisir essentiel d'être liée à l'extérieur. Les fenêtres sont ouvertes aux papillons, aux taons, à qui aime entrer et sortir. Nous prenons presque tous nos repas dehors. Je trouve en moi la faculté de ma mère de conserver saisons et salaisons, et un sentiment renouvelé du *temps*, même celui de me réjouir tandis que je fais briller les vitres. La sensation d'une maison sans danger pour les rêves. L'une de ses extrémités touche le flanc de la colline. Le signe d'un rattachement à la terre ? Ici je ne rêve pas de demeures. Je rêve librement de rivières et de fleuves.

*

Si les journées sont longues, l'été à sa façon reste court. Ma fille Ashley nous rejoint et nous partons jour après jour visiter la région sous le soleil brû-

lant. Lorsqu'elle a pris la première fois l'allée, elle
s'est arrêtée en levant les yeux un instant, puis s'est
exclamée : « C'est drôle — cette maison fera partie
de tous nos souvenirs. » J'ai reconnu cette certitude que nous avons parfois par avance en
voyageant ou en changeant de ville — qu'un
endroit nous accompagnera.

J'ai envie bien sûr qu'elle aime Bramasole, mais
je n'ai pas besoin de la convaincre. Elle pense bientôt à venir passer Noël. Elle a choisi sa chambre.
« Tu as un appareil pour faire les pâtes ? » « On
peut manger du melon le soir aussi ? » « Ça serait
bien de mettre une piscine sur la seconde terrasse. » « Où sont les horaires de trains pour Florence ? J'ai besoin d'acheter des chaussures. »

Elle avait à peine fini ses études qu'elle filait à
New York. La vie d'artiste, les petits boulots
curieux, l'été long et chaud et les ennuis de santé
— elle est prête à plonger dans l'eau glaciale d'une
piscine naturelle à flanc de montagne, à parcourir
la côte tyrrhénienne où nous louons des chaises
longues sur la plage pour rôtir toute la journée,
à arpenter les rues pavées des villes hautes la nuit,
après un dîner parfaitement local dans une
trattoria.

Les jours s'écoulent et il est bientôt temps que
nous partions toutes deux. Je dois reprendre le travail, pendant que Ed reste dix jours de plus. Le
sableur viendra peut-être.

Festina tarde
(se hâter lentement)

À peine sortie de l'aéroport de San Francisco, je suis agressée par l'air froid et brumeux, l'odeur de sel et de kérosène brûlé. Le chauffeur de taxi traverse le bitume pour m'aider avec mes bagages. Nous échangeons quelques plaisanteries, avant de nous replier dans le silence, ce que j'apprécie. Je viens de voyager vingt-quatre heures d'affilée. Le dernier tronçon, de JFK où j'ai dit au revoir à Ashley jusqu'ici, m'a semblé cruel et bizarre, en raison surtout de l'heure supplémentaire de vol contre le vent dominant. Les maisons des collines forment des colliers de lumière, puis, sur la droite, la baie déborde presque sur l'autoroute. J'attends un virage que je connais bien. Une fois passé celui-ci, la ville se dresse brusquement tout entière, blanche et crue contre le ciel. J'anticipe en chemin les vues plongeantes, à couper le souffle, entre les collines ou certains immeubles, qui offrent au regard un aperçu, une tranche ou une brusque étendue de mer bleue et houleuse.

Ma rétine est toujours empreinte de villages de

pierre, de champs juste fauchés, d'ondoyantes collines couvertes de vignobles, d'oliviers et de tournesols ; le paysage ici me paraît exotique. Je
cherche la clef de la maison que je croyais avoir
enfouie dans une poche intérieure de mon sac.
Que je l'aie perdue — et alors ? Un voisin et deux
de mes amies en possèdent des doubles. J'imagine
déjà le message de leurs répondeurs : « Je suis
absente jusqu'à vendredi... » Nous longeons les
maisons victoriennes aux volets et rideaux discrètement fermés, aux porches illuminés par les lampadaires au-dessus des rampes de bois et des urnes.
Personne, pas le moindre promeneur avec son
chien en laisse, pas de course urgente vers quelque
débit de lait. J'ai un pincement au cœur à l'idée de
ces villes grouillantes et de leurs habitants qui laissent leurs clefs pendre à la serrure ; au souvenir de
la *passeggiata*, lorsque tout le monde se montre et
sort faire les boutiques, voir les voisins, boire un
espresso. J'ai laissé Ed là-bas, puisqu'il reprend ses
cours plus tard et que le sablage est encore un rêve
inachevé de l'été. Le taxi décharge mes bagages et
repart en vitesse. La maison n'a pas changé ; les
rosiers grimpants ont poussé en tentant de s'enrou-
ler autour des colonnes. Je trouve enfin ma clef
perdue dans mon porte-monnaie avec de l'argent
italien. Sister vient m'accueillir d'un miaulement
plaintif en pressant ses longs poils contre mes chevilles. Je la prends dans mes bras pour respirer son
odeur de terre et de feuilles humides. Je me
réveille souvent en Italie en m'imaginant qu'elle

vient de bondir sur le lit. La voilà qui prend place sur une de mes valises et se love sur elle-même, assoupie. Mon absence a dû être une intolérable souffrance.

Lampes, tapis, coffres, couettes, tableaux, tables — comme cet endroit semble confortable, encombré, après la maison vide à onze mille kilomètres. Les étagères pleines de livres, serrés, les vitrines de la cuisine avec leurs assiettes, pichets et plateaux de couleur — il y a tant de tout. La moquette épaisse du couloir — ce qu'elle est douce ! Serais-je capable de quitter cet endroit pour toujours sans regarder en arrière ? Je me rappelle que Virginia Woolf a vécu aux États-Unis pendant la guerre. Revenant chez elle en hâte après un bombardement, elle découvrit sa maison en ruine. Elle s'attendait à être bouleversée, mais sentit au contraire une curieuse jubilation s'emparer d'elle. Sans le moindre doute, cela ne serait pas mon cas. Après le dernier tremblement de terre, je suis restée ébranlée des journées entières devant ma cheminée fissurée, mes vases brisés, sans parler des verres en cristal. Mais mes pieds sont encore habitués aux planchers de *cotto*, mes yeux, aux murs blancs et nus. Je suis toujours *là-bas*, partiellement ici.

J'ai onze messages sur mon répondeur. « Es-tu rentrée ? » « J'ai besoin de votre signature sur mon certificat de diplôme. » « J'appelle pour confirmer notre rendez-vous... » Le gardien a dressé une liste des autres appels et empilé le courrier dans mon bureau. Trois énormes tas, de lettres publicitaires surtout, que je ne peux résister à compulser.

Je suis restée là-bas aussi longtemps que possible et je dois revenir tout de suite à l'université. Les cours reprennent dans quatre jours et, malgré les fax que j'ai envoyés d'Italie et les bons services d'une excellente secrétaire, ma présence physique est requise, puisque je suis directrice du département. J'arrive à neuf heures du matin, avec mon pantalon de gabardine et mon chemisier de soie imprimée. Nous nous posons mutuellement la même question : « Alors, cet été ? » La rentrée donne toujours un sentiment d'euphorie. Il y a de l'énergie dans l'air. Si la librairie de l'université n'était pas pleine d'étudiants en train d'acheter leurs livres de classe, j'irais sans doute y faire un tour pour ramener une cargaison de feutres fins, un carnet à sections et quelques blocs-notes. J'ai surtout des formulaires à signer, des mémos à écrire et une douzaine de personnes à appeler. J'ignore le décalage horaire pour passer rapidement en vitesse de croisière.

En allant faire des courses à la fin de la journée, je remarque que la boutique bio vient de s'adjoindre un service de massage. Je pourrais m'arrêter dans le petit salon, choisir l'option de sept minutes et me détendre avant d'acheter mes pommes de terre. Je reste un instant étourdie devant les files d'attente, les rayons et les ailes de produits éclatants, et les pâtisseries alléchantes de la nouvelle boulangerie en face du magasin.

Moutarde, mayonnaise, emballages plastiques, chocolat de ménage — j'achète des produits que je n'ai vus de tout l'été. Le *deli* vend des fourrés au crabe, des pommes de terre cuites à la ciboulette, des salades de maïs et du taboulé. Tout ça ! J'achète assez d'« épicerie fine à emporter » pour tenir deux jours. Je vais être trop occupée pour faire la cuisine.

Il est huit heures du matin à Bramasole. Ed est probablement en train de couper les herbes autour des oliviers, à moins qu'il ne tourne en rond en attendant le sableur. Avant de rentrer au garage, j'aperçois Evit, notre SDF qui n'a qu'une dent, affairé devant les poubelles de recyclage à la recherche de bouteilles et de canettes. Le voisin a affiché en grandes lettres sur la porte du sien : REGARDEZ LA FOURRIÈRE EMPORTER VOTRE VOITURE.

Le dernier message sur le répondeur commence par une série de parasites, puis je reconnais la voix de Ed ; elle a quelque chose de rêche. « Je pensais que je te trouverais là, chérie ; tu es *encore* au travail ? Le sableur m'attendait à mon retour de l'aéroport. » Long silence. « C'est difficile à décrire. Le bruit est assourdissant. Il a amené un énorme générateur et le sable *explose* littéralement partout, la moindre fissure en est déjà pleine. On se croirait au Sahara sous une tempête. Il a fait trois pièces hier. Tu n'imagines pas la quantité de sable par terre. J'ai sorti tous les meubles sur la terrasse et je me barricade dans une chambre, mais il y a vraiment du sable *partout*. Les poutres ont l'air *très saines* ; elles sont toutes en châtaignier, sauf une en orme. Je me demande franchement *comment* je vais me débarrasser de ce sable. J'en ai plein les *oreilles* alors que je le laisse travailler tout seul. Balayer ne servira à rien. Je *regrette* que tu ne sois pas ici. » En général, Ed ne parle pas avec tant d'italiques.

Il a appelé une seconde fois depuis l'*autostrada*, près de Florence, en route vers Nice et l'avion. Il semble à la fois fatigué et réjoui. Les permis sont arrivés ! Le sablage est terminé. Toutefois Primo Bianchi ne pourra assurer les travaux à cause d'une opération à l'estomac. Ed a repris contact avec Benito, le sosie aux yeux verts de Mussolini, avec qui il a signé un contrat. Il doit s'y mettre immédiatement et tout sera fini début novembre, donc largement avant Noël. Le nettoyage va prendre du temps ; le *sabbiatrice* prétend que le sable va continuer de dégouliner pendant cinq ans !

Ian, qui nous a épaulés lors de l'achat, surveillera les travaux. Nous avons laissé des plans pour indiquer à quels endroits nous voulons les prises, les interrupteurs et les radiateurs, des dessins pour la salle de bains et la cuisine — précis jusqu'à la hauteur de l'évier et la distance entre le robinet et le mur —, les adresses des fournisseurs pour le matériel et le carrelage, et tout ce à quoi nous avons pu penser. Nous attendons impatiemment d'apprendre que les travaux commencent.

Le premier fax arrive le 15 septembre ; Benito s'est cassé la jambe le premier jour de chantier et rien ne reprendra avant qu'il ne marche à nouveau.

*

Festina tarde est un concept Renaissance : (il faut) se hâter lentement. Il fut souvent représenté par un serpent en train de se mordre la queue, par un dauphin enlaçant une ancre, ou par une figure féminine tenant d'une main les deux ailes d'un oiseau, et une tortue de l'autre — soit la grande muraille de Bramasole dans la première, et le chauffage central, la cuisine, le grand balcon et la salle de bains dans la seconde. Le fax suivant, daté du 12 octobre, nous prévient que l'on « constate un certain retard », et que « divers changements sont à prévoir dans l'installation », mais Ian a toute confiance et il ne faut pas nous inquiéter.

Nous télécopions nos encouragements en demandant que tout soit bien protégé avec des bâches en plastique et du ruban adhésif.

Un nouveau fax, peu après, nous apprend que l'on a entrepris de percer le mur, épais de quatre-vingt-dix centimètres, entre la cuisine et la salle à manger. Deux jours plus tard, Ian écrit encore qu'une très grosse pierre de taille a dû être retirée, ce qui a ébranlé la maison au point que les ouvriers ont couru dehors de peur qu'elle ne s'effondre.

Nous avons appelé. Pourquoi n'ont-ils pas consolidé les murs ? Benito a-t-il utilisé des entretoises d'acier ? Pourquoi ne savaient-ils pas comment s'y prendre ? Comment cela a pu arriver ? Ian a répondu que les vieilles maisons sont imprévisibles ; l'on ne peut s'attendre à ce qu'elles réagissent de la même façon qu'en Amérique, le cadre de la porte est monté, tout va bien, même si la trouée est plus petite que ce que nous voulions parce qu'ils ont pris peur. Je n'ai pas su si je devais penser que ces ouvriers sont incompétents, ou craindre qu'ils se soient retrouvés écrasés par un effondrement.

À la mi-novembre, Benito a terminé le balcon, l'installation de la funeste porte, et ils ont fait les deux autres percées du haut pour accéder à l'appartement des *contadini*. Nous décidons d'annuler l'ouverture que nous voulions pratiquer en bas pour relier leur cuisine au salon. La vision des hommes de Benito en train de fuir à toutes jambes ne m'inspire pas confiance. Ian nous informe d'autres retards pour la salle de bains et le chauffage central. « Sans aucun doute ou presque, suggère-t-il, la maison ne sera pas chauffée à Noël. Elle ne sera d'ailleurs même pas habitable, du fait que les conduites d'eau doivent se trouver à l'intérieur, non pas au-dehors comme on nous l'avait dit initialement. » Benito demande à Ian de nous prévenir que ses honoraires dépasseront le montant prévu. Certains travaux mentionnés sur le contrat ont été délégués à d'autres plombiers et électriciens, dont les facturations redondantes deviennent incompréhensibles. Nous n'avons aucun moyen de savoir qui a fait quoi : Ian semble aussi dérouté que nous-mêmes. L'argent que nous leur virons met trop de temps à leur parvenir et Benito n'est pas content. Une chose est claire : comme nous ne sommes pas sur place, nos travaux sont interrompus entre divers autres chantiers.

*

Prêts à croire aux miracles, nous partons à Noël pour l'Italie. Elizabeth nous offre de nous loger dans sa maison de Cortona, déjà pleine de cartons puisqu'elle va déménager. Elle veut aussi nous donner bon nombre de ses meubles, sa nouvelle demeure étant plus petite. Alors que nous quittons l'aéroport de Rome, la pluie tombe sur notre pare-brise comme si l'on venait d'ouvrir à fond un robinet de jardin. Les brumes épaississent sur la route du Nord. En arrivant à Camucia, nous nous dirigeons tout de suite au café boire une tasse de chocolat chaud avant d'aller chez Elizabeth. Nous décidons de défaire nos valises, de déjeuner et d'affronter Bramasole ensuite.

La maison est une ruine. Les murs intérieurs de chacune des pièces ont été troués afin de laisser passer les conduites du chauffage. Les ouvriers ont laissé des amas de saletés et de pierres brisées sur les planchers nus. Les bâches de plastique que nous avions demandé de mettre ont juste été posées sur les meubles, c'est pourquoi tous les livres, chaises, assiettes, lits, serviettes et factures à l'intérieur de la maison sont recouverts de poussière. Dans les murs, les trouées irrégulières et profondes ressemblent à des plaies ouvertes du sol au plafond. Ils ont à peine commencé la nouvelle salle de bains — juste cimenté par terre. Le plâtre de la nouvelle cuisine se craquelle déjà. Le grand évier long, qu'ils ont installé, est superbe. Un ouvrier a griffonné au feutre un numéro de téléphone sur la fresque de la salle à manger. Ed se munit aussitôt d'un torchon mouillé et tente de l'effacer, mais nous devrons faire avec le numéro du plombier et Ed jette son torchon sur le tas de détritus. Ils ont laissé toutes les fenêtres ouvertes et la pluie du matin est restée en flaques. La négligence saute partout aux yeux — jusqu'au téléphone complètement enterré sous les décombres — et je pars dans une telle colère que j'ai besoin de sortir faire quelques pas en avalant de grandes goulées d'air froid. Benito est affairé ailleurs. Un de ses hommes voit que je suis dans une fureur noire et s'efforce d'expliquer que tout sera fini bientôt, que le travail sera bien fait. Il s'occupe de l'accès entre la nouvelle cuisine et le cellier. Il est timide, mais semble s'inquiéter. Belle maison, belle situation, tout ira bien. Il nous regarde tristement de ses vieux yeux bleus chassieux. Benito arrive, bravache. Il n'a pas eu le temps de nettoyer avant notre retour, et c'était au plombier de le faire, c'est d'ailleurs à cause de lui qu'il a été retenu, car il n'est pas venu le jour dit. Mais tout est *perfetto, signori*. On s'occupera du plâtre fendu ; il n'a pas séché comme il faut à cause des pluies. Nous répondons à peine.

Pendant qu'il gesticule, j'aperçois l'ouvrier qui me regarde. Il fait une drôle de mimique dans le dos de Benito : il le désigne d'un signe de tête, puis ferme les paupières d'un geste appuyé.

Le balcon au premier semble impeccable. Ils ont posé les dalles roses et remis en place la balustrade rouillée. L'aspect vieillot reste intact et il n'y a pas de danger. Quelque chose au moins a été entrepris correctement.

À quatre heures, c'est le crépuscule ; à cinq, il fait nuit. Et les boutiques ouvrent toujours après la sieste. Une matinée de travail, *siesta*, et on revient à nouveau quelques heures : le spectre caniculaire de l'été moule le rythme hivernal. Nous nous arrêtons saluer le signor Martini. Le revoir nous fait plaisir, nous savons qu'il dira « *Boh* » et « *anche troppo* », une de ses réponses à tout qui signifie : oui, ça fait beaucoup trop. Nous lui expliquons dans notre vilain italien où en sont les choses. Au moment de partir, je me rappelle l'étrange mimique de l'ouvrier et demande en fermant moi aussi les paupières : « Qu'est-ce que cela veut dire ?

— *Furbo* — petit malin, prendre garde — répond Martini. Qui est *furbo* ?

— L'entrepreneur, il faut croire. »

*

La maison est chaude. Merci, Elizabeth. Nous achetons des bougies rouges, coupons des branchettes de pin et les installons pour donner un air de Noël. Nous ne sommes pas d'humeur culinaire, mais les produits étalés dans toutes les boutiques nous poussent devant la cuisinière. Les meubles qu'Elizabeth nous confie sont adorables. En sus des lits jumeaux, nous héritons d'une table basse, de deux bureaux, de lampes et d'une antique *madia*, dont le plateau incurvé servait autrefois à pétrir et faire lever la pâte à pain. La partie inférieure est dotée de tiroirs et de compartiments. La patine chaleureuse du vieux châtaignier attire ma main. Elizabeth a établi la liste de ce que nous emportons. Elle comporte son immense *armadio*, assez vaste pour contenir tout le linge de la maison, une table pour dîner, de vieux coffres, un *cassone* (grand coffre à linge), deux chaises rustiques et de merveilleux services à vaisselle. Nous allons vivre subitement dans une maison meublée. Il restera suffisamment d'espace, toutefois, avec toutes nos chambres, pour que nous puissions encore acheter nos propres trésors. Suite à l'immonde chantier que nous avons découvert, la grande générosité d'Elizabeth nous émeut profondément. Pour l'instant, tout appartient à sa maison propre et rangée, mais nous devrons avant de partir transporter ses affaires dans nos pièces jonchées de gravats.

À mesure que Noël approche, les travaux ralentissent, puis s'interrompent. Nous n'avions pas prévu que les gens prennent ici autant de vacances. Le premier de l'an est suivi de plusieurs jours chômés. Nous ne connaissions pas l'existence de la San Stefano, fériée elle aussi. Francesco Falco, qui assure depuis vingt ans ses bons services à Elizabeth, vient avec son camion, son fils et son gendre. Ils démontent l'*armadio* et chargent tout dans leur véhicule à l'exception du bureau, qui ne passe pas la porte de la pièce. Elizabeth a écrit tous ses livres sur celui-ci et il semble ne pas devoir quitter la maison. Je suis en train d'apporter des caisses de vaisselle à la voiture, et j'aperçois en levant les yeux Francesco et les siens qui descendent le bureau avec des cordes par la fenêtre de l'étage. Tout le monde applaudit lorsque le meuble atterrit gentiment par terre.

Chez nous, nous entassons tout dans deux pièces que nous venons de nettoyer à la pelle et au balai. Nous couvrons l'ensemble avec des bâches et nous refermons les portes.

Nous ne pouvons absolument rien faire. Benito ne répond pas à nos appels. J'ai une angine. Nous n'avons pas emporté de cadeaux avec nous. Ed est devenu silencieux. Ma fille, grippée à New York, passe son premier Noël toute seule, après avoir annulé son voyage en Italie en raison de notre débâcle immobilière. Je reste un long moment à détailler dans un magazine une publicité pour les Bahamas et la photo parfaitement attendue d'un croissant de plage sucrée, bordée d'une eau claire comme le ciel. Quelqu'un, quelque part, dérive sur un pneumatique blanc et jaune, les doigts ouverts dans le courant chaud en rêvant au soleil.

Nous dînons le soir de Noël de pâtes aux champignons des bois, arrosées d'un excellent chianti. Il n'y a avec nous qu'un client dans le restaurant, *Natale* étant avant tout une fête de famille. Assis droit sur sa chaise, l'homme porte un complet marron. Je le vois lentement boire son vin en mangeant, se servir tout seul des verres à moitié remplis qu'il hume comme si le pichet maison était un grand millésime. Il entame chaque plat avec soin. Nous avons fini ; il n'est que neuf heures et quart. Nous allons rentrer chez Elizabeth faire du feu, puis partager le *moscato* sucré et le gâteau que j'ai achetés cet après-midi. Ed attend son café pendant que l'on sert à l'autre convive une assiette de fromage et un bol de noix. Le restaurant est muet. L'homme casse une coquille, coupe une lamelle de fromage, la savoure, mange sa noix, craque une autre coque. J'ai envie de poser la tête sur la nappe blanche pour pleurer.

*

Selon Ian, les travaux ont été correctement achevés fin février. Nous avons payé la somme entendue par contrat et refusé le supplément exorbitant demandé par Benito. On a trouvé sur sa facture des postes de mille dollars pour mettre une porte sur ses gonds. Il nous faudra déterminer sur place exactement quels travaux imprévus ont dû être effectués. Comment nous nous mettrons finalement d'accord sur le prix est un mystère.

Ed revient en Italie à la fin du mois d'avril. Il n'a plus cours ce trimestre. Il se propose de nettoyer le jardin, et de traiter, teindre et cirer toutes les poutres de la maison avant mon arrivée, le 1er juin. Nous laverons alors les pièces, nous les peindrons avec les fenêtres, et nous rendrons aux parquets l'éclat qui était le leur avant Benito et ses dégâts. La nouvelle cuisine ne contient encore qu'un évier, le lave-vaisselle, la cuisinière et le frigo. Plutôt que des placards, nous voulons y installer des colonnes de briques plastifiées pour soutenir de grandes planches de bois et des plans de travail en marbre. Nous avons de sérieuses motivations : fin juin, mon amie Susan a décidé de se marier à Cortona. Quand je lui ai demandé pourquoi elle voulait le faire en Italie, elle m'a répondu, cryptique : « Je veux me marier dans une langue que je ne connais pas. » Les invités logeront chez nous et la cérémonie aura lieu à la mairie qui date du XIVe siècle.

Ed m'apprend qu'il reste confiné dans la pièce du premier étage qui donne sur le petit balcon — son refuge au milieu des décombres. Il a nettoyé une des salles de bains, ouvert une caisse de vaisselle et fait un minimum de ménage. Benito a dégagé une grande partie des détritus mais s'est contenté de les amasser plus loin dans l'allée, qui a maintenant tout d'une décharge. Il a laissé sur la terrasse avant une montagne de pierres qui constituaient un mur. Les dalles du balcon et les briques d'une seconde pièce forment deux autres montagnes. Malgré tout cela, Ed se réjouit. Ils sont partis ! La nouvelle salle de bains, avec ses carreaux réguliers, son lavabo Belle Époque sur colonne et sa baignoire encastrée, paraît grande et luxueuse. Le contraste est saisissant lorsqu'il pense aux brocs d'eau de la précédente. Le printemps est étonnamment vert, des milliers d'iris et de jonquilles acclimatées fleurissent dans les hautes herbes autour de la maison. Ed a découvert un ruisseau saisonnier qui court entre des roches mousseuses où deux tortues prennent le soleil. L'amandier et les autres arbres fruitiers sont d'une beauté si insolente, si épanouie, qu'il doit se faire violence pour travailler à l'intérieur.

Nous essayons de ne pas nous appeler ; nous nous lançons dans de longues conversations pour convenir ensuite que nous aurions pu faire ceci ou cela avec l'argent du téléphone. Mais le besoin est grand d'évoquer ses progrès lorsqu'on s'occupe d'une maison. Il faut que quelqu'un sache que les poutres sont superbes après la dernière couche de cire, que travailler la tête en l'air toute la journée fait très mal à la nuque, et qu'on a commencé une quatrième pièce. Ed a compté que, poutres, plafonds et murs compris, chaque chambre lui demande quarante heures. Les planchers seront pour plus tard. Sept heures-dix-neuf heures, sept jours par semaine.

Enfin, enfin, juin — je pars. Ed m'a dit avoir tant travaillé que je m'attends à voir la maison briller. Toutefois, c'est assez naturel, il m'a surtout parlé des améliorations.

J'ai du mal, en arrivant, à estimer ce qu'il a accompli. Les poutres, oui, sont superbes. Mais le terrain est plein de rejets, de plâtre, autour d'un vieux cumulus. L'électricien ne s'est toujours pas montré. Six pièces restent à faire. Tous les meubles sont empilés dans trois autres. C'est un champ de bataille et rien d'autre. J'essaie de ne pas montrer que je suis vraiment horrifiée.

J'étais prête pour le *farniente*. Dommage, car il n'y a rien à faire que se mettre à la tâche. Nous avons à peu près trois semaines pour que tout soit prêt avant d'accueillir notre premier contingent d'invités. Un mariage ! L'idée semble ridicule que l'on puisse séjourner ici.

Ed mesure un mètre quatre-vingt-cinq. Moi, un mètre soixante. Il se charge du plafond : je m'occupe du plancher. La biologie, c'est le destin — mais comment faire mieux ? De fait, il aime peaufiner ses poutres. Peindre le plafond de briques est moins amusant, mais très gratifiant. Brusquement, l'ignoble couleur vinaigre et le plafond écaillé se transforment en solides solives noires sous une surface immaculée. La pièce se définit. Peindre est assez rapide, grâce aux épais pinceaux de soie de sanglier. Les murs sont d'un blanc pur — le blanc est toujours plus blanc sur le plâtre. Une fois la pièce terminée, il me revient aussi de peindre la *battascopa*, une bande haute de quinze centimètres au bas des murs, un genre de plinthe vaguement moulée commune aux vieilles maisons de la région. On use en général d'une couleur brique, mais nous préférons une teinte plus douce. Le mot signifie « frappé par les balais ».

Une peinture sombre résiste aux marques des balais et brosses qui fouettent continuellement le plancher. Les pieds au-dessus de la tête, je mesure mes quinze centimètres en divers endroits, puis j'applique de l'adhésif sur le mur et le plancher, je peins rapidement et je l'enlève. Évidemment, le ruban emporte avec lui des fragments de peinture blanche, qu'il faut retoucher. Douze pièces de quatre murs, plus la cage d'escalier, les paliers et l'entrée. Nous laissons le cellier en pierre de taille tel quel. Je passe ensuite aux sols qu'il faut décaper. La première étape consiste à balayer le plus gros avec la poussière, puis à passer l'aspirateur. Grâce à une solution spéciale que j'étends ensuite, je dissous les résidus de plâtre et de peinture. Cela fait, je rince les dalles trois fois au balai-brosse, la deuxième fois avec de la lessive. Je suis sur les genoux. Étape suivante : de nouveau le balai-brosse, mais avec un peu d'acide chlorhydrique. Rincer, puis peindre avec de l'huile de lin qu'on laisse imprégner et sécher. Deux jours plus tard, je cire. Toujours par terre, comme Cendrillon. Mes genoux, absolument pas habitués à ce genre de traitement, se révoltent et, moi, j'étouffe des gémissements en me relevant. Dernière étape : faire briller avec un chiffon doux. Les sols reviennent, riches, sombres, luisants. Chaque pièce reprend sa place, et l'aspect, pratiquement, qu'elles avaient quand nous avons acheté, sauf que les poutres ont maintenant l'air de poutres, et que les radiateurs sont installés. « *Brutto* », laid, ai-je dit au plombier lorsque je les ai vus. « Oui, répondit-il, mais très beaux en hiver. »

Comme Ed avait dit : sept heures - dix-neuf heures, sept jours par semaine. Nous étalons nos débris le long de l'allée, dévastée de toute façon par les pneus des camions. Nous enterrons les plus grosses pierres et dalles, et les recouvrons d'herbes fauchées. Tout cela s'égalisera. Nous engageons quelqu'un pour dégager une des montagnes que Benito nous a laissées. En nous promenant quelques jours plus tard, nous trouvons un tas d'immondices au bord d'une route à moins de deux kilomètres dans lequel, horreur, nous reconnaissons les plâtres de la maison et leur bleu virginal.

Du baccalauréat jusqu'à son troisième cycle, Ed a travaillé comme déménageur, aide serveur, ébéniste, livreur. Un de nos amis l'a surnommé « le muscle poétique ». Il s'épanouit à la tâche, même s'il s'effondre le soir lui aussi. Je n'ai jamais œuvré de mes mains, excepté de menus travaux sur quelques meubles, un peu d'élagage, de peinture ou de tapisserie. Et me voilà confrontée à un stade d'épuisement physique qui suffirait à me déstabiliser. J'ai mal partout. *Qu'est-ce* qu'un épanchement de synovie ? Je crois en être victime. Je meurs de douleur la nuit. Le matin, nous ressentons tous deux une poussée d'énergie renouvelée qui doit bien provenir de quelque source. Nous lui ouvrons les bras et ça repart. Nous brûlons avec elle. Je n'en reviens pas : nous sommes devenus inflexibles et

intransigeants. Mon idée des travailleurs manuels
ne sera plus jamais la même : ils devraient être
payés des fortunes.

Je scelle les carreaux du balcon à l'huile de lin et
le soleil est vraiment mortel. Je suis bien décidée à
terminer et à continuer de travailler jusqu'à ce que
je commence à sentir les vapeurs me prendre avec
la canicule. Je me relève de temps à autre pour respirer à pleins poumons le chèvrefeuille que nous
avons planté dans une immense jardinière. Mes
yeux se perdent au loin dans le paysage de rêve, et
je replonge mon pinceau dans le pot. Qui pense-
rait à demander, prêt de plus à payer le prix fort
pour un nouveau balcon, si le travail comprend le
vernissage des carreaux ? Il ne nous est jamais venu
à l'esprit, Ed ou moi, qu'il nous faudrait appliquer
des couches entières de ce liquide visqueux dans la
cuisine et sur le balcon.

En fin de journée, après nous être lavés, nous
estimons ce qu'il reste à faire ici et là, et comment
nous nous en sommes sortis aujourd'hui. Nous
n'aurons pas d'enfants ensemble, mais cette maison est pour nous l'équivalent de triplés. À mesure
que les pièces sont finies, nous les meublons. Elles
prennent peu à peu un air habitable, un rien vides,
mais dotées de l'essentiel. J'ai rapporté de San
Francisco des dessus-de-lit blancs pour les lits
jumeaux. Nous partons un matin à Arezzo où nous
achetons quelques lampes chez un artisan qui les
confectionne à partir de vases traditionnels en
majolique. C'est un sentiment fabuleux — les

choses prennent forme, ce qui est fait est fait, la maison est propre, il y fera chaud l'hiver — nous avons réussi ! Le plaisir, étourdissant, nous motive pour la suite.

Une semaine avant le mariage, nos amis Shera et Kevin débarquent de Californie. Ils descendent tout au bout du train. Kevin manipule quelque chose d'énorme qui ressemble à un cercueil pour deux. Son vélo ! Nous continuons de travailler pendant qu'ils visitent Florence, Assise, ou suivent les traces de Piero della Francesca. Le soir, autour de grands repas, ils nous racontent toutes les merveilles qu'ils ont vues, et nous évoquons le nouveau robinet dont nous voulons doter la baignoire. Ils sont tombés instantanément amoureux de toute la région et semblent heureux de suivre quotidiennement la saga du nettoyage des nouvelles dalles de la cuisine. Quand ils ne partent pas en voiture, Kevin fait de longues randonnées à bicyclette. Shera, peintre, est ici captive. Elle colore des demi-cercles d'un bleu laiteux au-dessus des fenêtres de l'une des chambres. Nous avons choisi une étoile dans les toiles de Giotto qu'elle a reproduite sur un pochoir, pour consteller ses voûtes imaginaires d'astres dorés. Quelques étoiles s'échappent des demi-dômes et « tombent » sur les murs blancs. Nous préparons la chambre des jeunes mariés. Près de Pérouse, j'achète deux cartes du ciel en couleurs, qui représentent les animaux et figures mythologiques. Au marché de Cortona, je déniche de jolis draps de coton et de lin, bleu pâle, bordés

de broderie blanche ajourée. Nous allons mitonner aussi notre première fête ici et nous rapportons vingt verres à vin, des nappes, des moules pour
le gâteau de mariage, ainsi qu'une caisse de vin.

Il sera impossible que tout soit fini à temps pour
le mariage (ni jamais ?), mais nous arrivons à
arranger un nombre extraordinaire de choses. La
veille de l'arrivée de tout le monde, Kevin descend
l'escalier en demandant : « Pourquoi est-ce que
l'eau dégage de la vapeur dans les toilettes ? C'est
spécial à l'Italie ? » Ed se munit d'une échelle, la
pose contre la chasse d'eau accrochée au mur et
plonge une main dans le réservoir. L'eau est
chaude. Nous examinons les toilettes des autres
salles de bains. La nouvelle est O.K., mais la troisième, ancienne, ne fournit que de l'eau chaude.
Comme nous avons à peine utilisé ces deux salles
de bains, nous n'avons pas remarqué que l'eau
froide y manquait. Il a fallu pour cela que nos
invités commencent à s'en servir. Shera explique
que l'eau de sa douche est horriblement chaude,
mais qu'elle n'a pas voulu se plaindre. Le plombier
ne pouvant venir d'ici quelques jours, la noce s'accompagnera de douches rapides et de chasses
d'eau fumantes !

Nous n'avons guère pu arranger la terrasse
avant, à part les géraniums en pot que nous avons
installés pour distraire l'attention du terrain
dévasté. Nous avons au moins ôté des montagnes
de débris. Quatre chambres ont des lits. Les deux
cousins anglais de Susan arrivent en même temps

que le frère et la belle-sœur de Cole. Shera et Kevin logeront deux ou trois jours dans un hôtel en ville. D'autres amis vont débarquer du Vermont.

La journée, nous sommes douze à la maison. De nombreuses mains participent au déjeuner et servent à boire. Il faut adapter le gâteau de noces à la petite taille du four. Je pense à un biscuit de Savoie glacé aux amandes que l'on servira avec de la crème fouettée et des cerises sucrées marinées au vin. Faute de trouver un moule assez large, nous avons acheté une grande écuelle pour chien, en métal, qui conviendra. S'il est un peu vallonné, notre gâteau est ravissant. Nous entourons le plat de fleurs décoratives. Tout le monde court partout faire des courses ou visiter.

La veille du mariage, nous dînons dehors, vêtus de couleurs tendres, dans le soir clair et chaud. De nombreuses photos seront prises des uns et des autres, bras dessus, bras dessous sur les marches, ou penchés au balcon. Le cousin de Susan a apporté du champagne qu'il a acheté en France. L'apéritif est servi avec des *bruschette* et des olives, et nous commençons avec une soupe au fenouil froide. J'ai préparé un ragoût paysan avec poulet, haricots blancs, saucisses, tomates et oignons. Il y a aussi des haricots verts fins, des corbeilles de pain et une salade de roquette, radis et chicorée. Nous racontons tous des histoires de mariage. Mark devait épouser une fille du Colorado qui s'est enfuie le jour des noces pour épouser un autre dans la semaine. Karen fut demoiselle d'honneur lors d'un mariage célébré sur un bateau et la mère de la mariée, en mousseline de soie, est tombée à l'eau. Pour mon propre mariage, à l'âge de vingt-deux ans, je voulais que la cérémonie ait lieu à minuit, que tous les invités portent une toge et un cierge à la main. Le pasteur a refusé catégoriquement, prétextant que minuit était « l'heure des dérives », et n'a pas voulu dépasser vingt et une heures. Faute de toge, j'ai revêtu la robe de mariée de ma sœur et parcouru l'allée avec une édition reliée de Keats au bras. Ma mère a tiré un pli de ma robe et je me suis penchée vers elle pour écouter ses sages paroles. « Cela ne durera pas six mois », murmura-t-elle. Ce en quoi elle a eu tort.

Nous aurions pu trouver un accordéoniste, à la Fellini, et peut-être un cheval blanc pour la jeune mariée, mais la nuit fabuleuse nous suffit, et le lecteur de CD sert d'orchestre de danse au salon. Le dîner s'achèverait sur une tarte aux noisettes et aux pêches, si Ed ne se lançait pas dans une description de la *crema* et des *gelati* aux noisettes si chères à Cortona : tout le monde part en voiture. Nos hôtes sont ébahis de voir cette petite ville pleine de vie à onze heures, les habitants dehors devant une tasse de café, une glace ou peut-être un *amaro*, un digestif amer. Dans leurs poussettes, les bébés sont aussi éveillés que leurs parents, comme les adolescents sur les marches de la mairie. Seul un chat dort sur le toit d'une voiture. De police.

Le matin du mariage, Susan, Shera et moi cueillons un bouquet de lavande et de fleurs sauvages, roses et jaunes, pour Susan. Une fois tous en complets et robes de soie, nous rejoignons Cortona à pied par la voie romaine. Ed a pris nos chaussures de ville dans un sac en plastique. En prévision du soleil de midi, Susan a acheté pour tous de petits parasols en papier peint de Chine. Nous traversons la ville et montons les marches de la mairie du XIVe. Les murs de la grande salle, sombre et haute de plafond, sont ornés de tapisseries et de fresques. Les chaises sévères et droites ont un air de justice et la pièce semble conçue pour signer des traités. La municipalité a offert des roses rouges et Ed s'est arrangé pour que le Bar des Sports fasse monter, juste après la cérémonie, des verres de *prosecco* frais. Brian, le cousin de Susan, partout à la fois avec son caméscope, nous filme sous tous les angles. Le mariage est vite célébré et nous traversons la *piazza*, direction La Logetta, pour un festin toscan qui commence par une sélection typique d'*antipasti* : *crostini*, petits pains ronds aux olives, poivrons, champignons ou foies de volailles ; *prosciulto e melone* ; olives frites fourrées à la *pancetta* et aux épices ; et la *finocchiona* locale, un salami aux graines de fenouil. On nous présente ensuite un choix de *primi*, différentes entrées à goûter, parmi lesquelles des raviolis au beurre et à la sauge, et les *gnocchi di patate*, servis ici au *pesto*. Les plats arrivent les uns après les autres, pour finir en beauté avec des assiettées d'agneau et de veau rôtis et le célèbre steak grillé du Val di Chiana. Karen remarque le piano à queue couvert d'un immense vase de fleurs et insiste pour que Cole, dont c'est le métier, se mette à jouer. Je sens le regard de Ed, à l'autre bout de la table, converger vers moi aux premières notes de Scarlatti. Il y a trois semaines, tout cela n'était qu'un rêve, un effrayant projet. « *Cheers !* » lancent les cousins anglais.

De retour à la maison, nous sommes tous assommés par le soleil et la nourriture, et nous décidons d'attendre la fin de l'après-midi pour le gâteau. J'entends quelqu'un ronfler. En fait, il y a deux ronflements.

S'il manque au gâteau de noces la touche du professionnel, c'est sans doute le meilleur que j'aie jamais goûté. Honneur aux noix de notre jardin. Shera et Kevin sont partis de nouveau danser dans le salon. D'autres sont allés tout au bout de la propriété profiter du point de vue sur la vallée et le lac. Impossible de décider si nous allons dîner ou si nous nous en passons. Nous finissons par rejoindre Camucia en quête de pizzas. Comme nos restaurants préférés sont fermés, nous nous retrouvons dans un bistro vraiment quelconque, sans aucun caractère. Mais les pizzas sont excellentes et personne ne semble remarquer la poussière grise des rideaux ou le chat qui a sauté sur la table voisine et termine le dîner d'un client parti. Au bout de la nôtre, main dans la main, les deux jeunes mariés forment un duo enchanté.

Susan et Cole ont repris la route de Lucca, puis de la France ; leur famille est partie.

Shera et Kevin restent encore quelques jours.

Nous allons, Ed et moi, chez le *marmista* choisir un épais marbre blanc pour les plans de travail. Ils sont taillés le lendemain et nous les chargeons, Ed, Kevin et moi, dans le coffre de la voiture. La cuisine prend soudain l'allure que j'escomptais : sol dallé, appareils blancs, grand évier, étagères en bois, comptoirs marbrés. Je couds un rideau à carreaux bleus pour couvrir le bas de l'évier, puis je suspends de l'ail tressé et des touffes d'herbes séchées aux étagères murales. Nous trouvons en ville un vieux dressoir rustique. Le châtaignier noir est du meilleur effet contre le mur blanc. Enfin de quoi ranger toutes les tasses et bols de céramique aux motifs régionaux que nous rapportons de nos promenades.

Tout le monde est parti et nous finissons le gâteau. Ed entame une de ses nombreuses listes — on devrait en tapisser une pièce — de nouveaux projets à réaliser. La cuisine est irrésistiblement belle et la pleine saison des fruits et des légumes approche. 4 juillet : il reste une grande partie de l'été. Ma fille va venir. Des amis en vacances s'arrêteront déjeuner ou passer la nuit. Nous sommes prêts.

Une longue table
sous les arbres

Mardi est le jour du marché à Camucia, le bourg animé au bas de la colline de Cortona, où j'arrive avant la canicule. Les touristes y passent sans s'arrêter ; Camucia n'est que l'extension récente de la digne ville fortifiée qui la domine. Cela dit, « récent » reste relatif. Entre les boutiques de *frutta e verdura*, les graineteries et quincailleries, on trouve quelques tombeaux étrusques. Près du boucher se dressent les ruines d'une villa avec son immense portail en fer forgé au milieu de l'enceinte effondrée. Camucia, bombardée pendant la Seconde Guerre mondiale, a son lot de châtaigniers, de portes pittoresques et de maisons aux volets clos.

Le jour du marché, plusieurs rues sont interdites à la circulation. Les marchands arrivent tôt pour arranger des étals, longs comme des allées de supermarchés, devant leurs camions aménagés. L'un d'entre eux vend le *pecorino* local, un fromage de brebis qui a deux variétés, l'une crémeuse et douce, l'autre affinée et odorante comme une basse-cour, mais aussi plusieurs sortes de *parmiggiano*. Le brebis, vieux et riche, s'effrite facilement dans la main, c'est un plaisir de le déguster en faisant ses courses.

Je chasse les bonnes choses en prévision d'un dîner pour de nouveaux amis. Mes étals favoris sont ceux de deux maestros de la *porchetta*. Le porc entier, la queue tire-bouchonnée dans le persil, la gueule garnie d'une pomme ou d'un gros champignon, est étendu sur la planche à découper. La tête, parfois tranchée et posée sur un angle, examine le reste du corps, farci d'herbes, de ses propres oreilles taillées, etc. (mieux vaut ne pas trop chercher à savoir), et rôti dans un four à bois. On peut acheter un *panino* (sandwich croustillant) truffé de lamelles de *porchetta*, maigre ou avec la peau grasse et dorée. L'un des seigneurs des étals de *porchetta* ressemble beaucoup à ses sujets, avec ses petits yeux, sa peau lustrée et ses avant-bras en forme de jambons. Ses doigts sont courts et boudinés, ses ongles rongés. Il sourit en chantant les louanges de son cochon, mais grogne lorsqu'il se retourne vers sa femme, dont les lèvres sont toujours ourlées sur un demi-sourire crispé. Je me suis déjà servie chez lui et sa *porchetta* est délicieuse. Je demande pour Ed un *panino sale*, au « sel », du nom de l'indéfinissable farce. Je l'aime bien aussi, mais je ne peux m'empêcher de regarder à deux fois si elle ne contient rien de bizarre. Tout est bon et mangeable dans le cochon, mais la *porchetta* rôtie à petit feu est certainement l'apogée de cet art. Avant de passer aux légumes, je repère une paire d'espadrilles, jaunes à lacets montants ;

mon cabas se balance sous mon coude, tandis que
j'en essaie une. C'est parfait, et j'en ai pour moins
de dix dollars. Elles vont rejoindre la *porchetta* et le
parmiggiano.

Foulards (de vives copies Chanel et Hermès) et
linge de table flottent sur les auvents ; lavettes, cassettes et tee-shirts sont empilés par casiers entiers
ou posés sur les tables pliantes. Outre la nourriture, le marché offre de quoi s'habiller, garnir son
jardin et remplir ses étagères de produits ménagers. On trouve aussi un peu d'artisanat local, mais
il faut chercher. Les marchés de Toscane ne ressemblent pas à ceux du Mexique, pleins de jouets
merveilleux, de tissages et poteries. Il est même surprenant qu'ils existent encore, vu la sophistication
de la vie à l'italienne et le niveau de vie de la
région. La ferronnerie traditionnelle reste toutefois assez présente. On trouve parfois de beaux
chenets et ces grils si pratiques dans la cheminée.
Mon objet préféré est un support pour le *prosciutto* ; je déciderai peut-être un jour qu'il me faut des
jambons entiers et j'en achèterai un. J'ai rapporté,
l'autre semaine, des corbeilles d'osier, faites main,
souples et foncées. Les plus grandes sont parfaites
pour les ingrédients de base, et je garde les petites
pour les cerises et les pêches qui mûrissent en ce
moment. Une femme vend de vieux draps et
nappes aux épais monogrammes, sans doute
ramassés dans les fermes et villas des alentours, et
trois gros tas de dentelle jaunie. Peut-être cette dernière provient-elle de l'île voisine Isola Maggiore,

sur le lac Trasimeno. Les femmes s'assoient encore là-bas sur le pas de la porte, en fin d'après-midi, leur crochet à la main. Je déniche deux gigantesques taies d'oreillers en lin, incrustées de kilomètres de dentelles et rubans — dix mille lires, le prix de mes espadrilles, semble aujourd'hui le chiffre magique. Évidemment, il faudra que je fasse faire des oreillers à la bonne taille. En achetant quelques torchons rayés, je remarque des peaux de chèvres pendues à un crochet. Je me dis qu'elles seraient superbes sur les dalles de *cotto* à la maison. Il y en a quatre, toutes trop petites, mais le vendeur me dit de revenir la semaine prochaine. Il veut me convaincre que ses peaux de mouton sont quand même plus jolies, mais elles ne me plaisent pas.

En m'acheminant vers les primeurs, je fais un crochet au bar prendre un café. C'est en fait un prétexte pour bien regarder. Les gens de la région ne viennent pas seulement ici faire leurs courses, ils retrouvent leurs amis ou concluent des affaires. Le brouhaha propre au marché est un ravissant concert. Beaucoup parlent le dialecte du Val di Chiana ; je ne comprends presque rien à ce qu'ils disent, mais je remarque la prononciation. Ils disent « shento » pour *cento*, au lieu du « tchento » habituel. J'entends quelqu'un demander un « cappushino », et non *cappuccino*, auquel on préfère souvent la forme abrégée « capputch ». Leur ville se prononce « Camushia » au lieu de « Camutchia ». Il est curieux que la lettre altérée soit si souvent le *c*. Dans la région de Sienne, on lui substitue

un *h* aspiré — « hasa » pour *casa*, ou encore :
« hoca-hola ». Cela dit, avec ou sans *c*, ils parlent
tous. Devant le bar, de nombreux paysans, peut-
être une centaine, s'affairent et grouillent. Certains
jouent aux cartes. Leurs femmes, dans la foule,
chargent leurs sacs de minuscules fraises de bois,
de basilic avec ses racines, de champignons séchés,
parfois du poisson qu'elles trouveront à l'unique
stand qui vend des produits de l'Adriatique.
Contrairement aux Italiens qui avalent d'un trait
leurs dés à coudre de café, je savoure à petites gor-
gées ma tasse de nectar noir.

Selon une de mes amies, l'Italie commencerait à
se fondre dans le reste — aseptisée, américanisée,
dit-elle, peu obligeante. Je veux la traîner ici et la
poser à cette porte. Les hommes ressemblent à leur
vie — comme peut-être nous tous. Ils travaillent
dur, leurs visages et leurs corps sont fermes. Tous
sont minces, exempts du moindre gramme de
graisse inutile. Le soleil semble prendre soin d'eux,
leur peau est si profondément bronzée qu'elle ne
pâlit sans doute pas l'hiver. Leurs mises de paysans
sont fonctionnelles, grossières — ils ne « s'habil-
lent » pas, ils se vêtent. Et portent aussi naturellement leur dignité. Certains sont certainement
hypocrites, hargneux ou horribles, mais ils paraissent tous présents, ouverts et bien vivants. D'autres
n'ont plus toutes leurs dents, mais sourient sans
entrave, sans gêne. Je vois les yeux d'un de ces
hommes : le gauche est blanc, parsemé de veinules
laiteuses qui ressemblent à une agate brisée. Le

droit est aussi noir qu'un cœur de tournesol. Un garçon, visiblement retardé, déambule parmi eux, sans qu'on l'ignore ni qu'on s'occupe spécialement de lui. Il est là, simplement, et mène son existence comme les autres vivants.

Une fois rentrée, je prépare le menu, quoique j'improvise fréquemment en faisant les courses. Ici, je ne commence à réfléchir qu'au vu de ce qui a mûri dans la semaine. J'obéis à cette impulsion qui me fait acheter trop de choses ; j'oublie que nous ne sommes pas dix bouches affamées à nourrir. Je m'irritais au début de retrouver mes tomates, mes petits pois abîmés, lorsqu'au bout de plusieurs jours je voulais les préparer. J'ai fini par comprendre que ce que l'on achète est prêt à consommer — cueilli ou récolté le matin, à maturité pleine. Ce qui m'a permis d'élucider un autre mystère ; j'ai enfin compris pourquoi les réfrigérateurs italiens étaient si petits le jour où je me suis rendu compte qu'on ne conservait pas ici les aliments aussi longtemps que chez nous. Le mastodonte frigorifiant que je possède à la maison semble un vrai monument, comparé au jouet minuscule dont je dispose ici.

Il y a deux semaines, j'ai trouvé de petits artichauts violets aux longues tiges. Délicieux cuits rapidement à la vapeur, puis fourrés d'une farce ail et tomate, pain sec et persil, et marinés dans l'huile et le vinaigre. Aujourd'hui, il n'y en a pas un seul. En revanche, je ne peux résister aux *fagiolini*, de fins haricots verts. Dois-je prendre deux salades, puisque nous aimons aussi les haricots froids en vinaigrette aux échalotes ? Et pourquoi pas ? J'achète des pêches blanches pour le petit déjeuner de demain, et au dessert ce soir les cerises seront parfaites. J'en prends un kilo, puis repars à l'autre bout du marché trouver un dénoyauteur. Je ne sais pas comment cela s'appelle et je dois m'exprimer par gestes. Je connais quand même *ciliegia*, cerise, ce qui n'est déjà pas mal. J'ai remarqué dans nombre de pâtisseries françaises et italiennes que l'on ne s'inquiétait pas d'enlever les noyaux des fruits, mais je préfère le faire quand il s'agit d'un entremets. Mes cerises vont macérer dans le chianti et le sucre avec une goutte de citron. Je choisis de toutes petites pommes de terre jaunes encore terreuses. Il suffira de les frotter sous l'eau, de les couvrir d'un filet d'huile et d'une branche de romarin, et elles cuiront au four.

Je pourrais trouver de quoi compléter mon dîner tout de suite. Je longe les pintades, les canards, les poulets et les lapins dans leurs cages. Ma fille a un jour adopté un lapin angora noir, et je suis incapable de regarder froidement les deux museaux tachetés qui grignotent un bout de carotte devant moi dans un sac Alitalia. Encore moins de les entreposer, tremblants, dans le coffre de la voiture. J'ai plutôt l'intention de passer chez le boucher prendre un rôti de veau. C'est bien assez d'avoir recours à lui. J'admets mon manque de logique. Si l'on mange de la viande, autant accepter sa provenance. Mais les têtes affaissées et les paupières fermées des cailles et des pigeons me poussent à m'arrêter pour les fixer. Les têtes des coqs, les pattes de poulets (dont les griffes jaunes ressemblent aux ongles de Mme Ricker qui jouait au Rook avec ma grand-mère), le collier de four-rure que l'on laisse au lapin pour montrer que ce n'est pas un chat, ou encore les quartiers de bœuf que l'on pend par les pieds en laissant un torchon au sol éponger les dernières gouttes de sang — tout cela me retourne l'estomac. On ne va quand même pas manger ces poussins duveteux. Quand j'étais petite, je m'asseyais sur le perron du jardin pour regarder la cuisinière tordre le cou des poulets et leur couper la tête d'un geste sec. Le reste de l'animal partait courir en rond, pissant le sang, avant de culbuter en continuant à se contrac-ter. J'adore le poulet rôti. Serais-je jamais capable de leur tordre le cou ?

J'ai acheté tout ce que je peux porter. Je vais maintenant m'arrêter à la cave coopérative prendre du vin local. Tout au bout de l'allée sinueuse aux nombreux étals, une femme qui vend les fleurs de son jardin m'enveloppe des zinnias roses dans une feuille de journal que je pose entre les anses de mon sac. Le soleil est violent et les commerçants commencent à fermer pour la sieste. Une dame semble triste de n'avoir pas assez vendu ses torchons rayés verts et jaunes. Elle déloge le chien assoupi sur sa chaise pliante et s'y repose un instant avant de tout remballer.

En quittant le marché, je trouve un homme en

chemin qui, malgré la chaleur, porte un pull-over.
Le coffre de sa minuscule Fiat est rempli de raisins
noirs qui ont chauffé toute la matinée au soleil.
Leur parfum de moisissure, noble, vineuse, colorée, me fige. L'homme m'offre quelques grains.
Leur douceur brûlante et sucrée se révèle sur mes
papilles. Je n'ai de ma vie goûté de chair aussi
essentielle que celle de ces raisins. Leur odeur
même est pourpre. Leur saveur, plus vieille que
l'Étrurie, profonde de fraîcheur et de plaisir, me
laisse franchement ébahie. Cette richesse, cette
rondeur, et ce tas de grappes terreuses débordant
en cascade des deux grands paniers. Je demande
un grappolo, et je veux que ce goût reste en moi tout
le matin.

*

Je vide mes sacs de toile et c'est la cuisine qui
s'emplit du parfum de soleil des fruits et des
légumes qui ont tiédi dans le coffre. De retour du
marché, tout le monde ressent sans doute cette
impulsion pressante d'assembler les couleurs des
tomates, aubergines (*melanzane* me paraît tellement plus authentique que les peu élégantes *egg-
plants* américaines), courgettes et énormes poivrons pour une nature morte dans la première
corbeille. Je résiste à celle de disposer harmonieusement les fruits dans un saladier, exception faite
de ceux que nous mangerons aujourd'hui, le reste
partant tout de suite au réfrigérateur.

Je n'en reviens toujours pas que la cuisine soit finie. On distingue encore au-dehors le spectre d'un demi-cercle au-dessus de la porte, là où un saint ou une croix avait trouvé leur niche, alors que cette pièce servait de chapelle. Mais toute trace a disparu des derniers occupants, les bœufs et les poulets. En arrachant leurs mangeoires, nous avons découvert l'empreinte indistincte d'anciennes arabesques sur le plâtre fendu. À mesure ensuite que l'enclos puant fut démoli, nous avons remarqué les marbres en trompe l'œil. De temps à autre, nous nous arrêtions pendant les travaux pour nous interroger : « Si on t'avait dit un jour que tu décaperais un mur pourri par des décennies entières de déjections animales, tu l'aurais cru ? » ou encore : « Tu te rends compte que tu vas bientôt faire à manger dans une chapelle ? »

Curieusement, il semble maintenant que la cuisine aurait de tout temps pu être celle d'aujourd'hui. Comme dans le reste de la maison, le sol est dallé et ciré, les murs, enduits de plâtre blanc, et le plafond, parcouru de poutres noires (pauvre Ed, sa nuque et son dos !). Nous ne voulions pas de placards et il nous fut plus simple de monter de petites colonnes de briques plastifiées pour soutenir les épaisses planches auxquelles nous pensions déjà, lorsque nous passions nos soirées à dessiner sur des blocs de papier quadrillé. Nous les avons découpées ensemble, Ed et moi, avant de les peindre en blanc. Nous avons rangé ustensiles et produits de base dans les paniers d'osier du marché. Épais de cinq centimètres, les plans de travail en marbre de Carrara, un régal pour les yeux, restent toujours frais sous mes mains, lorsque j'y déroule pâte à tarte ou pizza. Nous avons suspendu au mur des étagères semblables pour y ranger les verres et les plats à pâtes. Pour bien fixer leurs supports, Ed a scellé des boulons dans la pierre qui s'est mise à cracher de petits cailloux, tandis que la perceuse poussait ses cris stridents.

*

La *signora* qui habitait ici il y a cent ans pourrait entrer cette minute même et se mettre à cuisiner. Elle apprécierait l'évier de porcelaine assez grand pour y baigner un nourrisson, la paillasse et le robinet courbe et chromé. Je l'imagine avec un menton pointu et des yeux noirs luisants, les cheveux enroulés et maintenus par un peigne. Vêtue d'épais souliers à lacets et d'une robe noire aux manches relevées, elle est prête à étendre la pâte à raviolis. Elle serait sans aucun doute ravie de trouver des appareils modernes — le lave-vaisselle, la cuisinière et ce réfrigérateur qui ne givre jamais (plutôt nouveau en Toscane), mais cela mis à part, elle se sentirait parfaitement chez elle. Au cours de ma prochaine existence, lorsque je serai architecte, je dessinerai toujours des maisons aux cuisines ouvertes sur le dehors. J'aime sortir et m'asseoir écosser mes haricots sur la murette de pierre. J'y laisse de la vaisselle sale à tremper, j'y fais sécher mes torchons, et toute eau encore bonne revient à la roquette, au thym et au romarin plantés juste devant. Comme la double porte-fenêtre reste ouverte jour et nuit en été, la cuisine est toujours pleine d'air et de lumière. Une guêpe — est-ce la même ? — vient chaque jour boire au robinet et repart aussitôt.

Seul l'éclairage est purement américain. Le coût exorbitant de l'électricité explique l'ubiquité des ampoules de quarante watts dans les maisons. Je ne supporte pas les cuisines sombres. Nous avons choisi deux lampes puissantes avec un variateur, qui ont consterné Lino, l'électricien, au plus haut point. Il n'avait jamais installé de rhéostat, dont le fonctionnement l'intriguait. Sans même parler des lampes ! « Mais une suffit. Ce n'est pas un bloc chirurgical, ici », insistait-il. Il voulut nous avertir que notre facture — les mots lui manquèrent : il se contenta de réunir ses mains en hochant la tête. D'évidence, nous courions à la ruine.

Sur le rebord de briquettes de l'évier, j'ai commencé à accumuler des plats et saladiers de majolique peints à la main aux alentours. J'ai pensé demander à Shera de revenir apposer des motifs de grappes, ceps et feuilles de vigne sur la bordure du plafond et des murs. Mais pour l'instant, la cuisine est *finita*.

*

Si nous avons consacré tant d'énergie à cette pièce, c'est parce que le gène culinaire reste pour ma famille le gène dominant. Quelle que soit l'occasion, contre vents et marées, les femmes au milieu desquelles j'ai grandi étaient capables de disserter *ad libitum* sur la préparation de délicates timbales, du poulet fumé, ou d'odorants chaudrons de ragoût à la Brunswick. L'été, ma mère et notre cuisinière Willie Bell entamaient les tâches-marathons d'emmagasiner les tomates pour l'hiver, de saumurer les cornichons, de remuer des cuves entières de gelée de raisins. Début décembre, les biscuits au cognac étaient prêts et elles avaient cassé des montagnes de coques de pécans pour les griller. Jamais la cuisine n'a manqué de boîtes pleines de brownies et de gâteaux secs. Ni de quatre-quarts réchappés du dîner. Réchauffés au petit déjeuner, ils me manquent encore. À la fin d'un repas nous parlions du suivant.

Ma fille a manifesté ostensiblement son intention de rompre avec l'héritage familial, d'oublier les talents de ma mère et de Willie qui ont prévalu aux étagères de livres de cuisine que nous arborons avec mes sœurs. De renoncer à cette préoccupation constante de préparer de nouvelles fêtes, et — épreuve ultime — au mauvais destin qui nous force parfois à nous faire à manger seuls. Toute son enfance, à l'exception de quelque caramel cuit aux couleurs d'obsidienne, Ashley a dédaigné la cuisine. C'est peu de temps après sa licence qu'elle s y est mise — elle m'a aussitôt appelée en quête de recettes : poulet aux quarante gousses d'ail, profiteroles, risotto, soufflé au chocolat, pommes de terre Anna. Sans l'avoir fait exprès, elle semble tout de même avoir retenu quelques connaissances. Et maintenant, quand nous sommes ensemble, nous partons sur les hautes sphères des préparations et cuissons. Je lui dois une superbe recette de filet de porc mariné, une autre de gâteau au citron et au lait battu. Je tire de cet atavisme un sentiment d'impuissance : notre destin est de cuire.

Malgré cet incontournable héritage, j'ai dû, ces dernières années, travailler de plus en plus. À San Francisco, la cuisine quotidienne est parfois une corvée. J'avoue dîner de temps à autre d'une crème glacée à même le pot, que j'avale avec une fourchette, à moitié assise sur le comptoir de la cuisine. Il nous arrive à tous deux de rentrer tard le soir et de ne trouver au frigidaire qu'un peu de céleri, du raisin, des pommes gâtées et du lait. Ce qui n'est pas un problème, nous avons d'excellents restaurants. Le week-end, nous nous efforçons de faire rôtir deux poulets, de cuire un minestrone ou une bonne quantité de sauce pour les pâtes, afin de tenir jusqu'au mardi. Le mercredi : un crochet chez Gordo's où nous prenons leurs super *burritos* à la viande, avec crème fraîche, *guacamole* et *salsa picante* — un bon kilo de gras. J'ai aussi des accès de grande ordinatrice au cours desquels je congèle de valeureux pots en plastique de soupes, chilis et ragoûts.

Mais le temps et l'espace de l'été, l'abondance des denrées de base et la faculté de recevoir sans protocole à tout moment sont, j'en suis convaincue, l'essence de la cuisine. Je pense souvent aux tables de soleil de ma mère. Elle *créait* ses repas avec une facilité déconcertante. Il m'effleure finalement l'esprit que je ne suis pas si inadaptée. C'était plus simple alors. Elle était entourée, comme nous le sommes ici. Je m'asseyais sur la baratte pendant que ma sœur tournait la manivelle. Mon autre sœur écossait les petits pois. Willie savait tout faire. Ma mère dirigeait les opérations et dressait les tables. J'utilise souvent ses recettes, je retrouve un peu de son aisance avec nos invités, même si je reste parfaitement hostile au poulet grillé. J'ai ici une denrée essentielle : le temps. Nos amis aiment vraiment dénoyauter les cerises ou courir en ville reprendre du parmesan. Et cuisiner semble plus rapide aussi, les aliments étant d'une telle qualité que les préparations les plus simples restent les meilleures. Les courgettes ont une vraie saveur de courgettes. Les cardes, juste sautées à l'ail, sont surprenantes. Il n'y a pas d'autocollants sur les fruits ; les légumes ne sont ni irradiés ni colorés, et leur goût est si différent.

Les nuits sont fraîches à presque cinq cents mètres d'altitude. Ce qui nous ravit, car nous pouvons préparer des plats riches, parfois incompatibles avec la chaleur. Si le *prosciutto* aux figues, la soupe de tomates froide, les artichauts à la romaine et les pâtes au zeste de citron et asperges sont parfaits sous le soleil, les soirées plus douces ravivent l'appétit. Nous servons des spaghettis avec le *ragù* (j'ai finalement appris le secret d'un bon *ragù* : y mettre un foie de poulet), des minestrones avec de bonnes cuillerées de *pesto*, de la polenta grillée, des poivrons rouges marinés, farcis de ricotta et de flan aux herbes, des cerises tièdes au chianti avec leur quatre-quarts aux noisettes.

Quand les tomates sont mûres, rien n'est plus délicieux qu'en faire une soupe froide avec une poignée de basilic, garnie de croûtons de polenta. La *panzanella*, le « petit marais », est une autre fabuleuse recette à base de tomate, avec huile et vinaigre, basilic, concombres, oignons émincés et pain rassis que l'on aura trempé dans l'eau avant de l'essorer — un vrai produit de la nécessité. Il faut chaque jour acheter du pain frais, mais la cuisine toscane accommode bien les restes. Les vieilles tranches inégales servent à faire du pudding et le meilleur pain perdu aux œufs que j'aie jamais mangé. Nous nous passons de viande pendant des journées et elle ne nous manque pas, jusqu'à ce qu'une *faraona* (pintade) rôtie au romarin ou un filet de porc farci à la sauge nous rappellent que les plats les plus simples sont les plus merveilleux. Je ramasse de petits paniers de thym, de romarin et de sauge, en regrettant de ne pouvoir les reproduire à San Francisco où ceux qui poussent sur le rebord de la fenêtre manquent de santé et de vigueur. Ici le soleil les fait doubler de volume de semaine en semaine. Près du puits, le buisson

d'origan a presque composé un cercle d'un mètre
de diamètre. Même la menthe sauvage et la citronnelle que j'ai ramenées de la colline pour les planter plus près se sont épanouies. La menthe pousse
comme du chiendent. Virgile disait que les daims
blessés par les chasseurs la recherchaient pour en
frotter leurs plaies. Et en Toscane, où les hommes
ont depuis longtemps éteint toute vie sauvage, on
trouve bien plus de menthe que de cerfs. Maria
Rita, au *frutta e verdura*, conseille de mettre de la
citronnelle dans les salades et les légumes, mais
aussi dans l'eau de mon bain. Je crois que je pren-
drais plaisir à ramasser des herbes, même sans faire
la cuisine. Leur odeur forte, à peine coupées, est
un régal pour le cueilleur, comme pour le cuisinier
et enfin le palais. Une fois coupé du thym, je ne me
lave pas les mains avant que le parfum ne s'éva-
nouisse tout seul. J'ai planté une petite haie de
sauge, plus que je n'en aurai jamais besoin, et laissé
la plupart des fleurs aux papillons. Les fleurs de
sauge, comme la lavande, sont très jolies en bouquets. Je mets les feuilles à sécher ou les cisèle
toutes fraîches, le plus souvent pour accompagner
mes haricots blancs à l'huile d'olive, un classique
des Toscans que l'on surnomme parfois les « man-
geurs de fayots ».

À chaque fois que nous grillons quelque chose,
Ed jette de longues branches de romarin sur les
braises et la viande. Non seulement les feuilles
croustillantes apportent leur saveur propre, mais

elles sont bonnes au goût. Ed embroche directement les crevettes sur les branches du romarin.

J'ai placé du basilic en pots devant la porte de la
cuisine, puisqu'on dit qu'il repousse les mouches.
Au cours des semaines consacrées à la réparation
du mur et au nouveau puits, je me rappelle avoir vu
un ouvrier frotter dans ses mains des feuilles de
basilic pour apaiser une piqûre de guêpe. Il m'a dit
que l'effet était radical. D'autres touffes plus
épaisses poussent à quelques mètres. Plus j'en
cueille, plus il y en a, semble-t-il. J'en mets des
feuilles entières dans la salade, des brins dans le
pesto, de copieuses quantités dans les courges et
courgettes sautées, et les plats à la tomate. De
toutes les plantes aromatiques, c'est le basilic qui
détient l'essence de l'été toscan.

*

La langueur renouvelée des déjeuners d'été
requiert une grande *tavola*. Maintenant que la cuisine est achevée, il nous faut une table au-dehors,
la plus grande possible, car inévitablement l'abondance du marché hebdomadaire me pousse à acheter trop de choses, car inévitablement aussi les
invités viendront — des amis de Californie, des
amis d'autres amis qui passent dire bonjour puisqu'ils sont dans le coin, et d'autres amis encore,
parfois accompagnés des *leurs*. Une poignée de
pâtes en plus dans la grande casserole, ajouter une

assiette, un verre et trouver d'autres chaises. La table et la cuisine sont ouvertes.

J'ai étudié ma table, son idéal et ses dimensions. Si j'étais une petite fille, je voudrais soulever la nappe et me glisser sous un plateau sans fin, dans la lumière tamisée du tissu où je m'agenouillerais pour écouter les rires sonner, les verres s'entrechoquer et les adultes parler, pour entendre de nouveaux « *salute* » et « *cin-cin* » résonner de chaise en chaise, pour examiner les genoux des invités, leurs bonnes chaussures de marche et les jupes fleuries relevées pour la douceur du vent. Puis la table solide sous l'abondance de biens. Cette table-là doit permettre à un gros chien de passer dessous. Il lui faut à son bout suffisamment d'espace pour l'immense vase des fleurs du jour. Elle doit être assez large pour que les plats glissent du centre, puis de mains en mains, s'arrêtent ici et là, et pour que les bouteilles de vin et d'eau soient toujours plus nombreuses au fil des heures. Il faut prévoir l'endroit où poser le grand saladier d'eau froide dans lequel on lavera le raisin et les poires, et le petit plat couvert pour que les mouches ne s'agglutinent pas sur le gorgonzola (*dolce* à table, le *piccante* étant réservé aux sauces) et la *caciotta*, une pâte molle locale. Personne ne se soucie que les noyaux d'olives soient jetés dans le jardin. La meilleure garde-robe de la table d'été se compose de tissus pâles, de carreaux bleus légers, ou bien roses et verts, mais jamais de blanc pur, beaucoup trop lumineux. Quand elle est assez grande, on apportera tout à la fois, pour ne pas aller et venir dans la cuisine. Elle est alors prête au plaisir essentiel de manger lentement, de faire durer l'instant sous les arbres de midi. Le plein air inspire l'aisance, la détente et la liberté. Vous êtes votre propre invité, ce qui devrait toujours être la mission de l'été.

Dans cette stupeur délicieuse qui suit la dernière poire coupée en deux, le dernier bout de pain qui retient quelques miettes de gorgonzola, ou la dernière goutte du dernier verre de vin, il est temps de méditer, si le cœur vous en dit, sur votre participation au grand inconscient collectif. Vous êtes dans la même situation que tous en Italie, où des millions de fonds de culottes sont lustrés par des millions de chaises devant leurs millions de tables. Devant chacune s'accumule un nuage miniature de moucherons. Il y a bien sûr des exceptions. Gardiens de parking, serveurs, cuisiniers — et des milliers de touristes, dont beaucoup commettent l'erreur d'avaler deux tranches d'une immense pizza à la saucisse à onze heures du matin et n'ont maintenant plus le goût de manger. Faute de quoi, ils déambulent sous l'implacable soleil, jettent un œil entre les grilles métalliques des boutiques fermées, poussent les portes massives des églises verrouillées, et s'assoient au rebord de fontaines, les paupières plissées sur leurs minuscules guides. Arrêtez tout ! J'ai fait de même. Plus tard, il sera difficile de résister vers dix-neuf heures à l'appétissant cornet de glace au melon, quand l'air est encore chaud et que la peau des talons brûle sous le cuir des sandales. Les plus faibles (*mea culpa*) succomberont peut-être devant une autre tranche de pizza, à l'artichaut cette fois, sur le chemin de l'hôtel ; puis, lorsque l'Italie se retrouve à table à vingt et une heures, l'estomac étranger ne marmonne même plus. Cela viendra après, une fois tous les bons restaurants complets.

Le rythme des repas toscans a quelque chose de déconcertant, toutefois après un long déjeuner dehors, un concept reste clair : *siesta*. La logique d'un arrêt de trois heures au sommet de la journée est parfaitement sensée. Mieux vaut reprendre son livre sur Piero della Francesca, monter à l'étage et s'y abandonner.

Je sais bien que je désire une table en bois. Quand j'étais enfant, mon père invitait ses amis et quelques employés le vendredi. Notre cuisinière, Willie Bell, et ma mère installaient une longue table blanche sous le pacanier du jardin où l'on faisait frire du poulet sur le barbecue de briques, et apportaient salade de pommes de terre, quatre-quarts, thé glacé, toasts et des bouteilles de gin et de Southern Comfort. Le repas de midi durait souvent tout l'après-midi, et finissait parfois sur les chants de ces hommes, qui se balançaient en se tenant le bras, entonnant trop lentement « Darktown Strutter's Ball » et « I'm a Ramblin' Wreck from Georgia Tech », à la manière d'un disque que l'on aurait laissé gondoler au soleil.

Depuis nos premières semaines ici, nous avons

utilisé la table de travail que nous y avons trouvée, prototype grossier du vrai meuble que j'imaginais finalement installé sous la rangée des cinq *tigli*. J'ai trouvé des nappes au marché, assez longues pour protéger nos genoux d'éventuelles écharbes. Les serviettes assorties, un bocal plein de coquelicots, de faux chervis et de bleuets, et nos assiettes jaunes de la Coop nous ont servi de couvert — en duo surtout.

Le paradis pour moi est un déjeuner de deux heures avec Ed. J'imagine qu'il fut italien dans une vie précédente. Il a commencé à parler avec les mains, ce que je ne l'avais jamais vu faire. S'il aime la cuisine à la maison, ici c'est une immersion. Pour le déjeuner, il se munit de *parmiggiano*, de mozzarella fraîche, d'un peu de *pecorino* des montagnes, de poivrons rouges, de laitues du jour, de salami local au fenouil, de tranches de *pane con sale* (un pain qui n'est pas typiquement d'ici, puisqu'on y met du sel) et d'un sac de ces merveilleuses tomates. Pour le dessert, pêches, prunes et le fruit que je préfère, cette pastèque du coin qu'on appelle *minne di monaca*, seins de nonne. Il pare la planche à pain de fromage, salami et poivrons, et dispose l'entrée dans nos assiettes — une classique *caprese* : tomates en tranches, basilic, mozzarella sous un filet d'huile.

L'ombre des *tigli* nous protège de la chaleur de midi. Les cigales bourdonnent dans les arbres leur chant profond de l'été. Les tomates sont si parfaites que nous les savourons en silence. Ed ouvre religieusement une bouteille de *prosecco* et nous nous installons pour célébrer notre saga de propriétaires-entrepreneurs. Nous omettons curieusement les complications et les peurs ; nous avons entamé un processus de sélection naturelle, celui-là même qui permet la perpétuation de la race humaine et consiste à oublier ses labeurs. Ed commence à dessiner les plans d'un four à pain. Nous rêvons à d'autres projets. Étouffé par les arbres, le soleil nous baigne d'une dentelle d'or. J'avoue : « Je n'y crois pas, nous avons mis le pied dans un Fellini. »

Ed fait non de la tête. « Fellini tourne en fait des documentaires — je ne crois plus à son génie. Les scènes de ses films sont tout autour de nous. Tu te rappelles la moto chromée d'*Amarcord* qui n'arrête pas de tourner ? C'est *tous* les jours ici. Le moindre village perdu, personne en vue, et tout d'un coup, hop, une énorme Moto Guzzi déboule dans la rue. » Ed pèle une pêche dont la peau dessine une longue spirale et, tout cela étant trop agréable, nous débouchons une autre bouteille de *prosecco* pour rester là, séduits, une heure de plus avant de rassembler nos énergies et de partir en ville, étudier les menus des restaurants, nous promener sur les terrasses qui surplombent la vallée et, difficile à croire, recommencer à manger.

*

Nous avons appelé Marco et Rudolfo, nos menuisiers timides et silencieux. Tout ce que nous leur demandons de faire ici semble les faire rire. L'idée d'une table de dix personnes, peinte, paraît les épater. Ils ont plutôt l'habitude du châtaignier ciré. Sommes-nous bien sûrs ? Je les vois échanger rapidement un regard. Mais il faudra la repeindre dans deux ans ! Ce n'est vraiment pas commode. Nous avons fait un croquis et sélectionné une teinte avec son échantillon — jaune primaire.

Ils reviennent quatre jours plus tard avec la table, enduite et peinte — miracle de rapidité, d'autant plus que ces deux-là sont occupés tout le temps. Ils rient en expliquant que la table se verra dans le noir. C'est vrai, elle rayonne littéralement. Ils la posent à l'endroit qui offre le meilleur point de vue sur la vallée. Le jaune brille dans l'ombre intense et nous pousse à aller chercher à l'intérieur plats et pots fumants, corbeilles de fruits et fromages frais enveloppés de leurs feuilles de vigne.

*

Nous avons ce soir à dîner un couple d'ici, leur bébé, et nos compatriotes littéraires. À sept mois, la petite Italienne mordille des olives pimentées en posant sur les plats des regards envieux. Nos amis se sont amusés de nos aventures avec la maison — amusés sans danger, puisque leurs demeures ont été restaurées avant la pénurie de main-d'œuvre et la chute du dollar. Ils disposent tous

d'une somme de connaissances en matière de
puits, de fosses septiques, de gouttières et d'élagage — un savoir technique et précis acquis année
après année sous les toits de vieilles fermes capri-
cieuses. Leur pratique courante de l'italien nous
stupéfie, comme leurs explications sur les détours
sinueux des factures de téléphone. J'imaginais de
longues conversations sur les courants littéraires
italiens, l'opéra et les rénovations architecturales,
mais il semble que la taille des oliviers, les pièges à
rôdeurs, l'analyse des eaux de source et la remise à
neuf des volets nous passionnent plus.

Le menu : à l'apéritif, *bruschette* aux tomates et au
basilic, *crostini* aux piments rouges confits. Puis
gnocchi en entrée, cette fois sans pommes de terre,
mais de semoule légère (en petite quantité — c'est
lourd), suivis d'un rôti de veau boulangère à l'ail,
cuit au four et garni de beignets de sauge. Petits
haricots verts, craquants et chauds, avec fenouil et
olives. Juste avant l'arrivée de nos hôtes, je vais
ramasser un énorme panier de salade. Au début de
l'été, j'ai à peine répandu le contenu d'une enveloppe de différentes espèces le long d'un parterre
de fleurs. Elles ont poussé en une semaine ; quinze
jours plus tard, elles débordaient de chaque côté. Il
y en a maintenant partout ; désherber le parterre
en ramassant le dîner par la même occasion me
procure une impression étrange. Certaines d'entre
elles ont un aspect peu familier ; j'espère que nous
ne sommes pas en train de manger des soucis ou
des roses trémières. Les cerises, que j'ai fait cuire à

feu doux puis laissées refroidir, ont attiré les abeilles tout l'après-midi. Un petit colibri a fait une rapide incursion dans la cuisine, sans doute tenté par l'odeur du vin cuit et sucré.

Nos amis seront là pour le crépuscule lent et si doux de la Toscane, qui se muera en transparence à l'apéritif, puis en or et en bleu du soir, pour se fondre, les entrées finies, dans la nuit. Celle-ci tombe soudainement, comme si le soleil se laissait couler d'un geste sous la colline. Nous allumons des bougies dans des lampes tempêtes le long du mur de pierre et sur la table. En guise de fond sonore, les grenouilles se lancent dans un concert hilarant. *Molti anni fa*, il y a bien des années, commencent nos amis. Leurs récits tissent autour de nous la trame d'une Italie que nous ne connaissons que par les livres et les films. *Dans les années soixante... Soixante-dix... Un vrai paradis.* C'est pourquoi ils sont venus — et restés. Ils l'aiment toujours, mais ce n'est plus rien à côté des quatre garde-robes de la comtesse folle. *Les rues de Rome grouillaient de vie, et tu te rappelles le cinéma avec son toit ouvrant, les jours où il pleuvait ?* La conversation touche maintenant à la politique. Ils connaissent tout et tous. L'attentat à la bombe qui vient d'avoir lieu en Sicile nous a horrifiés les uns comme les autres. La mafia sévit-elle aussi dans la région ? Nos questions sont candides. L'orientation fasciste des récentes élections dérange tout le monde. L'Italie est-elle prête à revenir en arrière ? Je leur parle de l'antiquaire de Monte San Savino. J'ai remarqué la

photo de Mussolini accrochée à la porte de son
magasin et il m'a vue en train de la regarder. Puis,
avec un grand sourire, il m'a demandé si je savais
qui c'était. Sans pouvoir décider s'il s'agissait d'un
clin d'œil de mauvais goût ou d'une véritable admiration, j'ai répondu en faisant le salut fasciste. Le
type devient tout fou, croit que j'approuve aussi. Il
ne me lâche plus, répète qu'Il Duce était un
homme *bravo*, très audacieux. Je veux partir avec
mes drôles d'emplettes — une grande croix dorée
et la petite porte d'un reliquaire — et soudain les
prix descendent. L'homme m'invite à revenir, il
souhaite me présenter sa famille. Tous me conseillent d'en profiter.

Je me sens immergée, ici ; ma « vraie vie »
semble loin. Curieux que nous soyons là, tous
autant que nous sommes. On nous avait offert un
pays et nous nous installons ailleurs — nos invités
plus réellement que nous ; ils ont accordé leur vie,
leur travail aux exigences de cet endroit, pas de
l'autre. Pâles Américains, nous nous sentons tellement chez nous. Nous pourrions rester, nous
improviser natifs. Je laisserais mes cheveux pousser,
j'apprendrais l'anglais aux enfants, j'irais acheter
le pain en ville au guidon de ma Vespa. Je me
représente Ed assis sur l'un de ces minuscules
tracteurs adaptés aux cultures en terrasses. Je l'imagine lancer son petit vignoble. Nous pourrions
commercialiser des tisanes à la citronnelle. Je le
regarde, mais il est en train de servir du vin. J'entends presque nos étranges voix — américaines,

françaises, italiennes — partir autour de la maison, dans la vallée. Les sons portent sur les collines. (On nous appelle les *stranieri*, *foreigners* en anglais, mais qui ressemble plus à *strangers*, un mot sévère qui veut dire inconnus et me glace curieusement les sangs.) Nous entendons souvent nos invisibles voisins recevoir au-dessus de nos têtes. Nous avons dérangé un ordre préalable des choses sur le flanc de la colline, où le percepteur, le capitaine de gendarmerie et le propriétaire du kiosque à journaux (nos voisins les plus proches, mais que nous ne voyons pas) étaient seulement habitués à l'italien avant que nous ne venions camper.

La Grande Ourse, nette comme une ligne pointillée, semble prête à se déverser sur le toit de la maison, et la voix lactée, la jolie *via lactia* latine. éparpille au-dessus de nous son voile étoilé de mariée. Les grenouilles se taisent d'un seul coup, comme sous l'ordre de quelqu'un. Ed ramène le *vin santo* et le plateau de *biscotti* qu'il a confectionnés ce matin. La nuit est maintenant silencieuse et immense. Pas de lune. Nous parlons, et parlons, et parlons. Rien ne nous interrompt que les étoiles filantes.

Notes d'une cuisine d'été

Alors qu'une année au printemps j'étudiais la cuisine en Provence dans la maison de Simone Beck, celle-ci m'a appris plusieurs choses que je n'ai jamais oubliées. Une autre disciple, traiteur et professeur de cuisine, demandait sans arrêt à Simca la technique de chaque plat. Munie d'un bloc, elle transcrivait furieusement le moindre mot du maître. Nous étions quatre autres, surtout prêtes à déguster avec intérêt ce que nous venions de préparer. Le jour où notre condisciple posa vraiment une question de trop, Simca lui répondit d'un ton cassant : « Il n'y a *pas* de technique, c'est juste la façon de faire. Bon, allons-nous tout mesurer, maintenant, ou faisons-nous la cuisine ? »

J'ai appris que la simplicité libère. La philosophie de Simca correspond parfaitement à notre cuisine d'été, où toute mesure est oubliée et où l'on s'occupe de faire. Comme le savent tous les cuisiniers, les produits de saison sont les meilleurs recueils. La plupart de nos plats ici sont trop simples pour porter le nom de recettes — seule la façon de faire compte. J'ajoute à l'omniprésent *prosciutto e melone* quelques moitiés de figues. La soupe aux tomates froides que je confectionne se compose essentiellement d'herbes ciselées — basilic surtout — et de tomates mûres mélangées à du bouillon de poule clarifié, que je glisse ensuite au freezer pour qu'elle refroidisse. Je fais rôtir des têtes d'ail entières dans un plat de terre cuite avec un peu d'huile d'olive — pour les étaler ensuite, par exemple, sur du pain. L'un de mes meilleurs plats de pâtes sont des spaghettis mêlés à de la roquette ciselée, de la crème, de la *pancetta* en dés, puis saupoudrés de parmesan râpé. Des haricots verts servis avec olives noires, fenouil cru émincé, oignons grelots, une vinaigrette légère ou un jus de citron bénéficient sans doute du meilleur traitement possible. La trouvaille de Ed n'a pas d'égale plus simple : il coupe des figues en deux, les garnit d'un peu de miel, les passe au four sous le gril et les couronne de crème. Les pêches en tranches au mascarpone sucré avec une chapelure de biscuits aux amandes sont devenues de réguliers compagnons. Certains de nos plats préférés sont un rien plus élaborés, mais ne m'amèneront jamais à me demander quelle folie m'a prise de m'y atteler.

Je fais pousser des quantités folles d'herbes aromatiques, c'est pourquoi j'ai tendance à en mettre partout. Ce qui en reste dans les corbeilles garnit toujours le moindre plat : brindilles de thym en fleur coupées sur les légumes ; rôti sur son lit de sauge ; brins d'origan autour des pâtes. La lavande, le raisin, les feuilles de figuier et les fanes aériennes du fenouil font également d'agréables garnitures. Avec les fleurs des champs, des herbes rassemblées dans un pot de terre cuite ont l'air chez elles sur la table du dîner.

Voici quelques recettes, rapides et personnelles, que nos invités ont adorées ou qui nous ont envoyés le lendemain secrètement dérober les restes dans le frigidaire. Pour les Italiens, un risotto, des pâtes, ne constituent pas le plat principal, alors qu'ils le seront souvent pour nous. L'huile choisie — et de choix — est bien sûr l'huile d'olive, sauf indication contraire. Et toutes les herbes de ces recettes sont fraîches.

ANTIPASTI.

Poivrons rouges (ou oignons) au vinaigre balsamique.

Les immenses poivrons noueux et luisants, rouge, vert et jaune vif, sont mon légume préféré de l'été, parce qu'ils éveillent et ravivent quantité de plats. Rapidement sautés ensemble, ils donneront de la vigueur à n'importe quoi d'autre. Plus la soupe de poivrons rouges, la mousse, et ceux (verts) que l'on farcira à l'ancienne...

> *Épépiner et émincer finement 4 poivrons que l'on mettra à cuire lentement dans un peu d'huile d'olive et 1/4 de tasse de vinaigre balsamique, pendant environ une heure, jusqu'à ce que la chair soit molle.*

Ajouter sel et poivre et remuer de temps en temps ; les poivrons doivent presque « fondre ». Remettre de l'huile et du vinaigre, une fois ou deux, s'ils semblent se dessécher. Passer au gril 25 tranches de pain aillées et légèrement arrosées d'huile d'olive. Garnir avec les poivrons et servir chaud. Le même principe vaut pour les oignons, coupés en fines rondelles. On ajoutera 1 cuillerée à café le sucre roux dans le vinaigre et on les laissera doucement caraméliser. Les deux versions font une riche garniture pour un poulet rôti. S'il y a des restes, on s'en servira pour les pâtes ou la polenta. On peut également confectionner des sandwiches, rapides et savoureux, auxquels on ajoutera du fromage et/ou des aubergines grillées.

*

Bruschetta aux petits pois frais et échalotes.

Les petits pois se détachent facilement de leurs cosses, quand elles sont fraîches et fermes. J'ai cru que les écosser était propice à la méditation jusqu'au jour où j'ai vu une femme en ville assise devant sa porte, avec son chat qui dormait à ses pieds. Elle était en train d'écosser un immense tas de pois et venait d'en remplir une grosse bassine. Elle leva les yeux vers moi et me parla rapidement, en italien. Je souris et ne compris ce qu'elle me dit que quelques mètres plus loin : « Même un chien ne mérite pas ça. »

Émincer 4 échalotes. Écosser l'équivalent de 1 tasse

de pois. Mélanger et sauter dans le beurre jusqu'à cuisson des pois ; les échalotes doivent presque fondre. Ajouter menthe ciselée, sel et poivre. Hacher grossièrement dans un mixeur ou à la main et garnir 25 tranches de pain préparé comme ci-dessus.

*

Sorbet au basilic et à la menthe.

J'ai goûté la première fois ce sorbet déroutant mais terriblement bon dans une ancienne *fattoria* reconvertie en restaurant, le Locanda dell'Amorosa, dans la ville proche de Sinalunga. Le lendemain, j'ai tenté de faire le même à la maison. Il était servi au restaurant entre les entrées (pâtes et hors-d'œuvre) et le plat principal. Plus simplement, c'est une façon agréable de débuter un dîner par une chaude nuit d'été.

Préparer un sirop de sucre en portant à ébullition 1 tasse d'eau avec 1 tasse de sucre, puis remuer sans cesse à feu doux pendant 5 minutes. Mettre à refroidir au frigidaire. Mélanger en purée 1/2 tasse de feuilles de menthe et 1/2 tasse de feuilles de basilic dans 1 tasse d'eau. Ajouter ensuite 1 seconde tasse d'eau, 1 cuillerée à soupe de jus de citron et mettre au frais. Mélanger la purée obtenue et le sirop, puis glacer dans une sorbetière selon les indications du fabricant. Servir dans des verres à Martini, ou tout verre transparent, et garnir de feuilles de menthe. Pour 8 personnes.

PRIMI PIATTI.

Soupe froide à l'ail.

Comme pour le poulet aux quarante gousses, la quantité d'ail utilisée ici n'a rien d'alarmant. La cuisson atténue la vigueur du condiment pour n'en garder que la saveur.

Peler 2 têtes d'ail entières. Couper 1 petit oignon en rondelles, et 2 pommes de terre moyennes en dés. Faire sauter l'oignon dans 1 cuillerée à café d'huile d'olive, puis, lorsqu'il blondit, ajouter l'ail. Cuire à feu doux : l'ail ne doit pas noircir, seulement ramollir. Faire cuire les dés de pommes de terre à la vapeur, les ajouter à l'oignon et l'ail avec 1 tasse de bouillon de poule. Porter à ébullition, baisser aussitôt le feu et laisser mijoter 20 minutes. Réduire en purée au mixeur, puis remettre le tout dans la casserole, ajouter 4 autres tasses de bouillon et 1 cuillerée à café de thym ciselé (en l'absence d'un mixeur, émincer ail et oignon avant de les faire revenir ; et passer les pommes de terre au presse-purée après cuisson). Battre dans la soupe 1/2 tasse de crème épaisse. Saler, poivrer et mettre à refroidir. Remuer avant de servir et saupoudrer de thym ou de ciboulette ciselés. Pour 6 personnes

*

Soupe au fenouil.

> *Émincer finement 2 bulbes de fenouil et 2 bottes d'oignons grelots. Faire sauter rapidement dans une casserole avec un peu d'huile d'olive. Ajouter 2 tasses de bouillon de poule et laisser mijoter jusqu'à cuisson du fenouil. Remuer fréquemment. Réduire en fine purée. Ajouter encore 2 1/2 tasses de bouillon et bien mélanger. Saler, poivrer et couvrir. Porter à ébullition, puis cuire 10 minutes à feu doux. Ajouter 1/2 tasse de mascarpone ou de crème épaisse, bien mélanger, et sortir aussitôt du feu. À servir froide ou tiède, garnie de graines de fenouil grillées. Pour 6 personnes.*

*

Pizza à la saucisse et aux oignons confits.

Les pizzas sont d'une variété infinie. Ed préfère la Napoli : câpres, anchois et mozzarella. Moi, celle à la *fontina* (fromage mou du Val d'Aoste), aux olives et au *prosciutto*. Ou encore à la roquette, garnie de copeaux de parmesan. Nous aimons aussi celles aux pommes de terre et toutes les classiques. Quand nous cuisinons dans le jardin, nous faisons toujours griller des quantités de légumes et de saucisses pour les pizzas et salades du lendemain. On fera une excellente pizza végétarienne avec aubergines grillées, tomates confites, olives, origan, basilic et mozzarella.

Émincer finement 3 oignons à « fondre » dans une poêle à feu doux, avec un petit peu d'huile d'olive et 3 cuillerées à soupe de vinaigre balsamique. Les oignons ramollis doivent prendre une teinte caramel. Ajouter sel, poivre et marjolaine. Faire griller ou sauter deux grandes saucisses. Nous choisissons ici des saucisses de porc aromatisées aux graines de fenouil. Les couper en tranches, une fois cuites. Couper en morceaux l'équivalent de 1 tasse de mozzarella, ou râper 1 tasse de parmesan.

Pour la pâte : dissoudre 1 sachet de levure de boulanger dans 1/4 de tasse d'eau tiède et laisser 10 minutes. Mélanger ensuite : 1/2 cuillerée à café de sel, 1 cuillerée à café de sucre, 3 cuillerées à soupe d'huile d'olive, 1 tasse d'eau froide et verser le tout dans une fontaine de 3 1/4 tasses de farine. Pétrir sur une surface plate jusqu'à obtention d'une pâte élastique et régulière. Si l'on utilise un robot de cuisine, on s'en servira jusqu'à ce que la pâte forme une boule et l'on finira ensuite à la main. Mettre la pâte dans un saladier beurré et fariné et laisser reposer 30 minutes. Rouler ensuite une ou deux grandes abaisses que l'on badigeonne d'huile. Disposer fromage, oignons et saucisse sur la surface et cuire au four 15 minutes à 200 degrés. Pour 8 tranches.

*

Gnocchi à la semoule.

Les *gnocchi* perdent leur forme habituelle pour ce plat délicieux et complet. Contrairement aux *gnocchi* aux pommes de terre, ou à ceux plus légers aux épinards et à la ricotta, les *gnocchi* à la semoule ont la forme de petits gâteaux. J'en ai acheté un certain temps à une dame dans la vallée jusqu'à ce que je me rende compte qu'ils étaient très faciles à faire.

Porter 6 tasses de lait à ébullition dans une grande casserole. Verser progressivement 3 tasses de semoule sans cesser de remuer. Cuire à feu doux, comme la polenta, en continuant de remuer, pendant 15 minutes. Hors du feu, introduire au fouet 3 jaunes d'œufs, 3 cuillerées à soupe de beurre et 1/2 tasse de parmesan râpé. Ajouter sel, poivre et un peu de muscade. Battre un instant, de façon à aérer le mélange. Déposer le tout sous forme d'un cercle de 2,5 centimètres d'épaisseur sur un plan de travail fariné ou sur la planche à découper et laisser refroidir. Découper en biscuits à l'aide d'un verre ou d'un emporte-pièce. Mettre dans un plat à four bien beurré. Verser par-dessus 3 cuillerées à soupe de beurre fondu, puis saupoudrer avec 1/4 de tasse de parmesan râpé. Cuire au four, sans couvercle, 15 minutes à 200 degrés. Pour 6 personnes.

*

Salade méli-mélo de pâtes aux tomates cuites.

Pour faire une soupe, une ratatouille, ou cette salade, je prépare chaque aliment séparément. Leur saveurs restent ainsi distinctes et chacun des légumes est cuit jusqu'au point souhaité. Je n'ai jamais vu de salades de pâtes sur un menu italien, pourtant l'idée — américaine — reste un délicieux apport. C'est un plat idéal pour pique-niquer, que l'on emportera dans un grand saladier de plastique.

La vinaigrette : 3/4 de tasse d'huile d'olive, environ 3 cuillerées à soupe de bon vinaigre de vin rouge, 3 gousses d'ail écrasées, 1 cuillerée à soupe de thym ciselé, sel et poivre. Mélanger dans un pot.

Les légumes frais : 8 carottes moyennes, 5 courgettes fines, 2 grands poivrons rouges, 2 piments forts, 1 demi-livre environ de haricots verts et une grappe d'oignons grelots, tous coupés en petits morceaux, à l'exception des piments à émincer finement. Cuire — mais pas trop — les légumes séparément à la vapeur. Laisser refroidir.

Le poulet : badigeonner 2 filets entiers avec de l'huile d'olive et poser dans un plat à four huilé. Saler, poivrer et ajouter une branche de thym. Cuire au four environ 30 minutes à 180 degrés. Laisser refroidir et découper en lamelles.

Les pâtes : les fusilli, *petits et en forme de spirale, sont parfaits pour cette salade. Faire cuire 2 paquets de 500 grammes, égoutter, et mélanger aussitôt 2 cuillerées à café d'huile d'olive. Saler, poivrer et laisser refroidir.*

Mélanger tout dans un grand récipient et mettre au réfrigérateur 1 heure avant de servir. Remuer de nouveau et répartir en deux grands saladiers.

Les tomates : une par personne (plus quelques autres pour les restes). Découper un cône sur la partie supérieure, retirer les graines et la chair. Poivrer et saler l'intérieur, puis fourrer avec de la chapelure, du basilic ciselé et des pignons grillés. Arroser légèrement d'huile d'olive et cuire au four environ 15 minutes à 180 degrés.

Avant de servir, placer les tomates cuites au centre des assiettes, disposer autour la salade de pâtes, et garnir d'olives noires, de brins de thym et/ou de feuilles de basilic. Pour 16 à 20 personnes gourmandes.

SECONDI

Risotto aux courgettes rouges.

Le risotto est devenu pour moi un plat traditionnel. Comme les pâtes, la pizza et la polenta, on peut en faire de toutes sortes. Au printemps, des asperges à peine cuites, de toutes petites carottes et un peu de citron feront un excellent risotto. Je l'aime tout particulièrement avec des fèves préalablement sautées à couvert avec des échalotes que l'on mélange ensuite au risotto. Autres agréables variantes : fenouil en tranches, juste cuit, avec des gambas ; champignons frais sautés ou cèpes séchés trempés dans l'eau tiède ; trévise grillée et *pancetta*.

On trouve en Italie des cubes de bouillon aux *funghi porcini* (cèpes), parfaits pour le risotto lorsqu'on ne dispose pas de bouillon frais. Beaucoup de recettes comportent de trop grandes quantités de beurre ; avec un bon bouillon, le beurre est inutile et un peu d'huile d'olive suffira au début. S'il y a des restes, on chauffera le lendemain une cuillerée d'huile d'olive dans une poêle non adhésive, et on y étendra le risotto à cuire jusqu'à ce que le fond soit croustillant. On retourne alors le tout pour recommencer de l'autre côté. Un délicieux déjeuner.

Tailler en rondelles et sauter environ 2 minutes 1 oignon moyen dans 1 cuillerée à café d'huile. Ajouter 2 tasses de riz Arborio, petit et rond, et laisser cuire environ 2 minutes. Pendant ce temps, dans une autre casserole, porter à ébullition 5 1/2 tasses de bouillon assaisonné (poule, veau ou légumes) et 1/2 tasse de vin blanc, puis laisser frémir à feu doux. À l'aide d'une louche, verser peu à peu le bouillon obtenu dans le riz en mélangeant bien. Le riz doit absorber chaque louche avant qu'on en ajoute une autre. Garder bouillon et riz à la même température. Remuer ainsi jusqu'à ce que le riz soit prêt, il doit être al dente, et assez épais. Ajouter 1/2 tasse de parmesan râpé. Laver à grande eau une botte de cardes, rouges de préférence. Couper en morceaux et sauter rapidement avec un peu d'huile d'olive et d'ail. Mélanger au risotto. Servir avec un bol de parmesan râpé. Pour 6 personnes.

*

Polenta parmiggiana.

Cette recette est plus californienne — le beurre
et le fromage ! — que la traditionnelle polenta italienne. Une polenta classique se prépare de la
même façon — il ne faut pas arrêter de remuer —
avec deux, voire trois tasses d'eau supplémentaires.
On pose ensuite la polenta cuite sur une planche à
découper et on la laisse reposer jusqu'à ce qu'elle
devienne ferme. Elle est souvent servie avec le *ragù*
ou les *funghi porcini.* J'ai présenté ma version à des
Italiens qui l'ont fort appréciée. Les restes de
polenta, classique ou plus riche comme celle-ci,
sont délicieux sautés et croustillants.

> *Faire tremper 10 minutes 2 tasses de polenta dans
> 3 tasses d'eau froide. Dans une marmite à bouillon,
> porter 3 tasses d'eau à ébullition et mélanger la
> polenta. Ramener à ébullition, baisser aussitôt le feu
> et remuer pendant 15 minutes à feu moyen, assez
> fort toutefois pour permettre lentement la formation
> de grosses bulles. Saler, poivrer et ajouter 8 cuillerées
> à café de beurre et 1 tasse de parmesan râpé. Ajouter
> de l'eau si la polenta devient trop épaisse. Bien
> mélanger et verser dans un grand plat beurré. Cuire
> au four environ un quart d'heure à 150 degrés.
> Pour 6 personnes.*

*

Sauce aux porcini.

Frais, les *porcini*, cèpes, sont un festin. Simplement badigeonnés d'huile d'olive avant d'être grillés, c'est un plat aussi substantiel que le steak, qui partage souvent le gril avec eux. Hors saison, les *porcini* séchés ont bien des avantages. Ils peuvent paraître chers, mais une petite portion donnera beaucoup de goût. Cette sauce accompagne la polenta, le risotto ou les pâtes.

> *Attendrir environ 2 onces de porcini séchés dans 1 tasse ou 1 1/2 tasse d'eau tiède. Une demi-heure devrait suffire. Peler, couper et faire revenir doucement 5 gousses d'ail dans 2 cuillerées à soupe d'huile d'olive. Ajouter 1 cuillerée à soupe de thym ciselé et autant de romarin, 1 tasse de sauce tomate, saler et poivrer. Filtrer l'eau des champignons à l'étamine avant de la verser dans la sauce tomate. Couper et ajouter les champignons, puis laisser mijoter jusqu'à obtenir une sauce épaisse et savoureuse — 20 minutes environ. Pour 6 personnes avec la polenta, ou 4 avec des pâtes.*

*

Poulet aux pois chiches, à l'ail, aux tomates et au thym.

Une recette qui s'adapte facilement au nombre de convives.

Faire cuire à l'eau et à feu doux 2 tasses de pois chiches secs avec deux gousses d'ail, sel et poivre, pour les attendrir sans les ramollir — environ 2 heures. Dans l'huile d'olive brûlante, sauter rapidement 6 filets que l'on aura auparavant recouverts de farine. Les disposer ensuite dans un plat à four. Égoutter les pois chiches avant de les répartir sur le poulet. Remettre un peu d'huile d'olive dans la poêle et faire revenir 1 oignon grossièrement coupé avec 3 gousses d'ail émincé ; ajouter 4 tomates mûres, grossièrement coupées, 1 cuillerée à café de cannelle en poudre et 2 cuillerées à soupe de thym. Laisser mijoter 10 minutes. Couvrir le poulet avec la sauce obtenue. Ajouter sel, poivre, brindilles de thym frais et 1/2 tasse d'olives noires. Cuire au four, sans couvercle, environ 30 minutes à 175 degrés. Un grand plat en terre cuite sera du meilleur effet. Pour 6 personnes.

*

Poulet au basilic et au citron.

Rapide, cette recette de poulet, servi avec un grand plat de tomates et de courge en rondelles, conviendra aux nuits les plus chaudes de juillet.

Dans un grand saladier, mélanger 1/2 tasse d'oignons grelots finement coupés et autant de feuilles de basilic. Ajouter le jus de 1 citron, saler et poivrer. Mélanger à nouveau et en badigeonner 6 morceaux de poulet, que l'on place ensuite dans un plat bien

beurré. Cuire au four à 175 degrés, plus ou moins
30 minutes selon la grosseur des morceaux. Garnir
de feuilles de basilic et de rondelles de citron. Pour
6 personnes.

*

Filets de dinde aux olives vertes et noires.

On trouve facilement de la dinde en Italie,
quoique rarement entière, si ce n'est à Noël. Pour
cette recette, on découpe les filets en *scaloppine*,
escalopes. On peut la remplacer par des filets de
poulet, que l'on aplatira. Prévenez vos invités si
vous ne dénoyautez pas les olives. J'utilise le reste
des filets pour les faire frire avec des poivrons, ce
qui n'a absolument rien de toscan.

> *Dans une grande poêle, faire sauter 6 escalopes de*
> *dinde dans l'huile d'olive jusqu'à ce qu'elles soient*
> *presque à point, puis réserver dans une assiette.*
> *Remettre un peu d'huile dans la poêle et faire revenir*
> *1 oignon en tranches fines et 2 gousses d'ail hachées.*
> *Ajouter 1 tasse de vermouth, porter à ébullition et*
> *réduire aussitôt le feu pour mijoter. Couvrir 2 à*
> *3 minutes, remettre les escalopes avec le jus de*
> *1 citron et 1 tasse d'olives vertes et noires mélangées.*
> *Laisser cuire 5 minutes ou jusqu'à ce que la dinde*
> *soit cuite. Saler, poivrer et insérer une poignée de per-*
> *sil ciselé. Pour 6 personnes.*

CONTORNI.

Beignets de fleurs de courgettes.

Quand c'est bon, c'est excellent, mais si les fleurs de courgettes en ressortent avachies, c'est un désastre. J'ai eu droit aux deux. Mon erreur a été de les mettre dans l'huile froide, alors qu'elle doit être brûlante. On choisira de préférence de l'huile d'arachide ou de tournesol pour ces délicates fleurs de l'été.

> *Choisir une grappe fraîche de 12 fleurs environ. Ne pas s'inquiéter si elles paraissent légèrement molles. Ne pas laver la fleur, et la sécher si elle est humide. Insérer une fine lamelle de mozzarella dans chaque fleur avant de les tremper dans la pâte à frire. On prépare celle-ci en battant 2 œufs avec 1/4 de cuillerée à café de sel auxquels on incorpore 1 tasse d'eau et 1 1/4 tasse de farine. Bien mélanger et dissoudre les grumeaux à la fourchette. S'assurer que l'huile est assez chaude (175 degrés), sans pour autant fumer. Frire les courgettes jusqu'à ce qu'elles soient dorées et croustillantes. Égoutter rapidement sur papier absorbant et servir aussitôt.*

*

Poivrons au four à la ricotta et au basilic.

Les poivrons farcis étaient mon plat favori à l'université. Cette farce à la ricotta, un fromage de brebis, est radicalement différente de la « viande mystérieuse » dont étaient fourrés nos poivrons au Randolph-Macon College. Fraîche, la ricotta est déjà un délice. Les paniers spéciaux dans lesquels on la moule impriment leur dessin croisé sur les flancs du fromage. Nous en achetons souvent dans les fermes des alentours de Pienza, pays ovin, où l'on confectionne également le *pecorino*.

> *Passer rapidement 3 grands poivrons jaunes au-dessus d'un brûleur de la cuisinière ou sous le gril du four. Il s'agit seulement de les faire roussir légèrement, sans les ramollir. On les laisse ensuite refroidir un instant dans un sac en plastique, puis on enlève la peau. Couper chaque poivron en deux, ôter cloisons et pépins et enduire de quelques gouttes d'huile d'olive. Dans un bol, mélanger 2 tasses de ricotta, 1/2 tasse de basilic haché, 1/2 tasse de petits oignons en tranches fines, 1/2 tasse de persil italien ciselé, sel et poivre. Battre 2 œufs. Farcir les poivrons et mettre au four 30 minutes à 175 degrés. Garnir de feuilles de basilic. Pour 6 personnes.*

*

Beignets de sauge.

La sauge est trop souvent associée à cette poudre verte, vendue en petits flacons, qui nous fait éternuer. La sauge fraîche a une vigueur caractéristique qui accompagne bien les viandes.

Laver 20 ou 30 brins de sauge, les essuyer grossière-
ment avec du papier absorbant, puis laisser sécher
entièrement. Faire chauffer vivement, sans qu'elle
fume, une épaisseur de 5 centimètres d'huile de
tournesol ou d'arachide. Envelopper les brins de
sauge de pâte à frire (voir recette des fleurs de cour-
gettes, page 160) puis les plonger dans l'huile
chaude (175 degrés) pendant 2 minutes, ou jusqu'à
obtention d'un aspect croustillant. Égoutter sur
papier absorbant. Une formidable garniture pour
l'agneau, le porc et toutes les viandes.

*

Pesto à la sauge.

J'ai trouvé un petit pilon en bois d'olivier au
marché d'antiquités à Arezzo, que j'ai assemblé à
un vieux mortier de pierre, réchappé lui de chez
une amie qui s'en servait comme méga cendrier.
Ce type de grands mortiers, m'a-t-elle expliqué,
était autrefois utilisé pour moudre le gros sel. Il y a
peu de temps encore, le sel était ici un monopole
d'État, lourdement taxé, et l'on ne pouvait s'en
procurer que chez les marchands de tabacs. Le
gros sel, moins cher, était couramment employé.
Ces grands et vieux mortiers sont commodes pour
le *pesto* : le pilon et la pierre rugueuse permettent
de libérer l'huile des herbes et de lier les essences
de tous les ingrédients. Sur le principe du classique
pesto au basilic, j'ai extrapolé un *pesto* citron et

persil pour le poisson, un autre à la roquette pour les pâtes et les *crostini*, même un *pesto* à la menthe pour les crevettes. J'ai fini par préférer la texture de ceux-ci à celle du *pesto*, plus doux, dont j'avais l'habitude. Les traditionnels haricots blancs à la sauge et à l'huile d'olive des Toscans ont meilleur goût encore une fois enduits de ce *pesto* à la sauge. Je l'aime aussi sur les *bruschette*. Servi à part dans un bol, il accompagne merveilleusement les saucisses grillées.

Hacher 1 bon bouquet de feuilles de sauge, 2 gousses d'ail et 4 cuillerées à soupe de pignons. Broyer le tout dans un mortier (ou au mixeur), en intégrant progressivement de l'huile d'olive pour former une pâte épaisse. Transvaser dans un bol, mélanger à nouveau, ajouter sel, poivre et une poignée de parmesan râpé. On obtiendra 1 tasse ou 1 1/2 tasse.

DOLCI.

Gelato à la noisette.

Très nourrissante, cette crème glacée me pousserait à changer de nationalité et m'expatrier pour toujours. Quiconque prétend ne pas aimer les glaces en fera tôt ou tard des gorges chaudes...

Faire griller entre 1 tasse et 1 1/2 tasse de noisettes 5 minutes à four moyen. Il faut les surveiller : les noisettes brûlent rapidement. Retirer du four, enve-

lopper dans un torchon, puis ôter la fine peau brune. Hacher grossièrement. Battre 6 jaunes d'œufs dans lesquels on mélange peu à peu 1 tasse à 1 1/2 tasse de sucre jusqu'à obtention d'un mélange homogène. Faire chauffer 1 litre de mélange crème-lait, sortir du feu avant ébullition et incorporer au fouet les œufs sucrés. Faire prendre le tout au bain-marie ; le mélange, épais, doit coller sur la cuiller en bois. Rafraîchir au réfrigérateur. Incorporer au fouet 2 cuillerées à café de Fra Angelico (liqueur de noisette) ou de vanille liquide et 2 tasses de crème épaisse. Ajouter les noisettes, avec le jus et le zeste de 1 citron. Verser dans une sorbetière et suivre les indications du fabricant. On obtiendra environ 2 litres de gelato.

*

Cerises marinées au vin rouge.

Du 1er au 30 juin, nous achetons des cerises par kilos entiers que nous commençons à manger dans la voiture sur le chemin de la maison. On n'inventera certainement rien qui permette d'améliorer le goût de la cerise toute seule. Nous avons planté trois cerisiers, et sauvé trois autres du lierre et des ronciers. Il faut deux arbres voisins pour obtenir des fruits.

Dénoyauter 1 livre de cerises. Les recouvrir dans une casserole de 1 tasse de vin rouge, de 1 zeste de citron, et cuire à feu doux 15 minutes en remuant de temps à autre. Couvrir et laisser mariner 2 à 3 heures. Servir dans des bols bien arrosés de jus avec 1 bonne cuillerée de mascarpone ou de crème battue. Le tout peut être accompagné de tranches de quatre-quarts ou de gâteaux secs. On remplacera à volonté les cerises par des prunes ou des poires. Pour 4 personnes.

*

Chausson aux pêches et au mascarpone.

J'ai appris à faire des chaussons aux fruits d'après un livre de recettes de Paula Wolfert. On étend la pâte sur une plaque à pâtisserie, on place la garniture au centre avant de tirer les bords pardessus, au milieu, pour former une tourte à l'ancienne d'aspect artisanal. Les pêches en Italie — les jaunes et les blanches — sont si délicieuses qu'en manger une requiert l'intimité.

Étendre la pâte de son choix, puis la glisser sur une plaque non adhésive ou un moule. Couper 4 ou 5 pêches en tranches. Mélanger 1 tasse de mascarpone, 1/4 de tasse de sucre et 1/4 de tasse d'amandes cuites en tranches. Insérer doucement entre les tranches de pêches. Rassembler le tout au centre de la pâte, puis rassembler les bords du chausson, au milieu, en les collant légèrement sur les fruits. Le chausson ne doit pas être fermé : laisser au centre une ouverture d'une dizaine de centimètres. Cuire au four environ 20 minutes à 190 degrés. Pour 6 personnes.

*

Poires à la crème de mascarpone.

Version italienne des *cobblers,* flans aux fruits, que
j'ai dû goûter pour la première fois, à l'âge de six
ans, dans le Sud américain, où ils étaient presque
toujours préparés avec des pêches ou des mûres.

> *Peler et couper 6 poires moyennes (ou pêches ou*
> *pommes) en tranches que l'on disposera dans un plat*
> *à four beurré. Saupoudrer de 1 cuillerée à soupe de*
> *sucre. Battre 4 cuillerées à soupe de beurre et 1/2 tasse*
> *de sucre jusqu'à obtention d'un mélange homogène.*
> *Battre ensuite 1 œuf dans celui-ci, puis 2/3 de tasse*
> *de mascarpone. Mélanger enfin 2 cuillerées à soupe*
> *de farine et bien remuer. Cuire au four environ*
> *20 minutes à 330 degrés. 6 portions généreuses.*

Cortona, ville noble

Les Italiens ont toujours vécu au-dessus de leurs boutiques. Les *palazzi* des familles les plus riches ont des arcades de briques, encore dotées parfois de comptoirs où l'on servait aux clients des poissons salés, conservés dans une grande jarre, ou bien servaient à découper le porc farci, tâche aujourd'hui dévolue aux camions aménagés et chromés qui s'entassent dans les marchés hebdomadaires, ou que l'on trouve au bord des routes. Je passe toujours une main sur la pierre usée des comptoirs quand j'en vois un sur mon chemin. C'est au rez-de-chaussée, derrière ces curieuses devantures, que l'on vendait le vin maison du *palazzo*. Les étages inférieurs de certains grands immeubles servaient parfois d'entrepôt. Ma banque à Cortona occupe aujourd'hui le bas de la grande maison Laparelli, qui repose sur des fondations étrusques. Aux étages supérieurs, les fenêtres offrent leurs chandeliers anciens au spectacle de la nuit. De grandes brassées de lumière. Les occupants se penchent parfois au-dehors, deux ou trois par fenêtre, observant cette nouvelle journée qui vient s'inscrire dans l'histoire de la *piazza*. Dans les principales rues commerçantes, le rez-de-chaussée des beaux immeubles en enfilade est partout occupé par les boutiques de quincaillerie, de vaisselle, les magasins d'alimentation et de vêtements. Cela a probablement toujours été ainsi pour un grand nombre d'entre eux.

Je peux compter, d'après les façades, combien de fois les divers occupants ont changé d'avis. La porte devrait être ici — non, là — et l'arcade transformée en vitrine, et pourquoi ne pas joindre les deux bâtiments, sinon réunir les trois façades de ces maisons médiévales, puisque c'est aujourd'hui la Renaissance ? Le marché à poissons du Moyen Âge est maintenant un restaurant, le théâtre privé de la Renaissance est devenu un centre d'expositions. Le lavoir en pierre, prêt à ce que l'on y refasse couler de l'eau, attend les ménagères et leurs corbeilles de linge.

Pourtant, sous l'escalier XIIe siècle des bureaux de la mairie, dans son atelier de un mètre sur deux, l'horloger a toujours été là, bien qu'il puisse aujourd'hui être amené à changer la pile d'une Swatch que lui apporte un étudiant étranger. Il soufflait autrefois le verre de ses sabliers, tamisait le sable blanc des plages tyrrhéniennes de Populonia. Il a étudié goutte à goutte le fonctionnement des clepsydres. Je ne l'ai jamais vu debout ; son dos doit être courbé après tant de siècles passés, penché sur ses minuscules pièces. Son visage se perd derrière des lentilles si épaisses que ses yeux semblent prêts à vous sauter dessus. Je m'arrête devant sa boutique. Il travaille à la lumière du jour qui trouve toujours le juste chemin des infimes rouages et triangles, des chiffres qui parfois s'échappent des cadrans blancs — quatre, cinq, neuf éparpillés sur la table.

Mon travail d'enseignante peut-être a-t-il quelque chose d'immortel dont je n'ai pas conscience, puisque la salle de cours n'a pas de toile temporelle ; de fait, le bâtiment où je travaille à l'université, en tête de liste des constructions dangereuses en cas de tremblement de terre, doit bientôt être démoli. Nous sommes censés déménager à l'automne, dans une structure flexible adaptée à des fondations qui reposent partiellement dans le sable. Datant de l'après-guerre, le bâtiment actuel des Arts et Lettres est obsolète : on en change tous les cinquante ans.

Le cordonnier, en revanche, paraît intemporel dans sa boutique voûtée, juste assez grande pour abriter devant lui son établi, son étagère d'outils, les paires de chaussures prêtes et le client qui se faufilera. Une bottine rouge comme celle de l'ange du Museo Diocesano, des mocassins Gucci, un mètre d'escarpins marine et une vieille chaussure de travail qui semble plus lourde qu'un nouveau-né. Un petit poste de radio des années trente égrène encore la météo du reste de la péninsule, tandis qu'il cire ma sandale réparée en affirmant que je la garderai des années.

Au *frutta e verdura*, on trouve toujours exactement les mêmes pêches blanches à la fin juillet. Les
figues, à l'instant parfaites, seront trop mûres en
arrivant dans la cuisine ; les abricots dessinent un
petit panier de soleils au levant ; les laitues des
champs sont encore humides de rosée. La fille
Laparelli, que l'on a canonisée et qui repose maintenant, intègre, dans sa tombe vénérée, achetait ici
ses raisins avant qu'elle ne se décide à jeûner, afin
de ressentir plus nettement les souffrances du
Christ. Elle entendait la même phrase : « Cueilli au
jardin, ce matin », tandis que Maria Rita m'offre à
sentir le parfum de son melon, d'une main si
propre et pourtant si souvent terreuse. Elle m'emmène au fond de sa boutique pour me montrer
combien il y fait frais, et je m'enfonce dans ce ter-
rier à lapin moyenâgeux, commun à tant de maisons, derrière façades et vitrines fardées de camé-
scopes, chemises en soie et gadgets Alessi. Nous
sommes sous l'escalier de pierre, devant l'évier où
Maria Rita lave ses primeurs, puis, une marche plus
bas, se trouve une étroite pièce aux murs de pierre
qui s'enfonce dans un angle noir. « *Fresca* », fait la
vendeuse en m'indiquant, entre les caisses de bois,
la chaise où elle se repose entre deux clients. C'est-
à-dire assez peu. Les gens s'arrêtent pour ses rires
en cascades autant que pour la qualité absolue de
ses produits. Ouverte six jours et demi par semaine,
elle s'occupe en plus de son verger. Son mari est
resté malade toute l'année et c'est elle qui soulève
les caisses. À huit heures du matin, elle est là, sou-

riante, à laver devant sa porte, à essuyer un invisible grain de poussière sur une pyramide de gargantuesques poivrons rouges.

Nous venons ici tous les jours. Tous les jours, elle nous accueille de son « *Guardi, signori* » en levant d'une main une carotte difforme qu'elle considère obscène, une corbeille de superbes tomates mûres, ou une mignonne petite botte de radis. Chaque tête d'ail, citron, melon, comblée d'une attention particulière, a été lavée, puis arrangée. Maria Rita s'assure que ses meilleurs clients ont ses meilleurs produits. Si je choisis des prunes (toucher est absolument interdit dans les magasins de fruits et légumes, ce que j'oublie parfois), elle les examine une par une, remarque le moindre petit défaut, marmonne et en prend une autre. Chaque achat s'accompagne de conseils de cuisine. Pas de bon minestrone sans *bietola* ; les bettes sont l'âme du minestrone. Et ajoutez une croûte de parmesan, pour rehausser le goût. Laissez ces oignons mariner un bon moment dans l'huile d'olive, avec une larme de vinaigre balsamique, et servez-les en *bruschetta*.

Bon nombre de ses clients sont des touristes qui s'arrêtent lui prendre du raisin ou quelques pêches. Un homme achète des fruits et fait le geste de se laver les mains. Il montre les fruits. Maria Rita suppose qu'il lui demande où les laver et explique qu'ils le sont déjà, que personne n'y a touché, mais, bien sûr, il ne la comprend pas, c'est pourquoi elle l'amène par le coude au bas de la rue, où elle lui indique la fontaine. Elle s'en amuse : « D'où vient-il, celui-là, pour croire que mes fruits ne sont pas propres ? »

Tout le long des rues, les artisans ouvrent leurs portes à la lumière du jour. Je jette un coup d'œil à l'intérieur des boutiques en me disant que les guildes médiévales sont encore à l'œuvre. Un jeune homme travaille sur la marqueterie élaborée, aux motifs de fruits et de fleurs, d'un bureau XVIIe. Il sculpte une fine lamelle de poirier avec le soin d'un chirurgien en train de recoudre un pouce tranché. Dans un autre magasin près du Porto Sant'Agostino, Antonio, au regard noir et profond, encadre des reproductions de plantes. J'entre pour regarder et je repère un charmant petit miroir sur une étagère. Je demande : « *Posso ?* », puis-je, avant de le toucher. Mais, lorsque je le soulève, le haut du cadre se détache dans ma main et le vieux miroir argenté se brise par terre. J'ai envie de me dissoudre sur place. Pourtant Antonio ne pense qu'à mes sept ans de malheur. Malgré ses protestations, j'insiste pour le payer. Il en réalisera deux, plus petits, avec les éclats, puis il réparera mon cadre et y remettra du verre. Je quitte le magasin et le vois qui ramasse soigneusement les morceaux.

L'endroit le plus fascinant à observer est celui où l'on restaure les peintures. Des vapeurs entêtantes se dégagent de cet atelier où deux femmes vêtues de blanc dissolvent adroitement les couches du temps sur les toiles, et réparent les parties abîmées ou trouées. Les peintres de la Renaissance employaient comme base de la poudre de marbre, de la craie et des coquilles d'œufs. Ils appliquaient parfois des feuilles d'or sur un mordant à l'ail. Leurs noirs étaient de fumée, ou venaient de branches d'olivier et de coques de noix carbonisées ; certains rouges provenaient de sécrétions d'insectes, souvent importées d'Asie. La pierre moulue, les baies, les noyaux de pêche et le verre fournissaient d'autres couleurs qu'ils étalaient à l'aide de pinceaux de soies de sanglier, d'hermine, de pennes et de plumes : un art spirituel venu tout droit de la nature. Pour retrouver les teintes de leurs robes de mûres, manteaux de mauve et capes d'azur, toutes sortes d'alchimies modernes doivent être entreprises dans la petite boutique.

D'un bout à l'autre du mur qui cerne la ville, on répare et ravive les meubles. De nombreux hommes confectionnent tables et coffres avec des bois anciens. Il n'y a pas de subterfuge, on ne cherchera pas à les faire passer pour des antiquités ; ces hommes savent qu'un bois âgé ne se brisera pas, qu'il absorbera apprêt et cire, bref, que son aspect sera *seyant*, c'est-à-dire vieux. Nous apportons nos outils à aiguiser dans une pièce aux murs noircis où le *fabbro* s'excuse de devoir nous faire attendre jusqu'au lendemain. Lorsque nous revenons prendre nos dix houes, faux, serpes, etc., le tranchant des lames brille. Tentant, mais je résiste à l'impulsion d'y passer un doigt.

Le tailleur ne porte pas de lunettes et ses points pourraient être l'œuvre d'une souris. Dans l'atelier obscur où la machine à coudre trône devant la fenêtre, et les bobines sur le rebord de la vitre, je remarque une bicyclette blanche toute neuve, dotée d'une bouteille pour les longues randonnées et de coquettes sacoches en cuir sur la roue arrière. Je retrouverai mon tailleur plus tard, toutefois pas plus loin qu'au jardin public, en train de donner à manger à trois chats de gouttière. Il sort leur nourriture de ses jolies sacoches et déballe des restes qu'ils attendent clairement. Nous sommes lui et moi les seules personnes dehors ce dimanche matin. Tous les habitants sont occupés à autre chose. Lorsque je lui ai donné mon pantalon pour lui demander un ourlet, il m'a montré un cercle de photos punaisées sur le mur du fond. Sa jeune épouse, les lèvres entrouvertes, les cheveux ondulants, la raie au milieu. *Morta.* Sa mère, poupée de pommes, morte elle aussi. Puis sa sœur. Il y avait une photo de lui, également, en jeune soldat de la garde pontificale, les jambes écartées, les épaules droites, qui aurait retrouvé sa jeunesse et ses cheveux noirs. C'était à Rome, il avait vingt-cinq ans, la guerre venait de s'achever. Cinquante ans ont passé, il n'a plus personne. Il donne de petites tapes sur son vélo blanc. *Je n'aurais jamais cru que c'est moi qui resterais.*

*

Cortona s'est vu décerner près de sept pages dans l'excellent *Guide bleu d'Italie du Nord.* L'auteur méticuleux dirige le visiteur le long de chaque rue et lui signale tous les points d'intérêt. Depuis les portes de la ville, plusieurs excursions dans la campagne sont aussi recommandées. Chaque autel latéral à l'intérieur du *duomo* est décrit selon son orientation cardinale, de sorte que si vous savez encore où se trouve l'est après avoir serpenté de route en route, vous êtes en mesure de vous repérer et de vous guider tout seul dans les coins et recoins. L'auteur a même identifié chacun des ténébreux tableaux qui ornent le chœur. En lisant le guide, je me sens de nouveau écrasée par les montagnes d'art, d'architecture et d'histoire contenues dans cette petite cité. Ce n'est pourtant qu'une vieille ville fortifiée, juchée comme des centaines d'autres au sommet d'une colline pour se protéger des assaillants, et qui bénéficie aujourd'hui de pittoresques points de vue.

Maintenant que je connais un peu l'endroit, ma lecture est deux fois plus sensible. Le guide me dirige le long du tour intérieur des remparts, tout bordé d'acacias, où je place aussitôt les modestes demeures de pierre, face à la perspective du Val di Chiana. Je reconnais également ce chien à trois pattes qui vient, je le sais, de la maison où de gigantesques sous-vêtements sèchent toujours sur une corde. Je trouve les chaises de rotin que laissent dehors, le soir, tous les habitants de cette superbe section des remparts, lorsqu'ils sortent contempler le coucher du soleil et compter les étoiles. Hier, en me promenant, j'ai failli marcher sur un rat mort qui n'avait pas eu le temps de raidir. Derrière l'une de ces portes qui donnent sur l'étroite ruelle, j'ai aperçu une femme, assise à la table de la cuisine, qui tenait sa tête dans ses mains. Je ne pourrais pas dire si elle pleurait ou si elle somnolait.

Quoi que puissent dire les guides, quitter un endroit avec l'impression de s'en être pénétré est seulement affaire de nez et d'instinct. J'ai visité des lieux qui me restent étrangers. Dans ceux-là, j'ai suivi fidèlement mon guide de site en site, cochant leur description dans les marges le soir tandis que je composais mon itinéraire du lendemain. Lors de mon premier séjour en Italie, j'étais si excitée que j'ai visité à toute allure cinq villes en deux semaines, un vrai tourbillon. Je me rappelle encore tout, la révélation de mon premier *espresso* sous les arcades de Bologna. Je remarquai qu'il me piquait la gorge. J'ai grimpé dans *chacune* des tours et j'ai trempé le soir dans le bidet mes pieds couverts d'ampoules. Le restaurant aux chandelles de Florence où j'ai lié connaissance avec mes premiers raviolis au beurre et à la sauge. Les pâtisseries que je ramenais à ma chambre, enveloppées et ficelées comme de petits cadeaux. L'odeur de cuir noir dans le magasin où j'ai acheté (début d'une prédilection sans fin) ma première paire de chaussures italiennes. La découverte d'Allori dans un coin des Offices. La chambre au bas des Marches d'Espagne où Keats est mort, mes mains trempées dans la fontaine en forme de bateau, juste devant, où je pensai que le poète avait fait de même. Je n'ai rien écrit durant ce voyage. Je me suis mise par la suite à emporter un journal avec moi, car je me suis rendu compte à quel point on oublie avec le temps. La mémoire est, bien sûr, un bandit des chemins. Je me rappelle mal les trois jours que j'ai passés à Innsbruck — la première morsure de l'air automnal, une belle femme rousse à la table voisine d'un restaurant — mais je suis encore capable de toucher chaque pierre de Cuzco ; il ne me revient pas grand-chose de Puerto Vallarta, mais le Yucatán brille dans mon souvenir. J'ai aimé les ruines mayas perçues sous les vagues d'une chaleur hallucinante, le gros iguane qui dormait sur le porche de ma chambre au toit de chaume, la solitude tenace de ce peuple, les tempêtes folles qui nous privaient de courant, la moustiquaire qui ondulait autour du lit, les bougies qui fondaient avec une rapidité étonnante.

La plupart des voyages, voire un simple weekend, sont animés par une quête sous-jacente. Nous partons chercher quelque chose. Quoi ? Certes, le plaisir, la fuite, l'aventure — mais au-delà ? « Ce voyage va bouleverser ma vie », m'a dit mon neveu. Le savait-il au départ, venant en Italie trouver confirmation du changement qu'il sentait naître en lui ? Je ne le pense pas ; il l'a découvert en partant. Une autre invitée s'est mise à comparer l'eau, l'architecture, les paysages, le vin, tout ce qu'elle a vu, à la version originale de sa ville, forcément plus intéressante. Cela m'a irritée jusqu'à devenir mauvaise. J'ai eu envie de la bâillonner, de l'ame-

ner à un monastère du XIᵉ siècle et de lui dire :
« Regarde. » J'ai pensé qu'elle rentrait chez elle
sans avoir rien vu. Elle m'a écrit peu après qu'elle
était en train de divorcer (ce qu'elle n'a jamais
mentionné ici), au terme d'un mariage de quatorze ans avec un homme qui venait de se déclarer
gay. En repensant à son attitude, je compris qu'elle
recherchait désespérément le confort d'un foyer
qui n'était plus. Un autre invité, au début de l'été,
faisait un de ces voyages marathons où l'on parcourt sept pays en trois semaines. Il est tentant de
tourner au ridicule ce type d'impulsion, mais je
trouve extrêmement intéressant que l'on choisisse
le macadam pour tant de kilomètres. En premier
lieu, c'est tellement américain. *Roulons*, vite et loin,
c'est tout, merci. C'est le genre de voyage où l'on
veut « ficher le camp », même si l'on en déguise le
besoin par une vague intention de « tâter le terrain, afin de savoir où l'on voudra revenir ». Qu'importe la destination ; c'est plutôt le fait de prendre
la route qui compte, de tracer, d'arriver joyeuse-
ment là où personne ne vous connaît, ne
comprend ou ne s'intéresse aux choses diaboliques
qui vous ont mis par terre, qui vous ont rendu fou
comme un lézard avec un poids attaché à la queue.
Les gens voyagent pour autant de raisons qu'ils ne
le font pas. « Je suis vraiment contente d'être allée
à Londres, m'avait dit une camarade à l'université,
au moins, je n'ai plus besoin d'y revenir. » Mon
amie Charlotte incarne l'attitude radicalement
inverse : elle a traversé la Chine sur la plate-forme

d'un camion — son « itinéraire bis » pour le Tibet. Dans son poème « Parole pour l'animal totem », W.S. Merwin perce le fond des choses :

> *Menez-moi à une autre vie, Seigneur,*
> *celle-ci va s'amenuisant*
> *et je ne la crois pas entière.*

Une fois que nous sommes *arrivés* quelque part, le voyage vers notre for intérieur commence ou n'est pas. Quelque chose dans notre psyché doit s'approprier les lieux, cet ineffable *quelque chose* qu'aucun livre ne sait rendre. Cela peut être si simple, comme la lumière que j'ai lue sur le visage des trois femmes qui marchaient bras dessus, bras dessous, tandis que le soleil d'une fin d'après-midi déclinait sur la Rugapiana. Cette *lumière* semblait bénir tous ceux qu'elle enveloppait. J'ai eu, moi aussi, le désir de baigner ma peau dans ce soleil-là.

*

L'approche idéale de mon nouveau chez moi voudrait que l'on commence par visiter les tombes étrusques de la vallée en contrebas de la ville. Datant de 800 à 200 av. J.-C., elles sont situées près de la gare de Camucia et le long de la route de Foiano, où le gardien refuse les pourboires. Sa mauvaise humeur vient peut-être de ses nuits sinistres. Sa petite ferme, son carré de haricots et ses poulets en liberté coexistent avec cette *tomba* qui semble étrangement régner sous la lune claire. Un peu plus haut sur la colline se trouve un panneau jaune et rouillé qui indique la prétendue tombe de Pythagore. Je me gare, puis je marche le long d'un ruisseau pour atteindre un court sentier, bordé de cyprès, qui mène à la tombe. Il y a un portail qu'apparemment personne ne se donne la peine de fermer. Et la voilà, une simple plate-forme circulaire de pierre. Les niches verticales réservées aux sarcophages ressemblent à celle de la murette en bas de la maison. Le toit, partiellement disparu, dessine encore une courbe suffisante pour deviner la rotonde. Je pénètre dans un sépulcre construit il y a au moins deux mille ans. L'énorme pierre au-dessus de la porte reproduit parfaitement la forme d'une demi-lune.

Mystérieux Étrusques ! Avant mes premiers séjours en Italie, ma connaissance de ceux-ci se limitait au fait qu'ils précédèrent les Romains et que leur langue était indéchiffrable. Leurs constructions étaient en bois, c'est pourquoi il n'en reste guère. J'étais presque entièrement dans l'erreur. Peu d'écrits ont été retrouvés, mais la plus grande partie en est aujourd'hui traduite, grâce à la découverte capitale des quelques rubans d'étoffe qui paraient une momie égyptienne conservée un certain temps à Zagreb, puis ici au musée. Pourquoi ces rubans, parcourus d'inscriptions tracées à la suie ou au charbon, ont servi à envelopper cette jeune fille reste inexpliqué. Il est possible que les Étrusques aient émigré en Égypte après l'invasion romaine du Ier siècle av. J.-C., et la jeune fille était de fait étrusque. Ou peut-être cette étoffe, se trouvant là au moment opportun, aura été coupée en lambeaux par les embaumeurs qui ont utilisé ce qu'ils avaient sous la main. La momie portait sur elle suffisamment d'inscriptions pour que l'on en tire plusieurs radicaux essentiels. Toutefois la langue étrusque n'est toujours pas entièrement comprise. Malheureusement, ce qu'ils ont laissé sur la pierre se limite aux messages funéraires et aux édits d'État. Une amie m'a appris que l'année dernière un *geometra* de la région a découvert une plaque de bronze couverte de lettres étrusques. Il l'a sauvée des gravats d'une ferme dont il supervisait la restauration, et l'a rapportée chez lui. La police, qui a eu vent de l'histoire, est intervenue le soir même ; on peut croire que la plaque est aujourd'hui confiée aux archéologues.

On continue de dégager une quantité étonnante de vestiges étrusques dans les environs. Près d'une des tombes connues, un escalier de sept marches de pierre, flanquées de lions allongés sur des membres humains — sans doute une vision cauchemardesque des enfers — a été découvert en 1990. Non loin d'ici, Chiusi, qui était, avec Cortona, l'une des douze cités de l'Étrurie, a récemment mis au jour ses antiques remparts. Chiusi, comme Cortona, possède d'importantes collections d'art étrusque, fruits des fouilles archéologiques, ou parfois d'une rencontre fortuite entre un bronze et une charrue. À Chiusi, le gardien du

musée vous emmènera au-dehors visiter quelques-
unes des douzaines de tombes découvertes à proximité de la ville. Les Romains trouvaient les
Étrusques belliqueux (ne l'étaient-ils pas eux-
mêmes ?), et ne nous parlent d'eux que pour les
juger. Pourtant leurs tombes, leurs superbes chevaux d'argile, leurs figures de bronze et leurs ustensiles ménagers révèlent un peuple royal, inventif et
drôle. Et, sans aucun doute, fort. Partout les ruines
qui sont restées, de remparts, de caveaux, étaient
de superbes constructions de pierre.

Les caves que l'on a découvertes autour de Cortona portent localement le nom de *meloni*, qui vient
de leur forme voûtée. Il suffit de rester un instant à
l'intérieur de celles-ci pour s'imprégner de la sensation du temps et s'ouvrir à Cortona.

Je quitte les tombes et me dirige vers la colline.
La pente est d'abord douce, puis emprunte une
série de lacets, et il faut bientôt grimper. On aperçoit ensuite les terrasses d'oliviers qui protègent du
vent la tour crénelée d'Il Palazzone où Luca Signorelli est tombé d'un échafaudage pour mourir
quelques mois plus tard, une tour de guet brisée et
les fermes aux murs fauves. Douce palette : la
pierre est moelleuse, les oliviers scintillent de
mousse verte et platine ; le ciel lui-même se voile
parfois des fines brumes du lac voisin. En juillet,
les petits champs de blé fauchés tout bordés d'oliviers prennent une teinte fourrure de lion. J'entrevois Cortona, son profil noble de Néfertiti. C'est
d'abord la grande église Renaissance Santa Maria

del Calcinaio qui me domine, puis, passé une boucle de deux cent quatre-vingts degrés, je me trouve à la même hauteur que ses volumes pleins, avant de surplomber le dôme argenté et l'édifice en forme de croix. Ce sont les tanneurs qui ont érigé cette église, suite à l'apparition du visage de la Vierge sur le mur de la tannerie. Son nom, « Sainte Marie du Plain », vient de ce qu'ils utilisaient du lait de chaux pour tanner leurs peaux, et l'édifice est construit sur des carrières. Comme bien souvent, curieusement, un sol sacré le reste : l'église repose sur des fondations étrusques, celles peut-être d'un temple ou d'un cimetière.

Je regarde rapidement derrière moi — pour me rendre compte de l'élévation. Le vaste Val di Chiana ouvre son éventail de verdure. Les jours de grande visibilité, je sais repérer au loin Monte San Savino, Sinalunga et Montepulciano. Elles auraient pu autrefois communiquer par signaux de fumée grande *fiesta* ce soir, venez tous. J'atteins bientôt les hauts remparts et, pour me frotter encore à l'Étrurie, je roule jusqu'à la dernière porte, Porta Colonia, soutenue à la base par d'énormes et effarantes pierres étrusques, les parties supérieures ayant été ajoutées depuis le Moyen Âge.

Tout en roulant, j'adore apercevoir les perspectives derrière les portes. On vent en ville de vieilles cartes postales de ces points de vue sur la cité, et la photographie correspond encore à ce qu'ils sont aujourd'hui : la porte, l'étroite ruelle qui s'élève, les *palazzi* de chaque côté. À peine franchi l'enceinte, j'ai le sentiment immédiat de me trouver maintenant *à l'intérieur*. Sensation rassurante, si parfois des hordes de gibelins, de guelfes, ou quel que soit l'ennemi présent, étaient repérées au loin, prêtes à jeter leurs lances. Bienvenue aussi au sortir de l'*autostrada*, si j'ai réussi à survivre aux diables qui « embrassent » mon rétroviseur en me doublant à toute allure dans leurs autos moitié moins grandes.

Lorsque je viens en voiture, je rentre en ville par la via Dardano, dont le nom remonte loin dans le temps. Dardano, que l'on croit être né ici, fut le légendaire fondateur de Troie. Tout de suite à gauche se trouve une *trattoria* avec ses quatre tables, qui n'ouvre qu'à midi. Pas de menu, mais les plats habituels. J'adore leurs minces steaks grillés, servis sur un lit de roquette. Et j'aime regarder les deux femmes devant leurs fourneaux à bois dans la cuisine. Je ne sais pourquoi elles n'ont jamais l'air de mourir de chaud.

Je suis fascinée, dans cette rue, par la perfection des portes des morts. On croit généralement qu'elles servaient à évacuer les victimes de la peste — maléfice que de les faire sortir par la porte des vivants. Dans ce cas, la coutume doit provenir de superstitions plus anciennes que le christianisme, religion dominante de l'époque. Certains avancent que les portes étroites et élevées étaient utilisées en période de guerre, alors que le *portone*, la grande porte, était barricadée. Je me suis demandé si l'on ne s'en servait pas tout simplement pour quitter un carrosse ou un cheval et accéder directement, par mauvais temps, dans une maison — sans mettre le pied dans la rue mouillée, probablement immonde, de ce temps. Ou même, sous le soleil, pour protéger une longue jupe de soie. George Dennis, archéologue du XIXe, a décrit Cortona comme étant « sordide à l'extrême ». La forme de ces portes rappelle cependant celle d'un cercueil, et l'aspect visuel confirme ce qu'elles auraient de morbide.

Le *centro* se compose de deux *piazze* aux contours irréguliers, reliées par une petite rue. Aucun urbaniste ne concevrait un tel dessin, mais le tout est charmant. Du haut de ses vingt-quatre larges marches, l'hôtel de ville du XIVe domine la piazza della Republicca. On y est aux premières loges le soir, lorsque tout le monde mange son *gelato*, pour contempler le spectacle de la place. En hauteur, on voit mieux la loggia, de l'autre côté, où se trouvait autrefois le marché à poissons. Un restaurant y a aujourd'hui installé une terrasse qui constitue aussi un point de vue idéal. Tout autour se dressent d'harmonieux bâtiments, ponctués par les rues qui arrivent des trois portes. La vie y bourdonne, épanouie. L'absence miraculeuse de voitures remet au premier plan, d'une façon étonnante, la prévalance de l'homme. D'abord sensible à la gamme architecturale, je remarque ensuite que les bâtiments bas sont parfaitement adaptés au corps humain. La grand-rue, qui porte officiellement le nom de via Nazionale et que l'on appelle ici Rugapiana, la rue plate, est réservée aux piétons (excepté les livraisons du matin), et le reste de la ville est hostile aux voitures — trop étroite, trop accidentée. Rues hautes et basses communiquent entre elles grâce à de petits passages, ou *vicoli*. Leurs noms donnent envie de découvrir et de parcourir chacun d'eux : vicolo della Notte, passage de la nuit, vicolo dell'Aurora, de l'aube, ou vicolo della Scala, une longue série de marches courtes.

La pierre des vieilles villes toscanes ne me donne pas cette impression de remonter le temps que j'ai ressentie en Yougoslavie, au Mexique ou au Pérou. Les Toscans vivent à l'heure d'aujourd'hui ; ils ont simplement eu la bonne idée, naturellement, de garder le passé avec eux. Si notre culture nous demande de brûler les ponts derrière nous — n'est-il pas — la leur demande d'y repasser souvent. Une victime de la peste que l'on aura peut-être évacuée au XIVe siècle par les portes des morts, serait capable de retrouver sa maison au même endroit, probablement intacte. Présent et passé coexistent ici, que nous le voulions ou pas. Jusqu'à l'année dernière, le vieil emblème des Medici a eu pour voisins sur la place la faucille et le marteau de céramique du Parti communiste.

J'emprunte le petit bout de rue qui débouche sur la piazza Signorelli, du nom d'un natif de Cortona. Légèrement plus grande, cette autre place grouille de monde le samedi, jour de marché d'un bout à l'autre de l'année. Elle abrite une foire aux antiquités le troisième dimanche des mois d'été.

Deux bars y installent leurs immenses terrasses. Je remarque toujours l'air plutôt désolé du lion florentin qui s'érode lentement en haut de sa colonne. Quelle que soit l'heure tardive où je me rends en ville, il y a toujours du monde sur la place ; un dernier café à siroter avant les douze coups de minuit.

C'est ici, également, que la *comune* organise parfois des concerts le soir. Certes tout le monde est toujours dehors, mais ces nuits-là, la place se remplit aussi des habitants des *frazioni* voisins, des fermes et des villas environnantes. Dans cette ville aux douzaines d'églises catholiques, un groupe de gospel noir-américain chante ce soir. Il ne s'agit pas, bien sûr, d'une réunion spontanée des fidèles de quelque Église baptiste du Sud, mais d'une chorale tout ce qu'il y a de plus professionnelle, originaire de Chicago, avec jeu de lumières et cassettes pré-enregistrées à vingt mille lires pièce. Les poumons pleins, ils entonnent *Amazing Grace* et *Mary Don't You Weep*. L'acoustique est curieuse, les sons se déforment sur les façades XIe et XIIe siècle de cette place où jouteurs et lanceurs de drapeaux se produisent régulièrement, où, certains jours de fête, les évêques exhibent les reliques des saints, où les prêtres balancent leurs encensoirs de myrrhe, et où nous piétinons les pétales de fleurs jetés par les enfants. L'ingénieur du son règle ses niveaux et le chanteur vedette commence à faire participer le public. « Répétez après moi », dit-il en anglais et la foule répond. « Praise the Lord. Thank you,

Jesus. » Les troupes anglaises et américaines ont libéré Cortona en 1944. Avant ce soir, jamais autant d'étrangers n'ont été rassemblés ici, ni certainement autant de Noirs. C'est une grosse chorale. Les élèves des beaux-arts de l'Université de Géorgie, en séjour d'études à Cortona, sont tous sortis prendre leur quart d'heure de nostalgie. Avec eux, un petit nombre de touristes, et presque tous les Cortonais sont entassés piazza Signorelli. « Oh, Happy Day », entonne le groupe vocal, qui fait monter sur scène une jeune Italienne pour chanter avec lui. Elle a une voix puissante qui s'accorde bien aux leurs ; son petit corps semble chanter des pieds à la tête. Que pensent-ils à l'instant, nos Cortonais de souche si ancienne ? Se rappellent-ils les tanks qui venaient rouler vers eux, oh happy, happy day, les soldats qui lançaient des oranges aux enfants ? Sont-ils en train de penser que la messe, au *duomo*, n'a jamais ressemblé à cela ? Ou se balancent-ils au rythme de ce grossier Jésus américain, en se laissant porter sur ses épaules au son de la musique ?

La *piazza* a pour centre d'intérêt le haut Palazzo Casali, aujourd'hui Museo dell'Accademia Etrusca. Sa pièce la plus célèbre est un candélabre de bronze du IVe siècle av. J.-C., richement décoré. Remarquable et délirant. Un réservoir central alimentait en huile seize lampes disposées tout autour. Entre celles-ci sont joliment gravés différents animaux, un Dionysos à cornes, des dauphins, des hommes nus, accroupis et en érection, et des sirènes ailées. On lit un mot étrusque, *tinsc-vil*, entre deux lampes. Selon *The Search for the Etruscans* de James Wellard, *Tin* était pour les Étrusques l'équivalent de Zeus, et l'inscription se traduirait par : « Gloire à Tin. » Le candélabre a été découvert dans un fossé près de Cortona en 1840. Il est installé au musée sous un miroir, pour que l'on puisse bien l'examiner. J'ai entendu un jour une Anglaise s'exclamer : « Oui, c'est intéressant, mais je n'en voudrais pas, même dans une vente de charité. » Sous leurs présentoirs de verre sont exposés des calices, vases, bouteilles, un superbe porc en bronze, un homme bicéphale, de nombreuses figurines de bronze, de la taille d'un soldat de plomb, datant des vi[e] et viie siècles av. J.-C., dont quelques-unes de style *tipo schematico*, qui rappellent au visiteur contemporain les sculptures de Giacometti. En sus de sa collection étrusque, ce petit musée présente une somme surprenante de momies et objets d'art égyptiens. Tant de musées exposent des antiquités de ce pays que je doute parfois que l'on en ait perdu une seule. Je reviens toujours voir plusieurs tableaux que j'aime. L'un d'entre eux, un portrait de Polymnie, vêtue d'une robe bleue et d'une couronne de lauriers, a longtemps été attribué à la Rome du i[er] siècle apr. J.-C. Polymnie, muse de la poésie lyrique, y semble très affectée par ses responsabilités. On pense maintenant qu'il s'agit d'une excellente copie du xviie. Le musée a gardé la date la plus avantageuse.

Un côté du Palazzo Casali est couvert de belles

armoiries familiales, sculptées avec poires, cygnes et autres animaux extravagants. La petite rue en contrebas mène au Duomo et au Museo Diocesano, anciennement Chiesa del Gesù, où je m'arrête parfois. Il détient un trésor à l'étage, l'*Annonciation* de Fra Angelico, à l'ange aux cheveux orange clair. La phrase en latin qui sort de sa bouche est dirigée vers la Vierge ; celle de Marie est écrite à l'envers. C'est l'une des plus grandes toiles de Fra Angelico, qui a travaillé dix ans à Cortona. Ce triptyque est tout ce qui reste de son séjour ici, avec la lunette peinte au-dessus de la porte de San Domenico.

Juste à droite du Palazzo Casali se trouve le Teatro Signorelli, construction récente (de 1854), mais de style quasi Renaissance, avec un portique voûté qui protège du soleil et de la pluie les marchands des quatre-saisons. L'intérieur, ovale, avec ses loges, ses sièges de velours rouge disposés en amphithéâtre, semble sorti d'un roman de Márquez. J'ai vu une fois une troupe de ballets russes marteler sa petite scène pendant deux heures. Le *teatro* sert maintenant de cinéma l'hiver. Au milieu du film, on arrête la bobine. Entracte. Tout le monde se lève pour prendre une tasse de café et parler un quart d'heure. C'est dur, lorsqu'on aime vraiment parler, de se taire deux heures de suite. L'été, les films sont projetés *sotto le stelle*, sous les étoiles, au jardin public. On installe des chaises de plastique orange dans l'amphithéâtre de pierre — un genre de *drive-in* sans voitures, quoi.

Des rues partent en tous sens depuis les deux places. Ici, vers des bâtisses médiévales, là vers la fontaine du XIIIe siècle, d'autres en direction de minuscules *piazze*, ou vers de vénérables couvents et chapelles plus haut. Je parcours toutes ces rues et je n'y ai jamais rien vu de neuf. Aujourd'hui, ce sera un *vicolo* dénommé Polveroso, poussiéreux, bien que je n'aie pu distinguer pourquoi il le serait plus qu'un autre.

Si vous êtes en bonne forme, vous pouvez encore vous essouffler un peu et partir vers la ville haute. Même sous le soleil de plomb qui suit le déjeuner, cela en vaut la peine. Je longe l'hôpital, médiéval lui aussi, doté d'un long portique, en priant rapidement qu'on ne m'y enlève jamais l'appendice. Aux heures des repas, des femmes se précipitent à l'intérieur avec leurs plateaux couverts. Si vous êtes hospitalisé, il est prévu, tout simplement, que votre famille vous apporte à manger. On arrive ensuite à l'église San Francesco, indéfiniment fermée, dont l'austère dessin est l'œuvre de Frère Élie, l'ami de saint François. On distingue le long d'un mur les arches de l'ancien cloître. Toujours plus haut — bordées de maisons bien entretenues —, les rues montantes sont d'une parfaite propreté. Il suffit d'un mètre de terrain pour que les habitants arrosent un carré de laitues, ou des tomates sur un triangle de bambous. Avec les géraniums en pots, le quartier affiche une certaine préférence pour les hortensias qui poussent sans difficulté, et atteignent la taille de vrais buissons, semble-t-il toujours roses. Les femmes sont souvent assises dans la rue, à écosser des haricots sur leur chaise, à raccommoder le linge ou à discuter avec leur voisine. J'en ai croisé une un jour qui de loin m'a paru très vieille, vêtue d'une longue robe noire et d'un châle sombre, enfoncée dans un petit fauteuil de rotin. Je me serais crue en l'an 1700. J'ai vu en approchant qu'elle parlait au téléphone portable. Au numéro 33, via Berrettini, une plaque indique le lieu de naissance de Pietro Berrettini ; j'ai fini par comprendre qu'il s'agit de Pietro da Cortona. Deux *piazze* ombragées sont cernées de vieux hôtels particuliers, dotées de jolis jardinets. Si je vivais ici, j'en choisirais un en particulier, pour sa table de marbre sous la tonnelle de vigne vierge, et le rideau blanc empesé derrière la fenêtre. Une femme aux cheveux soigneusement enroulés secoue un torchon au-dehors. Puis elle dispose ses assiettes pour le déjeuner. L'odeur riche de son *ragù* est une invitation. J'observe, alléchée, la nappe à carreaux blancs et verts, et la bouteille capsulée de vin de ferme qu'elle pose avec un bruit sec au centre de la table.

L'église San Cristoforo, presque en haut de la colline, est celle que je préfère à l'intérieur des murs. Elle est très, très vieille ; la construction a commencé vers 1192 et les fondations datent des Étrusques. Je jette un coup d'œil du dehors à la petite chapelle qui renferme une fresque de l'Annonciation. L'ange aux manches laiteuses de craie vient juste d'arriver, ses jupes flottent encore au vent. La porte de l'église est toujours ouverte. En fait, elle est seulement entrouverte, c'est pourquoi je réfléchis un instant avant d'entrer. Si l'ensemble est foncièrement roman, à l'intérieur le panneau d'orgues de bois peint, sophistiqué, offre une touchante interprétation rurale du style baroque. Une fresque fanée, à la perspective singulièrement aplatie, représente la Crucifixion. Un ange tient sous chaque blessure un récipient destiné à recueillir le sang. On est chez soi, dans ces petites églises de quartier : j'aime les bocaux (six aujourd'hui) de fleurs penchées du jardin, posés sur l'autel, les magazines catholiques empilés sous une autre fresque de l'Annonciation. Cette Marie-là a levé les mains en entendant le message de l'ange. Son visage semble dire quelque chose du genre « non mais, vous plaisantez ». Le fond de l'église est plongé dans l'obscurité. J'entends un ronflement léger, coassant. Un homme fait un somme solitaire sur le dernier banc.

On trouve derrière l'église une autre de ces vues renversantes sur la vallée, coupée en biais par le profil d'un mur de la forteresse, d'une hauteur impressionnante. Comment a-t-il tenu de siècle en siècle ? Le château Medici est planté sur le sommet de la colline. Vu d'ici, les longs remparts forment un angle net et aigu avec le sol. Je remonte la route jusqu'à la porte Montanina, l'entrée haute de Cortona. Étrusque, elle aussi ; l'endroit n'est-il pas vieux ? Je prends souvent ce chemin lorsque je viens à pied. Ma maison est de l'autre côté de la colline et la route qui mène ici est au même niveau. J'aime traverser la ville haute sans avoir à grimper. Santa Maria Nuova est l'un des agréments de ce parcours. Comme Santa Maria del Calcinaio, elle occupe une large terrasse en contrebas de la ville. Depuis la route de Montanina, je domine ses formes délicates, ses courbes cadencées, son dôme gracieux aux profondes teintes aigue-marine et bronze, lustrées sous le soleil. Calcinaio, conçue par Francesco di Giorgio Martini, est mieux connue, mais je préfère Santa Maria Nuova, qui est un régal pour l'œil. Ses lignes défient la gravité. Simplement posée là, elle semble prête à reprendre son vol, le bon miracle aidant, vers un autre emplacement.

Tournant le dos à la porte haute, en direction du centre, je passe par un trésor, l'église San Niccolò. Plus récente, elle date de la moitié du xve siècle. Comme celle de San Cristoforo, sa décoration, ravissante, a quelque chose d'amateur. Elle renferme une toile sévère de Signorelli, peinte des deux côtés : déposition de la croix sur le premier, Vierge à l'enfant sur l'autre. Destinée au départ à être portée pendant les processions, elle est maintenant disposée selon l'humeur du gardien. Les journées chaudes, l'église est une étape agréable. L'œil est ravi ; les pieds se délassent sur le sol de pierre. Près de la porte, presque caché, je remarque un petit Christ de Gino Severini, autre natif de Cortona. Signataire du *Manifeste futuriste*, partisan du slogan « Tuer le clair de lune », Seve-

rini n'évoque pas pour moi, *a priori*, l'art religieux.
Les Futuristes rejetèrent le passé pour embrasser la
vitesse, les machines, l'industrie. En ville, dans les
restaurants et les cafés, j'ai remarqué les reproductions de ses peintures, colorées, tourbillonnantes,
énergiques. Puis, assise à une table du Bar des
Sports, j'ai remarqué que cette Vierge moderne
allaitant son enfant est de lui. Contrairement à
toutes les *Madonna* que j'ai pu voir, les seins de
celle-ci sont gros comme des melons. La poitrine
des Vierges paraît généralement dissociée de leur
corps ; leurs seins sont souvent ronds comme des
balles de tennis. L'original de Severini au Musée
étrusque n'échappe au lugubre que pour tomber
dans le morne. Une salle distincte, dédiée au
peintre, renferme une palette intéressante de ses
travaux. Pas d'œuvre majeure, malheureusement.
mais un échantillon des différents styles adoptés :
collages à la manière de Braque avec rouages,
pipes et cadrans kilométriques si chers aux Futuristes ; un portrait de femme qui rappellerait plutôt
Sargent ; dessins standards de l'élève des Beaux-
Arts ; et abstractions cubistes plus reconnaissables.
Des écrits sont présentés sous des vitrines de verre,
avec quelques lettres de Braque et d'Apollinaire.
Aucune des œuvres exposées ne témoigne de la
verve et de l'ambition dont il a pu faire preuve. Évidemment, les Futuristes ont tous souffert de leur
enthousiasme initial pour le fascisme ; le bébé fut
jeté avec l'eau du bain. Ils ont aussi suivi cette tendance américaine, oubliée depuis peu, qui veut

que l'on cherche en France matière à renouveau. De nombreuses et formidables peintures futuristes restent méconnues. Pour quelque raison, Severini est plus tard revenu en quête d'inspiration sur les sujets de ses ancêtres. Je crois à l'existence d'une bactérie propre aux peintres italiens qui les pousse follement à peindre Jésus et Marie.

Sur la pente qui descend après San Niccolò, on croise en chemin plusieurs couvents sans fenêtres (les cours intérieures doivent être vastes) dont l'un est encore cloîtré. Si j'avais besoin de faire recoudre des dentelles, je pourrais les placer là sur un carreau (il me fait penser à la roue du martyre de Catherine d'Alexandrie), qu'une sœur invisible rentrerait dans mon dos. Deux couvents ont des chapelles curieusement modernes. Plus bas sur la colline, je retrouve Severini sous la forme d'une mosaïque via San Marco ; en remontant celle-ci, on suit le chemin de croix qu'a dessiné le peintre. Une série de mosaïques enchâssées dans la pierre retrace le parcours du Christ jusqu'à la Crucifixion, puis la Déposition. Au bout de ma promenade, j'arrive à Santa Margherita (par temps chaud, j'ai l'impression aussi d'avoir porté la croix), grande église avec son couvent. Marguerite en personne est là, dans sa vitrine. Elle a rétréci. Ses pieds sont terrifiants. Il y aura très probablement une femme agenouillée en train de prier devant. Sainte Marguerite fut l'une de ces adeptes du jeûne que l'on a dû forcer à avaler au moins une cuillerée d'huile chaque jour. Elle parcourait les rues en hurlant ses péchés de jeune fille. Aujourd'hui elle serait névrosée, anorexique ; à l'époque, on comprenait son désir de revivre les souffrances du Christ. Dante lui-même, croit-on, est venu lui rendre visite en 1289 pour débattre de sa « pusillanimité ». Margherita est l'objet d'une telle adoration dans la région que, lorsque les mères appellent leurs enfants dans le parc, c'est son nom que l'on entend le plus souvent. Une plaque près de la porte Bernada (actuellement condamnée) proclame qu'elle est entrée en ville par celle-ci en 1272.

Rugapiana, la grande rue qui part de la piazza della Repubblica, mène aux jardins. Elle est bordée de bars et de petites boutiques. Les propriétaires sont souvent assis au-dehors ou en train de boire un café à côté. D'alléchantes odeurs de poulet, de canard et de lapin rôti se répandent dans la rue depuis la *rosticceria*. Celle-ci fait à midi un rapide service de lasagnes, mais on peut y acheter toute la journée des *panzarotti*, qui sont des pains roulés, bien que la traduction soit incomplète. La pâte couvre en réalité différentes garnitures — champignons, fromage et jambon, ou encore saucisse et mozzarella, l'un des meilleurs. Une fois passé la piazza Garibaldi — chaque ville d'Italie ou presque a la sienne — la preuve s'impose maintenant, au cas où l'intuition vous aurait manqué, que nous sommes dans l'une des villes les plus civilisées du globe. Un parc ombragé s'étend sur un kilomètre avec ses parterres. Les Cortonais s'y rendent chaque jour. Les parcs sont intemporels. Les vêtements, les fleurs, la hauteur des arbres varient, mais le reste pourrait bien être centenaire. Les parents regardent leurs enfants jouer autour d'une fontaine au frais clapotis, tandis que les naïades, tête en bas, y chevauchent des dauphins. Partout les bancs sont occupés par les voisins et leurs conversations. Parfois un père guide sa fille sur un petit vélo en la regardant osciller, incertaine, entre la peur et les rires. C'est un endroit paisible où venir lire le journal. Ou longuement promener son chien, le soir. En sortant à droite on retrouve la vallée et l'extrémité courbe du lac Trasimeno.

Le parc donne au bout sur la *strada bianca* et les cyprès qui commémorent les victimes de la Première Guerre mondiale. Une fois parcouru un kilomètre de cette route poussiéreuse en direction de la maison, je lève les yeux pour trouver, dans le prolongement des remparts de la forteresse Medici, la section de la muraille étrusque qui porte le nom de Bramasole, celui de ma maison. Exposée au sud comme les restes de Marzabotto près de Bologne, la muraille a peut-être fait partie d'un temple solaire. Des gens d'ici nous ont dit que le mot a pour origine les courtes journées que l'hiver réserve de ce côté de la colline. Qui saurait dater l'apparition du terme, qui indique le besoin de soleil ? Tout l'été, il frappe la muraille dès l'aube. Et me réveille, aussi. Derrière le plaisir et la beauté de chaque nouveau lever, je décèle une réponse ancienne et primitive : le jour est revenu, sans qu'un dieu ténébreux ne l'ait englouti la nuit. Les temples solaires me semblent être les édifices les plus logiques, les plus compréhensibles que l'on puisse ériger. Le nom de Bramasole remonte peut-être, quelque vingt-six siècles en arrière, à la fonction initiale du site. J'imagine les Étrusques en train de prier devant les premiers rayons au-dessus des Apennins, puis se couvrir d'huile et s'étendre jusqu'à midi sous le bon vieux soleil méditerranéen.

Henry James couche une promenade sur cette route dans *L'Art du voyage*. Je « me mis en marche sous le soleil brûlant et longeai le bord extérieur de la muraille. J'y trouvai d'énormes blocs de pierre meuble ; ils scintillaient, éblouissants, sous le puissant éclairage, et j'ai dû chausser un pince-nez bleuté pour remettre en bon ordre et perspective l'incertain passé étrusque... ». Un pince-nez bleu ? L'équivalent XIXe siècle de nos lunettes de soleil ? Je vois Henry lever deux yeux plissés au-dessus de la route blanche, hocher la tête d'un air sage, épousseter ses bottes, puis certainement reprendre le chemin de son hôtel afin d'y écrire le nombre de pages requis. Je suis le même parcours en m'efforçant de reproduire ce mystère, consistant à aligner le puissant éclairage du long, long passé dans la lumière du matin.

Riva, Maremma :
une Toscane plus sauvage

Enfin, nous sommes prêts à quitter Bramasole, ne serait-ce que pour quelques jours. Les sols cirés miroitent. Tous les meubles d'Elizabeth brillent sous l'encaustique. Les tiroirs, à l'intérieur, sont recouverts de papier florentin. Nous avons trouvé au marché d'antiques couvre-lits blancs. Tout fonctionne. Nous avons même enduit les contrevents, un samedi — après les avoir sortis de leurs gonds et lavés, nous les avons gratifiés d'une couche de cette bonne huile de lin qui semble devoir recouvrir tout. Les boîtes de conserve pleines de fleurs de jardin que j'ai disposées tout le long du mur de Pologne fleurissent avec une belle désinvolture, prêtes à tomber à tout moment. Nous vivons ici. Nous pouvons dès lors commencer à explorer les cercles concentriques qui nous entourent, la Toscane et l'Ombrie cette année, le sud de l'Italie l'année prochaine peut-être. Nos excursions ont toutefois une visée relativement domestique : nous envisageons de nous constituer une cave, en commençant par réunir les vins que nous apprécierons avec un repas dans un endroit donné. Bien des vins italiens sont faits pour être bus vite ; notre « cave » sous l'escalier sera réservée aux bonnes bouteilles. Nous garderons dames-jeannes et caisses de vin de table dans le cellier contigu à la cuisine.

Chemin faisant, nous avons l'intention de déguster le plus grand nombre possible de spécialités culinaires de la Maremma, de rôtir au soleil et de repérer de nouveaux sites étrusques. Depuis que j'ai lu, il y a des années, les *Promenades étrusques* de D. H. Lawrence, j'ai toujours désiré voir le jeune plongeur, le joueur de flûte et ses sandales, les panthères accroupies — et sentir la verve mystérieuse et tangible de cette *joie de vivre*[*], cachée sous terre de siècle en siècle. Nous avons préparé notre itinéraire plusieurs jours de suite. Ce voyage semble dirigé vers le cœur de la Botte, alors qu'en fait cent soixante kilomètres à peine séparent notre maison de Tarquinia, où des hectares et des hectares de tombeaux étrusques sont toujours en cours d'exploration. Le temps a décidé de longue date de m'envoyer là. La *densité* des choses à voir dans cette Toscane me fait oublier les distances californiennes où tout se trouve au sortir du *freeway*, où Ed parcourt quatre-vingts kilomètres pour aller travailler. Une semaine restera court. La région de Maremma n'a plus rien d'un « marais ». Les derniers marécages furent drainés il y a belle lurette. C'est toutefois à cause de la malaria, mortelle, que

* En français dans le texte.

cette étendue du Sud-Ouest toscan est longtemps
restée peu habitée. C'est le pays des *bufferi*, des *cow-
boys*, le seul tronçon de littoral tyrrhénien non colo-
nisé. Un ensemble de grands espaces à peine interrompus par les huttes de pierre où s'abritaient les
bergers.

Nous arrivons bientôt à Montalcino, bâtie pour
profiter de grands panoramas sur une chaîne de
collines osseuses. L'œil semble vouloir reculer
avant leurs contours verts. La rue est bordée par les
petits marchands de vin. Devant chaque nouvelle
porte, une table nappée de blanc, avec quelques
verres, semble vous inviter à trinquer en privé avec
le propriétaire, et apprécier ses meilleurs millé-
simes.

En ville, l'hôtel est modeste, et je suis effarée de
constater que les interrupteurs de la salle de bains
se trouvent dans la douche. J'en dirige le pom-
meau aussi loin que possible en m'efforçant de ne
rien éclabousser. Je ne veux certes pas griller avant
d'avoir goûté les vins ! La vue sur les toits de tuiles
et la campagne compense largement. Le café *belle
époque** du centre-ville ne semble pas avoir été
modifié d'un iota depuis 1870 — tables de marbre,
banquette de velours rouge, miroirs cernés d'or.
La bouche de la serveuse qui lustre son comptoir
rappelle la forme de l'arc de Cupidon. Les
manches de son tablier blanc amidonné sont
garnies de rubans. Quoi de plus sensuel qu'un

---

* En français dans le texte.

déjeuner de *prosciutto* aux truffes sur une *schiacciata*, un pain en forme de fougasse, arrosé de sel et d'huile d'olive, avec un verre de brunello ? Parfaite et digne simplicité de la table toscane.

Après la sieste, nous partons à pied à la *fortezza* du XIVe, transformée en fantastique *enoteca*. Dans la partie inférieure, la plus ancienne, qui abritait jadis carreaux, arbalètes, canons et poudre, tous les vins de la région sont prêts à déguster. Le soleil audehors est éclatant. À l'intérieur de la *fortezza*, la lumière est avare, les murs de pierre sentent le musc et la fraîcheur. Vivaldi en fond sonore, nous goûtons de bons vins blancs des vignobles de Banfi et de Castelgiocondo. Brahms intervient fort à propos pour d'autres verres de sombres brunellos aux différents crus : *il poggiolo, case basse* et le grand-père de tous les brunellos : le *biondi*. De ces vins intelligents, parfaitement mûris, qui donnent envie de me précipiter à la cuisine pour leur offrir les mets vigoureux qu'ils méritent. Il me tarde de les préparer : lapin rôti au romarin et vinaigre balsamique, poulet aux quarante gousses d'ail, poires au vin avec leur mascarpone. L'homme qui nous sert insiste pour que nous essayions quelques vins sucrés, « à dessert » — ils se passent bien de dessert, sinon peut-être une pêche blanche à peine mûre. À la réflexion, un soufflé au citron ferait d'eux un paradis. Ou encore une crème brûlée, mon vieux régal sudiste. Nous achetons plusieurs bouteilles de luxueux brunellos. Le souvenir de leur prix aux États-Unis nous rend vite indulgents.

Nous disposons à Bramasole de deux espaces où les faire vieillir sous l'escalier en pierre. Il suffira d'y poser les caisses, de fermer les portes à clef, et nous commencerons à en sortir certaines d'ici quelques années. Comme nous ne sommes ni l'un ni l'autre trop fervents de provisions à long terme, nous prenons également deux caisses de *rosso di Montalcino*, moins onéreux, consommable tout de suite et, d'ailleurs, gouleyant et bien charpenté. Et je doute que les « vins de dessert » durent au-delà de l'été.

En fin d'après-midi, nous parcourons les quelques kilomètres qui nous séparent de Sant'Antimo, un de ces endroits qui vous donnent l'impression d'être bâtis sur des terres sacrées. On reconnaît de loin, au-dessus d'un champ d'oliviers manucurés, l'abbaye romane de travertin clair, avec son austère simplicité et sa pureté de style. Elle ne paraît en rien italienne. Lorsque Charlemagne est passé ici, ses soldats furent victimes d'une épidémie, et il pria pour que celle-ci s'arrête. Il fit le serment d'ériger une abbaye si son vœu était exaucé. C'est ainsi que l'église fut construite en 781. Peut-être est-ce son influence qui confère à l'actuel édifice, datant de 1118, ses lignes françaises élancées. Nous arrivons au début des vêpres. Nous ne sommes qu'une douzaine de personnes, dont trois femmes qui bavardent derrière nous en agitant leurs éventails. D'habitude, le fait de voir en une église la succursale d'un living-room ou d'une terrasse de bar m'est plutôt sympathique, mais aujourd'hui je me retourne pour fixer ces dames

alors que cinq moines augustiniens font leur
entrée, leurs recueils à la main, et entonnent le
chant grégorien correspondant au moment de la
journée. L'église, spacieuse et nue, amplifie naturellement leurs voix, tandis que le soleil chatoyant
du soir confère au travertin une sorte de transparence. La musique envahit mes oreilles, comme le
chant de certains oiseaux qui parfois blesserait
presque. Les voix semblent rouler, se briser, se
séparer, puis revenir bourdonner ensemble. Leur
prière libère mon esprit, le déconnecte de toute
logique. Il flotte maintenant dans un vaste silence.
Le chant devient allègre, entraînant, et me porte
comme une rivière. Je pense aux vers de Gary
Snyder :

> *rester ensemble,*
> *apprendre les fleurs,*
> *aller légers.*

Je jette un coup d'œil vers Ed qui garde les yeux
braqués sur les colonnes de lumière. Mais les
femmes ne s'émeuvent pas ; peut-être viennent-
elles chaque jour. Elles sortent bruyamment, nonchalamment, parlent toutes en même temps. Si je
vivais ici, je viendrais aussi chaque jour, selon le
postulat que si l'on ne se sent pas saint en un tel
lieu, on ne le sera jamais. Je suis fascinée par l'assi-
duité avec laquelle les moines répètent leurs plains-
chants aux six moments liturgiques, commençant
avec *lodi*, les louanges, à sept heures du matin, et

terminant avec *compieta*, complies, à neuf heures le soir. J'aimerais rester une journée entière les écouter. Je vois dans la brochure que les personnes venues en retraite spirituelle peuvent séjourner à l'hôtellerie de l'abbaye et prendre leurs repas dans un couvent voisin. Nous faisons le tour du bâtiment et admirons les créatures à sabots qui soutiennent le toit.

Puis une soirée douce à rouler sur les chemins de terre en admirant le paysage ou, comme un chien à la fenêtre, à humer l'odeur fraîche de foin sec. Nous arrivons à Sant'Angelo in Colle, dans le restaurant qui appartient aux vignobles de Poggio Antico. On est en train d'y fêter un mariage, avec force rires et gaieté, et les serveuses participent avec plaisir. On nous installe tout seuls dans une salle du fond, où se réverbèrent les voix des noceurs. Nous n'en sommes pas gênés. Les pêches mûres posées sur l'évier de pierre parfument la pièce. Nous commandons une épaisse soupe à l'oignon, des pigeons rôtis, des pommes de terre au romarin, et, bien sûr, le brunello maison.

*

Parler d'une Toscane sauvage est en quelque sorte un contresens. Il y a des siècles que la région, dans son ensemble, a été soumise par l'homme. Chaque fois que je fais un trou dans le jardin, une nouvelle trouvaille vient me rappeler combien sont passés ici avant moi. Je possède une grande collection de fragments de vaisselle, aux formes infinies, assez nombreux pour que je me demande si les femmes ont coutume de jeter leurs assiettes dans le jardin. Passoires de terre cuite, bouts de couvercles, fines anses de tasses et autres éclats assortis sont réunis sur une table au-dehors, avec les maxillaires d'un sanglier et d'un hérisson. La terre a été foulée, massée, piétinée. Un simple regard sur les cultures en terrasses permet de comprendre que les collines ont été redessinées conformément aux besoins des hommes. Sauf la Maremme qui, il y a moins d'une centaine d'années, était encore une basse terre côtière, peuplée de garçons vachers, de bergers et de moustiques. La *mal aria* y était d'évidence cause de fièvres. Les fermes y sont peu nombreuses alors que le reste de la Toscane en est constellée. La Renaissance est ici peu représentée ; d'une façon générale, l'architecture monumentale, les grands noms de la peinture, ont à peine pénétré les villes. Le mauvais air, aujourd'hui doux et frais, a sans doute permis de conserver d'omniprésents tombeaux étrusques. Si beaucoup ont été pillés sans vergogne, il en reste toutefois un nombre étonnant. Les Étrusques étaient-ils insensibles à la malaria ? Tout montre que la région était fortement peuplée à leur époque.

Notre prochain point de chute est une villa, convertie en petit hôtel, des vignobles de l'Acquaviva aux abords de Montemerano. Ed a épluché son guide *Gambero Rosso* et repéré ce petit village

avec ses trois excellents restaurants. Comme il se
trouve au centre de nos promenades, nous décidons d'y rester plusieurs jours, plutôt que de courir
d'hôtel en hôtel. Une allée bordée d'arbres mène à
un grand parc où l'on peut s'asseoir à l'ombre et
regarder les ondoyants vignobles. Notre chambre
donne dessus. J'ouvre les volets et la fenêtre
encadre aussitôt une masse d'hortensias bleus. Le
temps de défaire nos valises et nous repartons ; on
se reposera plus tard.

Pitigliano est sans doute la ville la plus étrange
de toute la Toscane. Comme Orvieto, elle est plan-
tée sur un roc de tuf. Mais Pitigliano ressemble à
un château de sable mou, prêt à s'abîmer dans une
gorge profonde. On n'a guère le temps de redouter le précipice, tant l'œil reste braqué sur la ville et
la route. Le tuf n'est pas ce qu'il y a de plus solide,
comme roche, c'est pourquoi des sections entières
s'érodent, s'effritent, ou se mettent à jouer. Les
maisons surgissent, toutes droites, du rocher escar-
pé ; les habitants vivent littéralement sur la brèche.
En dessous, la roche est truffée de caves — pour
vieillir peut-être le *bianco di Pitigliano*, un vin blanc
qui doit sans doute sa légère âpreté au sol volca-
nique. En ville, le barman nous apprend qu'un
grand nombre de ces caves étaient des tombes
étrusques. En sus du vin, on y range l'huile et on
y loge les animaux. Les villes médiévales sont
déjà tortueuses et sombres ; celle-ci semble plus
complexe encore, plus sinueuse. Beaucoup de Juifs
se sont installés ici au xve siècle, Pitigliano se

trouvant au-delà des États pontificaux, avides de persécutions. Leur ancien quartier portait le nom de *ghetto*. Je ne sais si, comme à Venise, les Juifs devaient respecter un couvre-feu, se gouverner eux-mêmes et vivre en cercle fermé. La synagogue est fermée pour travaux, mais rien ne donne l'impression qu'on y fasse grand-chose. Presque tout est à vendre, semble-t-il. Dans cette vie, ou la suivante, certaines des maisons en bordure vont se retrouver dans la gorge. Ce qui contribue peut-être à la mélancolie que m'inspirent ces murs. Nous achetons en partant quelques bouteilles de vin local pour notre cave — elle grandit. Je demande combien de Juifs vivaient ici durant la Seconde Guerre. « Je ne sais pas, *signora*, je suis napolitain. » En serpentant vers le bas de la colline, je lis dans un guide que toute la communauté juive a été exterminée pendant la guerre. Je ne fais jamais confiance aux guides pour les leçons d'histoire et j'espère que c'est faux.

Sovana, la petite voisine, ressemble à une ville fantôme en Californie, à la différence que les maisons qui bordent la grand-rue n'ont plus d'âge. Les habitants paraissent moins nombreux que les tombeaux étrusques creusés dans les collines. Nous trouvons un panneau et nous nous garons. Un sentier nous mène dans une zone boisée et sombre où un ruisseau stagnant semble conçu pour la reproduction des moustiques anophèles. Nous avançons tant bien que mal le long de sentiers glissants, pour atteindre bientôt une pente raide. Nous

commençons à apercevoir des tombes — des tunnels dans la colline, dotés de passages pierreux qui
repartent dans l'autre sens, pour les vipères sans
doute. L'accès à ce monde sauvage paraît inchangé
depuis des siècles. Rien n'est surveillé — pas de
guichet, pas de tickets, pas de guides ; comme s'il
était prévu que l'on découvre soi-même ces
étranges sépulcres avec leurs fantômes. Les plantes
grimpantes se balancent, comme dans la jungle
maya autour de Palenque, et les bas-reliefs érodés
dans le tuf ont aussi un aspect bizarrement orien-
tal, propre à de nombreuses sculptures mayas,
comme si l'art jadis avait été universel. D'évidence,
ce serait une bonne idée de se spécialiser en
archéologie étrusque. D'innombrables terrains de
fouilles attendent d'être mieux étudiés. Nous
continuons de grimper pendant des heures, au
cours desquelles nous ne rencontrons qu'une
grosse vache blanche, les pattes à moitié immer-
gées dans un torrent. Une fois revenus de notre
incursion, je remarque mes genoux éraflés. Toutefois aucun moustique ne m'a piquée. J'ai le sentiment que je repenserai à cet endroit lors de futures
nuits d'insomnie. Plus bas, le long de la route, nous
apercevons un autre panneau. Celui-ci indique les
ruines d'un temple, apparemment taillé dans la
colline de tuf. Nous avançons entre les étranges
voûtes et colonnes, à moitié dégagées, qui semblent vraiment abandonnées. Les Étrusques sont
voués à rester dans le mystère. Que faisaient-ils là ?
Des concerts en plein air, l'été, pour Vacances et

Culture ? D'insolites rites ? Les guides disent qu'il s'agit d'un temple, et peut-être un aruspice, ici au milieu, lisait-il les entrailles des moutons pour prédire l'avenir. Un foie d'ovin en bronze a été découvert, près de Piacenza, divisé en seize sections. On pense que les Étrusques avaient organisé le ciel selon le même dessin, et que cette découpe du foie servait aussi de modèle à l'agencement de leurs villes. Qui sait ? Peut-être les précurseurs de nos modernes *talk-shows* ont-ils discouru là, si ce n'était pas simplement le marché à poissons. Les endroits comme Machu Picchu, Palenque, Mesa Verde, Stonehenge et celui-ci me renvoient toujours à cette sombre et curieuse conscience que le temps nous dépouille, que le passé est à jamais perdu. D'autant plus qu'on y sent l'empreinte vive des cultures oubliées. Impossible de résister à verser au chapitre sa propre interprétation. Philosophes et poètes ont ce désir profond de formuler de nouvelles théories de l'éternel retour, du passé dans le présent. Bertrand Russell s'en est approché en déclarant que l'univers venait d'être créé il y a cinq minutes. Nous ne pouvons reproduire le geste le plus infime de ceux qui ont taillé cette roche, installé la première pierre, allumé le feu pour déjeuner, ni sentir l'odeur de leur sueur, les entendre soupirer après l'amour. *Niente.* Nous sommes seulement autorisés à déambuler en ces lieux, dernières poussières dans le pointillé du temps. Sachant cela, je suis toujours terriblement intriguée de constater que je m'intéresse au plus haut point aux replis de la carte, au niveau de la jauge à essence, à la somme d'argent que nous avons retirée, à la façon dont les choses prennent une folle importance à mesure qu'elles s'amenuisent.

Nous en avons assez fait pour aujourd'hui, mais nous ne résistons pas à nous promener dans la vieille Sorano, juchée elle aussi sur un rocher de tuf. Cette région tout entière ne semble pas connaître les touristes. Les routes sont vides. Sorano a gardé le même aspect qu'en 1492, quand Colomb découvrait l'Amérique. Le dernier immeuble a dû être construit à cette époque. Des rues étroites se dégage un sentiment maussade, la pierre sombre offre une lumière grise, mais les gens paraissent incroyablement sympathiques. Un potier remarque que nous regardons son atelier et insiste pour que nous entrions visiter. Nous achetons deux pêches à un homme qui rince ses caisses de raisins au jet et nous en offre une grappe. « *Speciale !* » dit-il. Deux personnes s'arrêtent pour nous aider à sortir la voiture, garée trop à l'étroit. Le premier nous indique jusqu'où avancer, l'autre comment reculer.

Moulus et couverts de poussière, nous nous rangeons à notre place près des jardins d'Acquaviva. Nous nous douchons et changeons avant le dîner, puis amenons nos verres de vin blanc, le *bianco di Pitigliano* maison, dans de confortables fauteuils où nous regardons le soleil se coucher derrière la colline, comme deux Étrusques l'auraient fait à cet endroit.

Montemerano n'est qu'à quelques minutes, petite ville fortifiée, haute et superbe.

Elle a comme il se doit son église du XVᵉ, dotée comme il se doit aussi d'une Madonna — quoique avec une nuance. Celle-là s'appelle *Madonna della Gattaiola*, la Vierge à la Chatière. La partie inférieure du tableau était autrefois percée pour que le chat puisse sortir de l'église. Toute la ville est apparemment dehors. Quelques habitants, jeunes et moins jeunes, jouent des airs de jazz au milieu de la ville. La fille qui tient le bar claque violemment sa porte. Il faut croire qu'elle les a assez entendus. Tout le monde, sans exception, fixe le grand type en bottes de cheval et tee-shirt moulant qui passe à vives enjambées. Mais il reste distant et n'y fait pas attention. Je le vois regarder son image sur les vitrines des magasins.

Nous sommes affamés. À peine la porte du restaurant s'ouvre-t-elle au coup magique de sept heures et demie que nous sommes déjà à l'intérieur. Nous sommes seuls dans l'Enoteca dell'Antico Frantoio, un ancien moulin à huile, rénové pour ressembler à un second lui-même. Si le décor manque d'authenticité, le résultat a un faux air de restaurant de Napa Valley, et nous nous sentons très californiens. Le menu, en revanche, révèle le véritable terroir de Maremma : l'*acquacotta*, servie dans toute la Toscane, est une spécialité locale, une « soupe d'eau » aux légumes garnie d'un œuf à la fin ; *testina di vitella e porcini sott'olio*, tête de veau et cèpes arrosés d'huile d'olive ; *pappardelle al ragù di lepre*, larges pâtes au *ragù* de lièvre ; *cinghiale in umido alle mele*, sanglier fumé aux pommes. Les menus sont presque les mêmes d'un bout à l'autre de la Toscane, avec leurs habituelles pâtes au *ragù*, au beurre et à la sauge, au *pesto*, ou à la tomate et au basilic, puis le choix usuel de viandes grillées et rôties, et les *contorni* qui sont le plus souvent des pommes de terre frites, des épinards et de la salade. Personne ne semble trouver d'intérêt à modifier les classiques. Mais ici, dans cette contrée moins habitée, moins fréquentée aussi, la cuisine toscane reste plus proche de ses racines. Le chasseur rapporte le gibier à la maison, le fermier utilise l'animal dans son entier, et la paysanne confectionne ses soupes avec une poignée de légumes et des œufs. Les plats d'ici sont plus rares à trouver ; de même le *capretto*, le chevreau, ou le *fegatello di cinghiale*, saucisse de foie de sanglier. Le Frantoio a également de petits délices à sa façon : *ravioli di radicchio rosso e ricotta*, raviolis aux radis rouges et à la ricotta, ou le *sformato di carciofi*, flan aux artichauts. Nous commençons avec des *crostini di polenta con purè di funghi porcini e tartufo*, croûtons de polenta à la purée de cèpes et de truffes — parfumés et savoureux. Ed prend un lapin, rôti à la tomate, oignon et ail, et je commande crânement le chevreau. C'est épatant. Le vin de la région est le *morellino di scansano*, noir comme un cahors, une découverte. L'*enoteca* propose son propre *banti morellino*, généreux et complet. Là, je suis vraiment heureuse.

Le matin me réserve un des meilleurs moments de mon existence. Levés à cinq heures, nous gagnons les cascades d'eau chaude près de Saturnia. Il n'y a personne à cette heure — le gérant de l'hôtel nous a prévenus que les foules arriveraient plus tard. L'eau bleu clair dégringole sur le tuf, qu'elle a creusé par endroits pour offrir un siège idéal où laisser le flot tiède envelopper ses membres — et sa tête. La première fois que j'ai entendu parler de ces cascades, je me suis demandé si nous n'allions pas en sortir en sentant l'œuf pourri. Mais le soufre est léger. Le courant, assez fort pour un agréable massage, ne va pas jusqu'à nous emporter. Félicité. Où sont les naïades ? Je ne sais pas ce que l'on est censé guérir ici, mais je suis sûre que cela marche. Au bout d'une heure, j'ai l'impression que mes os ont disparu. Je suis parfaitement détendue, molle, muette. Nous partons au moment où deux autres voitures se garent. De retour à Acquaviva, nous prenons le petit déjeuner sur la terrasse : oranges pressées, pain aux noix, toasts, un genre de quatre-quarts, et des pots entiers de café et de lait chaud. Dur de s'en détacher. Mais le charme des Étrusques aidant, nous ressortons la carte et partons.

Extérieure à la Toscane, Tarquinia se trouve quelques kilomètres au-delà des limites du Lazio (Latium). La route devient laide en chemin, bondée, industrielle. Ma capacité à me représenter les Étrusques faiblit, passé cette Maremma verte et rêveuse. La circulation est gênante après les petites routes désertes. Nous arrivons vite à Tarquinia, grouillante et affairée, où des milliers d'objets provenant de la nécropole sont exposés dans un *palazzo* XVe. Fantastiques, époustouflants, extraordinaires, et valant à eux seuls le voyage : les deux chevaux ailés de *terra-cotta*, datant du IVe ou IIIe siècle av. J.-C. Ils furent découverts en 1938 près d'une série de marches, qui menaient à un temple et ne sont aujourd'hui qu'une base peu élevée de blocs carrés de calcaire. Les chevaux ont dû être les ornements du fronton. Je me demande quel rapport ils pourraient avoir avec Pégase qui, d'un coup de sabot, fit jaillir la source sacrée de l'Hippocrène, et fut toujours associé à la poésie et aux arts. Les deux chevaux paraissent d'une vigueur fabuleuse, complets avec leurs muscles, organes génitaux, côtes, oreilles vives et dressées, et ailes de plume. La disposition chronologique du musée permet de distinguer les influences attiques, l'époque des premiers sarcophages de pierre, ou l'évolution de l'art pictural. Tout, depuis les urnes cinéraires jusqu'aux brûle-parfums, témoigne de l'énergie créatrice, de l'esprit qui a donné vie à ces objets. Plusieurs fresques funéraires ont été transférées au musée pour éviter qu'elles ne s'abîment. La tombe de Triclinium, son fringant musicien et ce jeune danseur emmailloté dans ce qui ne semble être qu'un voile de mousseline feraient fondre un cœur de pierre. Dans presque tous les musées, je me lasse au bout de deux heures et finis par jeter de vagues coups d'œil sur des choses qui m'auraient retenue plusieurs minutes en arrivant. Nous décidons de revenir, car il y a tant à apprécier longtemps.

L'étendue où se trouvent les tombes pourrait être n'importe quel champ, et la nécropole ressemble à une série d'appentis collés sur des hangars. Les structures construites au-dessus des tombeaux accessibles au public sont de simples entrées, dotées d'une série de marches descendantes. Les tombes sont éclairées. Nous sommes déçus d'apprendre que quatre seulement sont ouvertes chaque jour. Nous sommes sûrs de revenir, puisque celle de la Chasse et de la Pêche est fermée aujourd'hui. Nous visitons la tombe de la Fleur du Lotus, dont les ornements sont presque Arts déco, puis celle des Lionnes, célèbre pour cet homme allongé qui élève un œuf — symbole de résurrection, comme dans la foi chrétienne, la coquille est la tombe que l'on a ouverte. Des danseurs gambadent ici aussi. Je remarque leurs sandales, sophistiquées, aux lacets croisés et noués aux chevilles, exactement semblables à ceux que je porte aujourd'hui — les Italiens auraient-ils de tout temps adoré les chaussures ? Nous avons la chance de visiter la tombe des Jongleurs, d'aspect plutôt égyptien, à l'exception de ce qui semble être une danseuse du ventre, moyen-orientale, prête à se mettre en mouvement. Il reste dans l'une des deux chambres de la tombe des Orques, parmi des scènes fanées de banquets, un portrait surprenant d'une femme de profil, coiffée d'une couronne de feuilles d'olivier.

Nous mangeons rapidement et partons à Norchia, à quelques kilomètres, le site paraît-il de nombreuses découvertes récentes. Il semble que personne ne soit venu ici depuis des lustres. Le panneau cassé est tourné vers le ciel. Nous tournons et virons jusqu'à ce qu'un paysan nous indique le bon chemin. Nous nous garons au bout d'un chemin de terre et poursuivons à pied le long d'un champ de blé. Au bout de quelques mètres, nous trouvons la tête tranchée d'une chèvre, couverte de mouches. C'est, en effet, une indication — celle, primitive, d'un sacrifice. « Ça commence à devenir malsain », dis-je, tandis que nous la contournons. Le terrain connaît alors une forte déclivité. Nous descendons la pente et je n'arrive à penser qu'à une chose : il faudra remonter. Quelques bouts de rampe rouillés indiquent que nous restons sur la bonne voie. La pente s'accentue ; nous glissons et nous rattrapons aux fougères. On n'en a pas vu assez, de ces tombes ? Le chemin s'aplanit et nous commençons à apercevoir des ouvertures dans le flanc de la colline, d'obscures embouchures dans le lierre et les buissons. Nous nous risquons à l'intérieur, une fois, puis deux, en dégageant d'un bout de bois d'impressionnantes toiles d'araignée. Dedans, il fait noir comme dans, tiens, une tombe. Il y a des dalles et des trous aux endroits où les corps et les urnes furent déposés. Les vipères doivent maintenant s'y lover. Nous poursuivons sur huit cents mètres à cette hauteur. Les tombeaux, plus nombreux qu'à Sovana, s'enfoncent dans la colline à divers niveaux. Je ressens un danger oppressant que je n'arrive pas à identifier. J'ai envie de partir et c'est tout. Je demande à Ed s'il ne trouve pas l'endroit bizarre. « Absolument, dit-il, partons. » Le chemin du retour est affreux, comme prévu. Ed s'arrête pour vider la poussière de son mocassin et un éclat d'os tombe par terre. Nous retrouvons l'endroit où nous avons vu la tête de chèvre ; elle a disparu. Une autre voiture est garée à côté de la nôtre. Un jeune couple est en train de s'embrasser, de tourner sur lui-même avec une telle ferveur qu'ils ne nous entendent même pas. Leur présence dissipe tout mauvais pressentiment et nous rentrons à l'hôtel, saturés du vaudou étrusque.

Ah, l'heure favorite, le dîner. Ce soir au Caino, dont nous attendons qu'il soit le sommet gastronomique de notre périple. Avant de revenir à Montemerano, nous faisons un petit détour par Saturnia, la plus ancienne ville d'Italie peut-être, si ce n'est pas Cortona. Elle l'est si, selon la légende, Saturne, fils du ciel et de la terre, l'a fondée. Les sulfureuses eaux chaudes, dit aussi la légende, sont apparues lorsque le cheval d'Orlando (Roland en anglais) a frappé le sol de son sabot. Une ville autour de la via Clodia *doit* être plus vieille que tout ce que je peux connaître. Je répète : « Je vis sur la via Clodia », en imaginant la vie dans la rue d'antan. Loin d'être perdue dans le temps, la ville est ombreuse, mais active. Quelques personnes très bronzées de l'hôtel voisin des cascades semblent à la recherche de quelque chose, mais les boutiques n'offrent que l'essentiel. Ils s'installent à une terrasse et commandent des boissons colorées qui arrivent dans de grands verres.

Caino est un joyau : ce sont deux petites salles ravissantes aux tables fleuries, aux jolis verres et porcelaines. Nous dégustons nos *spumante* en étudiant le menu. Tout paraît bon et j'ai du mal à me décider. On présente ici aussi un assortiment de plats élaborés et de recettes traditionnelles de la Maremme, comme la *zuppa di fagioli*, soupe aux haricots blancs, des pâtes au lapin en sauce, un *cinghiale all'aspretto di mora*, sanglier aux mûres. En guise d'*antipasti*, nous sommes alléchés par le *flan di melanzane in salsa tiepida di pomodoro*, flan d'aubergines à la sauce de tomates tiède, et par la *mousse di formaggi al cetriolo*, une mousse de fromages au concombre. Nous choisissons tous deux en entrée des *tagliolini all'uovo con zucchine e fiori di zucca*, pâtes aux œufs aux courgettes et fleurs de courge. Ed prend ensuite de l'agneau rôti, moi un magret de canard dans une sauce au moût de raisin. Nous suivons le conseil du garçon en matière de vin : ce sera le *morellino* du soir, « le Sentinelle Riserva 1990 » de Mantellassi. Allah soit loué ! Quel vin ! Le dîner est fameux de bout en bout, et le service attentif. Tout le monde dans le petit restaurant a remarqué le jeune couple de la table du milieu, à peine a-t-il pris place. On dirait des jumeaux. Ils ont tous deux de magnifiques cheveux noirs et bouclés. Elle a glissé des fleurs de jasmin dans ses

mèches. Leurs yeux sont ce que ma mère appelait
« des invitations au lit », et leurs lèvres ressemblent
à celles des statues grecques. Leurs vêtements sortent tout droit des boutiques chic de Milan ou de
Rome. Le jeune homme porte un costume de lin
ocre légèrement froissé, et sa compagne, une robe
bain de soleil en soie jaune plissée qui semble
fondre sur elle. Le garçon leur sert du champagne,
ce qui n'est pas fréquent dans un restaurant italien.
La salle entière détourne le regard, tandis qu'ils
trinquent, puis semblent disparaître dans les yeux
l'un de l'autre. Nos salades ont l'air d'avoir été
cueillies cet après-midi même, et c'est peut-être le
cas. La détente et le rire nous envahissent, et c'est
exactement ce qu'il faut attendre de ses vacances.
« Tu aimerais aller au Maroc ? demande subitement Ed.

— Et la Grèce ? Je n'ai jamais renoncé à y aller. »
Découvrir de nouveaux pays ouvre toujours la pos-
sibilité d'en visiter d'autres. Nous redevenons fas-
cinés par le joli couple. Je remarque les clients qui,
eux aussi, les observent discrètement. Le jeune
homme a quitté son siège, face à sa compagne,
pour s'asseoir à ses côtés et prendre sa main. Il
fouille dans sa poche d'où il sort un petit étui.
Nous nous occupons un instant de nos salades. Il
nous faudra renoncer aux *dolci*, mais on nous
amène, avec les cafés, une assiette de petits fondants, que nous arrivons quand même à avaler. Ed
propose que nous restions quelques jours de plus
pour dîner ici tous les soirs. La superbe jeune

femme admire maintenant dans sa main une émeraude carrée, sertie de diamants, que je distingue
d'où je suis. Ils sourient à tous ceux — la salle
entière, comprennent-ils alors — qui ont assisté à
leurs fiançailles. Et chacun lève son verre, tandis
que le serveur, sensible à l'urgence, se dépêche
d'en remplir où il faut.

En sortant du restaurant, nous trouvons le village
noir et silencieux, jusqu'au bar au bout de la rue
où il semble que tous les habitants soient réunis
pour jouer aux cartes devant un dernier café.

Le matin, nous partons à Vulci, autre nom
ancien, voir le pont en dos d'âne et le musée du
château. Le pont, étrusque, a été réparé et modifié
par les Romains, puis au Moyen Âge. Difficile de
comprendre le pourquoi d'une construction si
haute, si arquée : la Fiora coule tout en bas dans sa
gorge et, même puissant, ce n'est rien qu'un torrent. Le pont est vraiment voûté. La route qu'il
prolongeait a aujourd'hui disparu, ce qui lui
donne un aspect curieux, surréaliste. La forteresse
au bout de la ville a été bâtie bien plus tard. Ce fut
un monastère cistercien, cerné par des douves,
maintenant transformé en musée. Comme celui de
Tarquinia, il abonde de choses étonnantes. Dommage que les objets soient protégés derrière leurs
vitrines de verre. Ils attirent tellement le toucher.
J'ai envie de saisir les petites mains votives, les flacons de parfum moulés en forme de faon, de pal-
per les monumentales sculptures de pierre, celle
du garçon sur son cheval ailé. Voici la vérité sur les

Étrusques : leur art est revigorant, il est la trace d'un peuple qui vivait le moment. D.H. Lawrence s'en est certainement aperçu — comment passer à côté, lorsqu'on a vu tant de choses comme lui. En le relisant en chemin, je me rends souvent compte avec étonnement que c'était vraiment un *crétin*. Les paysans étaient des balourds, parce qu'ils ne s'empressaient pas de pourvoir aux besoins de l'odieux étranger. Personne ne se précipite au-devant de lui pour lui faire parcourir des kilomètres à la recherche de ruines. Personne ne lui amène ses chandelles dès qu'il les demande. Quel pays malcommode ! Les horaires des trains ne sont pas affichés comme à Victoria Station ; la nourriture n'est pas à son goût. Je lui pardonne parfois, lorsqu'il s'exclut entièrement de ses lignes pour n'écrire que ce qu'il voit.

Les restes de la cité étrusque, puis romaine, sont à l'extérieur dans les champs — fondations de pierre, fragments de sols, certains dotés de mosaïques noires et blanches, passages souterrains et thermes en ruine : c'est en fait un plan terrestre de la ville, qui permet de s'y promener en imaginant les murs, les activités, les points de vue sur le pont rond. Un peu plus loin sur le côté, nous voyons les austères vestiges d'un immeuble romain en brique, quelques murs et fenêtres, et les trous de fixation des poutres qui soutenaient l'étage. Vulci est un généreux site archéologique. Malheureusement, les tombes décorées sont fermées aujourd'hui — une autre bonne raison de revenir.

Les restaurants aussi sont étonnants. L'Enoteca
Passaparola, sur la route de Montemerano, sert
une nourriture solide dans un cadre très simple
— les nappes sont en papier, le menu écrit sur l'ardoise, le sol un simple plancher. S'il se trouve
encore des cow-boys en Maremme, c'est ici qu'ils
viendraient, je crois. Nous commandons de
grandes assiettes de légumes grillés, de superbes
salades vertes, et une bouteille de *lunaia*, un *bianco
di Pitigliano* élaboré par La Stellata, qui produit un
autre délicieux vin local. Le serveur nous parle de
la Cantina Cooperativa del Morellino di Scansano,
non loin de là, et nous apporte un verre à goûter.
Nous avons trouvé notre vin de table pour le reste
de l'été. La bouteille coûte environ un dollar
soixante-dix, et le vin a une saveur à la fois douce et
profonde qui nous surprend. Plus franc que les
morellinos *de réserve* que nous avons essayés, il
émerge nettement du lot. Il nous reste le siège
arrière pour y loger deux caisses.

À la table d'à côté, un peintre brosse nos carica-
tures. Voilà que je ressemble à la Dora Maar de
Picasso. Nous buvons à sa santé en commençant à
bavarder, et il ouvre aussitôt une grande sacoche
pour nous montrer les catalogues de ses expositions. Puis des revues, des articles, et il nous ressert
du vin. Sa femme semble plus résignée que mor-
tifiée ; elle a déjà mangé au restaurant avec lui.
Ils sont venus aux thermes, où il prend les eaux
pour son foie. Je l'imagine en train de coincer
les curistes avec leurs verres d'eau minérale. Il

retourne sa chaise pour se joindre à nous et laisse son épouse à l'autre table. Je suis partagée entre le plaisir de la tarte aux fruits rouges annoncée sur l'ardoise et le soulagement de demander l'addition pour partir. Ed prend la note et nous, la sortie. Nous buvons un café plus haut en ville, puis, en revenant à la voiture, nous regardons à travers la vitre du restaurant. Le signor Picasso a disparu. Tarte aux fruits rouges, donc. Le garçon nous offre un *amaro*. « Ils viennent tous les soirs, se lamente-t-il, on compte les jours qui restent avant qu'il reparte à Milan avec son foie. »

Rassasiés d'Étrurie, repus, satisfaits de notre hôtel, nous refaisons nos valises et partons pour Talamone, une haute ville fortifiée qui domine la mer. L'eau doit y être propre. Elle est claire aussi loin que j'ai pied, et vraiment froide. Notre hôtel moderne ne possède pas de plage, seulement quelques rochers en surplomb, dotés de plates-formes en béton au-dessus de la mer, où l'on peut prendre le soleil dans des transats rayés. Nous avons choisi Talamone, parce qu'elle est proche des côtes protégées de la Maremma, seule longue bande du littoral toscan épargnée par l'aménagement. La plupart des plages de sable sont une série de concessions privées où l'on aligne parasols et chaises longues sur tout l'espace libre, pour ne laisser qu'une étroite promenade le long du rivage. Ces plages sont souvent dotées de douches, cabines et snack-bars. Les Italiens semblent aimer profiter ainsi de la mer. Il y a tant de gens avec qui discu-

ter ! En général ils s'y rendent en famille, ou entre
amis. Californienne, je n'aime pas être encerclée.
Les plages sur lesquelles j'ai grandi en Géorgie,
l'amour des étendues de sable de Point Reyes,
durement balayées par les vents, m'ont mal prépa-
rée aux stations balnéaires du Vieux Monde. Ed et
ma fille aiment les parasols. Ils m'ont traînée à Viareggio, à Marina di Pisa, à Pietrasanta, en répétant
que c'est tout simplement différent, qu'il faut le
prendre comme c'est. J'aime m'allonger sur la
plage, écouter les vagues, marcher sans voir personne. Les plages toscanes grouillent comme des
avenues. Selon la brochure, toutefois, la réserve
naturelle de Maremme abrite des chevaux sauvages, des renards, des sangliers, des daims. J'aime
l'odeur de la *macchia*, ces buissons salés et désor-
donnés dont les marins affirment déjà sentir
l'odeur avant de revoir les terres. Pour l'essentiel, il
n'y a rien — sinon des pistes bordées de romarin et
de statice entre collines de dunes et plages
désertes. Nous marchons le long du rivage et restons à la plage toute la matinée. « Tyrrhénienne,
tyrrhénienne », semblent répéter les vagues de
l'antique mer. Nous avons acheté des sandwiches à
la mortadelle, un bon morceau de parmesan et du
thé glacé. Exception faite d'un petit groupe de personnes en contrebas de la plage, mon vœu est
exaucé de me retrouver seule dans la nature.
Quelle est la couleur de la mer ? Cobalt n'est pas
loin. Non, c'est un lapis-lazuli — exactement la
nuance de la robe de Marie dans ses nombreux

portraits — zébré d'éclatantes traînées de marbre.
Comme il est bon de marcher, après toutes ces
journées en voiture à courir de site en site. J'essaie
de lire, mais le soleil est écrasant — peut-être
qu'un parasol *serait* agréable.

Au matin, nous plions bagages pour Riva degli
Etruschi, la côte des Étrusques. Impossible de leur
échapper. Si on y loue aussi des fauteuils, la plage
ici n'est pas bondée, du fait qu'elle borde la réserve
naturelle. Nous pouvons nous y promener longuement, puis revenir faire la sieste dans notre bunga-
low. Nous sommes près de San Vicenzo, la villégiature estivale d'Italo Calvino. En ville, les boutiques
vendent matelas pneumatiques, ballons et seaux de
plage. Le soir, tout le monde se promène, achète
des cartes postales et mange des glaces. Une station
balnéaire reste une station balnéaire. Nous trouvons un restaurant avec une terrasse où nous
commandons un *caccioco*, sorte de bouillabaisse. Le
garçon découpe plusieurs types de poissons sur la
desserte, les pose dans de grands bols et les arrose
de bouillon brûlant. Puis il couvre nos tranches de
pain grillées de gousses d'ail rôties et crémeuses
que nous ajoutons à la soupe. Nous humons
l'arôme entêtant. Dans nos bols, les langoustines
nous épient de leurs petits yeux globuleux. Le garçon revient sans cesse verser de grandes louches de
soupe sur le pain. Il apporte nos salades sur une
autre desserte pleine de différentes huiles d'olives
dans toutes sortes de flacons en verre ou céramique peinte. Nous lui demandons d'en choisir

une pour nous et il pare, le bras levé, notre trévise rouge et verte d'un mince filet d'huile pâle.

En route vers Massa Marittima, nous faisons un crochet par Populonia, pour la seule raison que ce n'est pas loin et que l'endroit paraît trop ancien pour le rater. La moindre petite étape me donne envie de rester des jours. Nous nous arrêtons prendre un café dans un bar où deux pêcheurs apportent leur pêche nocturne dans de grands seaux. Malheureusement, l'heure du déjeuner est encore loin. Arrivés à Populonia, nous nous garons sous une immense enceinte, l'habituelle forteresse qui, avec ses remparts, ressemble à celles des vieux livres d'Heures. Ah ! mais voici un autre musée étrusque dont je vais étudier le moindre trésor. Ed, qui pour l'instant ne veut plus s'intéresser à ce qui a pu se passer avant l'an mille, part aussitôt acheter le miel particulier des buissons côtiers. Nous nous retrouvons devant une boutique où je trouve un pied étrusque en argile à vendre. Je ne sais s'il est bien authentique. Je me déciderai en marchant, mais lorsque nous revenons l'acheter, le magasin est fermé. Quand j'aperçois sur la route un panneau qui indique un nouveau site étrusque, Ed se met à rouler à tombeau ouvert.

Dernière veille — cette ville que je me suis obstinée à mal prononcer. J'ai fini par comprendre que l'accent était sur *tima*, alors que j'ai toujours dit Maritti'ma. Saurai-je un jour parler italien ? Toutes ces erreurs fondamentales. Autrefois au bord de la mer, la ville se détoure maintenant peu à peu de la vase qui, en s'agglomérant, a fini par la laisser à l'intérieur des terres. Par-dessus cette plaine herbeuse, Massa Marittima donne cependant l'impression d'une tour de guet. Elle pourrait être au Brésil, comme ces lointains avant-postes magiques qui inspirent les romanciers réalistes. C'est en réalité deux villes, austères l'une et l'autre, aux ombres profondes et aux soleils subits. Nous sommes un peu fatigués. À l'hôtel, pour la première fois, nous avons un téléviseur dans la chambre. On joue un film sur la Première Guerre, terne et curieusement doublé, que nous regardons malgré tout. Un village occupé par des Allemands compte pour son salut sur la présence d'un Américain qui se cache dans la campagne alentour. Puis ils doivent évacuer les lieux, empilent tout ce qu'ils ont sur quelques mules, et partent on ne sait où. Je m'endors. Quelqu'un est en train de forcer les volets à Bramasole. Je me réveille. Il y a un deuxième soldat dans le grenier à foin. Ça brûle, quelque part à côté. Est-ce que tout va bien à Bramasole ? Je me rends compte alors que nous ne restons qu'un jour à Massa Marittima.

En deux heures, nous avons fait le tour de toutes les rues. La Maremme continue de me rappeler l'Ouest américain, ses petites villes à quatre-vingts kilomètres des autoroutes, les boutiquiers qui regardent par la fenêtre, les yeux vides de ciel bleu. Bien sûr, la *piazza* et l'impressionnante cathédrale sont bien européennes — mais la ressemblance se trouve sous l'écorce des lieux : la solitude surveille les inconnus venus.

*

De retour, nous nous arrêtons aux jolies ruines de San Galgano, où une gracieuse église française a perdu depuis des siècles la tête et les pieds, pour ne garder, entre herbes et nuages, qu'un squelette gothique ajouré. Un décor pour un mariage romantique. À la place de la grande rosace, l'imagination colore l'espace de reflets bleus et pourpres ; les oiseaux ont installé leurs nids sur l'autel, faute des cierges qu'y allumaient les moines. Un escalier ne mène plus nulle part. L'autel de pierre est resté debout, tellement privé de tout sens chrétien qu'on aurait pu y faire des sacrifices humains. L'église est tombée en ruine lorsque l'abbé a vendu le plomb qui soutenait le toit, au cours de quelque guerre. Elle est maintenant une maison de chats. L'un d'entre eux a donné naissance a une portée multiculturelle ; plusieurs pères ont dû contribuer au petit tas roux, noir et tigré, blotti contre leur grande mère blanche.

Bramasole ! Ranger le vin, bien ouvrir toutes les fenêtres, courir arroser les plantes. Les caisses partent dans le cagibi noir sous l'escalier. L'esprit de tous les raisins que nous avons vus mûrir est maintenant ici en autant de bouteilles qui vont bonifier les occasions de les boire. Ed referme la porte du cagibi sur la poussière et les scorpions jusqu'à ce que nous les en délogions. Nous ne sommes partis qu'une semaine. La maison nous a manqué, et nous revenons éclairés sur les premiers cercles concentriques. Les qualités qui font envie lorsqu'on a du sang du Nord dans les veines — l'insouciance italienne et la capacité de bien vivre chaque moment — remontent tout droit, je le vois, aux Étrusques. Les décorations funéraires semblent chargées de sens, à condition d'avoir une grille de lecture pour les appréhender. Je ferme les yeux et repense aux léopards couchés, à la prompte silhouette de la mort, à Perséphone, Actéon et les chiens, à Pégase, mais quelque chose me dit d'instinct que les images peintes des tombes — celles des Grecs aussi — viennent d'un passé qui remonte à plus loin. Les archétypes se reproduisent et nous trouvons en eux ce que nous pouvons, puisqu'ils ne parlent qu'à nos plus vieux neurones et synapses.

Quand j'habitais à Somers dans l'État de New York, il y avait derrière la maison un grand jardin où je faisais pousser des herbes. J'en rêve encore. J'y trouvais souvent de petits flacons de médicaments vides. Un jour que je plantais une bordure de santolines — dont on éparpillait les branches, au Moyen Âge, sur le sol des églises pour masquer les odeurs humaines — ma truelle a buté sur un petit cheval de fer, rouillé, aux membres ouverts en plein galop. Il a atterri sur mon bureau où il a la fonction de totem personnel. Plus tôt cet été, j'étais en train de déblayer des pierres lorsque ma pelle a envoyé voler un objet de petite taille. En le ramassant, je n'en revenais pas de découvrir un autre cheval — étrusque, ou bien oublié là au siècle dernier par un enfant ? Il galope lui aussi.

Je lisais il y a quelques années le chapitre de l'*Énéide* où il est décidé de fonder Carthage à l'endroit où les voyageurs déterrèrent cet augure :

> *la tête d'un cheval fougueux, car par ce présage*
> *on sut que la race se distinguerait aux guerres*
> *et abonderait de ressources vivantes.*

(I, 444.)

La guerre en question ne me stimule guère, au contraire des « ressources vivantes ». Du sabot d'Orlando a jailli la source chaude. Les chevaux ailés de Tarquinia, arrachés à la terre et aux pierres, me reviennent sans cesse à l'esprit. Je place leur photo près de mes deux chevaux. Ressources de vie. Les Étrusques n'en manquaient pas. À certains lieux et temps, nous les trouvons. Nous pouvons galoper de tout notre saoul, sinon voler.

Devenir italien

Des deux Ed, celui d'Italie établit des listes. Sur la table du dîner, celle du chevet, sur le siège de la voiture, dans les poches de ses chemises, je trouve les petits papiers pliés et les enveloppes froissées. Il dresse les listes des choses à acheter, à faire, de projets à long terme, de produits de jardin et des listes de listes. Elles sont parsemées d'anglais et d'italien, selon que le mot est plus court à écrire. Il ne connaît parfois que la version italienne, s'il s'agit d'un outil particulier. J'aurais dû garder les listes qu'il a pondues pendant les gros travaux pour en tapisser une des salles de bains, comme James Joyce le faisait de ses brouillons écartés. Nous avons échangé nos habitudes.; à la maison, il ne fera même pas la liste des courses. C'est moi qui en fais là-bas — lettres à écrire, corvées, et surtout mes objectifs de la semaine. Ici, je n'ai en général aucun objectif.

Difficile d'attribuer ses propres changements à un endroit nouveau, mais ceux d'une autre personne sont plus faciles à voir. La première fois que

nous sommes venus en Italie, Ed était un buveur de
thé. Avant sa maîtrise, il a passé six mois à étudier à
Londres. Il habitait un studio à l'eau froide près du
British Museum, où il se nourrissait de thé sucré au
lait, en lisant Eliot et Conrad. L'*espresso*, bien sûr,
est pandémique en Italie ; le *ssscchh* de la vapeur
est commun à toutes les *piazze*. Je me rappelle avoir
vu Ed, lors de notre premier séjour en Toscane,
observer les Italiens entrer dans les bars et
commander d'une voix sèche : « *un caffè* ». À cette
époque, l'*espresso* était rare aux États-Unis. Quand
Ed s'est mis à en commander comme les Italiens,
ils lui ont d'abord répondu : « *Normale ?* » Les barmen pensaient que le touriste se trompait. Il nous
faut de grandes tasses de café brun, comme ils l'appellent ici, toujours étonnés.

  « *Si, si, normale* », répondait Ed, avec une très
légère impatience. Bientôt il sut en commander
avec autorité ; personne ne lui demandait confirmation. Il vit comment les gens l'avalent d'un
coup, au lieu de le savourer. Il prêta attention aux
marques différentes selon les bars : Illy, Lavazza,
Sandy, River. Il se mit à apprécier la *crema* sur la
surface. Et il le prit toujours sans sucre.

  « Vous devez mener une existence bien douce,
lui dit un jour un *barista*, pour boire un café si
amer. » C'est alors qu'Ed commença à remarquer
la façon dont les serveurs disposent une cuiller sur
la soucoupe, puis l'élégance avec laquelle ils poussent leurs sucriers sur le comptoir en les ouvrant
d'un geste. Les Italiens sucrent terriblement leur

café — deux à trois cuillerées bien pleines. J'ai eu un choc en voyant un jour Ed mettre à son tour du sucre en poudre dans sa tasse. « C'est presque un dessert », m'a-t-il expliqué.

Après notre deuxième séjour en Italie, il est rentré à la maison à la fin de l'été avec une cafetière La Pavoni, achetée à Florence, chromée, inoxydable, classique et à levier, avec un ange sur le couvercle. J'ai profité ensuite de cappuccinos au lit, et nos invités, après le dîner, d'*espresso* servi dans de petites tasses elles aussi ramenées par ses soins.

Il a acheté ici une autre La Pavoni, entièrement automatique. Avant de se coucher, il boit une dernière tasse de son élixir, à la maison comme en ville. Ed aime bien commander son café dans les bars. Ils ont encore parfois des percolateurs Faema aux tuyaux Arts déco, d'autres, de chic Rancilio. Ed examine sa *crema*, donne un seul coup de cuiller, puis avale son jus d'un trait. Cela lui donne, dit-il, la force de dormir.

La seconde importante habitude culturelle qu'il a adoptée ici avec grand enthousiasme tient à la conduite automobile. La plupart des étrangers admettent que conduire à Rome porte vraiment le titre d'expérience à l'échelle d'une *vita*, que les parcours journaliers sur l'*autostrada* sont des parties de bravoure, et que la côte d'Amalfi est une définition exacte de l'enfer. J'entends encore Ed dire : « Ils savent vraiment conduire, ces gens », tandis que, clignotant allumé, il s'engageait sur la file de gauche avec notre Fiat poussive de location.

La Maserati qui arrivait à toute allure dans le rétro-viseur l'a fait rabattre aussitôt. Bientôt il admira les manœuvres osées : « Mais, tu as *vu* ça ? Il n'avait que deux roues par terre ! » s'émerveillait-il. « Bon, c'est vrai, il y a aussi des péquenots qui s'obstinent à rouler au milieu, mais la plupart des gens respectent les règles. »

J'ai demandé : « Quelles règles ? », tandis qu'une voiture aussi petite que la nôtre nous doublait à cent soixante à l'heure. Il y *a*, apparemment, des vitesses limitées, selon la taille du moteur, mais je n'ai jamais vu, de tous mes étés en Italie, quelqu'un se faire arrêter pour excès. Si on roule à cent à l'heure, on est dangereux. Je ne sais pas quels sont les chiffres en matière d'accidents, j'en ai rarement vu, mais j'imagine qu'ils ont pour cause les conduc-teurs trop lents (touristes peut-être ?) qui provo-quent les voitures derrière.

« Regarde, tu verras. Quand quelqu'un com-mence à doubler, et que c'est un brin risqué, celui qui suit ne déboîte pas tant que l'autre n'est pas passé, il lui laisse la place de se rabattre. Personne ne double à droite, jamais. Et ils ne prennent la bande de gauche que pour doubler. Alors qu'à la maison, dès qu'un type roule à la vitesse per-mise, il croit qu'il peut rester à gauche.

— Oui, mais — enfin ! — ils doublent toujours dans les virages. Tiens, en voilà un : vite, je fonce. C'est ce qu'on doit leur dire, à l'auto-école. Je parie que le moniteur a un accélérateur à la place du frein. Tu le sais bien, dès que tu as a quelqu'un derrière, c'est qu'il veut doubler — c'est une obligation.

— Oui, mais les gens le savent, dans l'autre sens, puisqu'on déboîte tout le temps. Ils font attention, eux. »

Ed est ravi de lire ce que le maire de Naples pense de la conduite. En voiture, Naples est la ville la plus impossible du monde. Ed l'a adorée — enfin pouvoir conduire sur le trottoir, puisque les gens marchent au milieu de la rue. « Le feu vert, c'est le feu vert, *avanti, avanti* », expliquait M. le maire. « Le rouge, c'est juste une suggestion. » Et l'orange ? » demanda quelqu'un dans l'assistance. « Oh, c'est pour décorer. »

En Toscane, les gens sont plus respectueux du code. Ils démarrent parfois en avance, mais s'arrêtent aux stops. Ici, l'épreuve porte le nom de rues médiévales, avec deux centimètres de chaque côté de la voiture, et le tournant imprévu que même un vélo a du mal à négocier. Par chance, la plupart des villes ont interdit leurs quartiers historiques aux voitures, une aubaine partout puisque la vie est ainsi revenue à l'échelle des *piazze*. Une bénédiction pour mes nerfs, aussi, car les rues tortueuses attirent toujours Ed, et nous avons trop souvent dû reculer à défaut d'autre chose, pendant que les gens s'arrêtaient pour commenter la marche arrière.

Il n'en est pas revenu de ce que la police soit équipée d'Alfa Romeo. La première fois que nous sommes rentrés en Californie, Ed s'est acheté une

GTV métallisée d'une vingtaine d'années en parfait état, sûrement l'une des plus jolies voitures jamais construites. Il s'est pris trois amendes pour excès de vitesse en six semaines. On le harcèle, a-t-il déclaré au juge. Les gendarmes des *freeways* pénalisent les voitures de sport alors que, cette fois, il respectait la vitesse. En guise d'erreur judiciaire, le juge lui a recommandé purement et simplement de revendre sa voiture s'il n'aimait pas la loi, et doubla du même coup le montant du PV.

Nous avons un moment échangé nos voitures. Il le fallait. Ed risquait de se voir retirer son permis. J'ai conduit le bolide argenté pour aller travailler, sans qu'on me donne la moindre contredanse ; Ed a pris ma vieille Mercedes, qui porte le sobriquet peu affectueux de Reine du Mississippi. « C'est un veau, se plaignait-il.

— Oui, mais c'est une voiture fiable. Et tu ne t'es pas fait arrêter.

— Ah çà, je ne vois pas comment, à trente à l'heure ! »

Dès notre retour en Italie, Ed a retrouvé son élément. La plupart de nos expéditions ont pour cadre de petites routes. Nous avons appris à ne pas hésiter à emprunter les chemins non pavés, s'ils ont l'air d'en valoir la peine. Ils sont en général bien entretenus, ou du moins praticables. Nous sommes du genre à sortir de la route pour atteindre une église isolée du XIIIe siècle et, dans les petits villages, à embrayer la marche arrière s'il n'y a plus rien d'autre à faire. Broutille pour un Fangio au sang-froid. Reculer vers le haut de la colline sur une route sinueuse à sens unique est une expérience de nature à ravir tout conducteur obsessionnel. « Whoa ! » crie Ed. Il s'est retourné sur son siège, une main sur le dossier du mien, l'autre sur le volant. Je regarde en bas — tout en bas — la jolie vallée encaissée. Il y a peut-être douze centimètres entre la roue et le bord de la route. Une voiture arrive dans l'autre sens. Les passagers sortent tout de suite discuter, puis ils se mettent eux aussi à reculer ; nous voilà un convoi d'imbéciles. Leur véhicule est une Alfa GTV rouge, le même modèle que Ed en Californie. Nous descendons tous au moment où la route devient plus large et ils commencent à détailler l'Alfa par le menu, la forme particulière du rétroviseur, les problèmes de clignotants, ce qu'elle vaut aujourd'hui, *ad infinitum*. J'étale la carte d'état-major sur le capot brûlant de la Fiat pour trouver le moyen de contourner ce ravin au-dessus duquel, d'évidence, notre monastère en ruine ne s'est jamais trouvé.

L'une des raisons pour lesquelles Ed aime tant l'*autostrada* est qu'elle lui permet de combiner ses plaisirs. Tous les cinquante kilomètres apparaît un autre *autogrill*, où l'on peut s'arrêter en vitesse boire un verre et prendre de l'essence. Certains, dotés d'un restaurant, d'une boutique, parfois même d'un motel, forment une passerelle au-dessus de l'autoroute. Ed aime l'efficacité rapide de leurs bars. Il avale son express, souvent accompagné sur le pouce d'un épais *panino* à la mortadelle. Je prends toujours un cappuccino, peu orthodoxe l'après-midi, et il attend patiemment que je finisse. Ed n'aime pas traîner dans les bars. On rentre, on sort, et on reprend la route. Ses veines ont fait le plein de caféine et l'aiguille des kilomètres monte derechef en vitesse de croisière. *Paradiso !*

Plus profondément, la terre, le sol l'ont transformé. Nous voulions au début acheter quinze ou vingt hectares. Deux nous semblaient peu, jusqu'à ce que nous commencions à combattre la jungle, puis entretenir le jardin. Nos outils, en Californie, tiennent dans une petite boîte de métal rouge. Nous ne nous attendions pas à posséder plantoirs, tronçonneuse, cisaille à haies, déchaumeuse, toute une collection de houes, râteaux, serpes, faux et ciseaux de vendangeur — innombrables outils à main qui semblent dater de l'ère pré-industrielle. Nous avons dû penser qu'il suffirait d'arranger le jardin et de tailler les arbres. Mais y avons-nous vraiment pensé ? Tondre parfois l'herbe, mettre de l'engrais, élaguer. Nous étions loin de connaître l'immense pouvoir régénérateur de la nature. Tout renaît dans la terre au-delà de toute vraisemblance. Mon expérience du jardin m'a conduite à penser que nos plantes bien-aimées doivent être cajolées de jour en jour. Lierre, figuiers, sumac, acacia et mûriers sont incompressibles. Un grimpant que nous appelons « la griffe du diable » s'immisce et s'entortille partout pour étouffer les autres. Il faut l'arracher jusqu'à la racine, à peine plus grosse qu'une carotte ; même chose pour les orties. Même avec d'épais gants, il est presque impossible de ne pas se faire « piquer ». De nouvelles pousses de bambou apparaissent sans cesse dans l'allée. Des branches tombent. On doit consolider l'étayage des oliviers après les orages. Les terrasses ont besoin d'être labourées, le sol pulvérisé. Les oliviers veulent être taillés à la houe, et il leur faut de l'engrais. Les vignes devront encore être soignées pendant des semaines. Bref, nous avons une petite ferme à qui il manque un fermier. Sans ce travail constant, nos deux hectares reviendraient en quelques mois à leur état précédent. Ce que nous pouvons considérer un fardeau ou une joie.

« Comment va Toscan du Pommier ? » demande souvent une amie. Sur une des hautes terrasses, elle a vu, elle aussi, Ed en train d'étudier les feuilles d'un nouveau cerisier, ou ramasser les pierres. Il finit par connaître chaque yeuse, rocher, souche, chêne. C'est peut-être au cours du déblaiement que le lien a pris corps.

Maintenant qu'il parcourt chaque jour les terrasses, il a pris l'habitude d'enfiler shorts, bottes et « marcel », ce genre de tricot de corps échancré que mon père portait autrefois. Ses biceps et pectoraux sont devenus saillants comme ceux des annonces « avant/après » au dos de vieux illustrés. Son père est resté fermier jusqu'à l'âge de quarante ans, où il a dû renoncer pour travailler en ville. Ses ancêtres devaient cultiver la terre en Pologne. Je suis sûre qu'ils le reconnaîtraient « sur le champ ». Ed, qui ne pense jamais à arroser les plantes à San Francisco, apporte des brocs d'eau aux pousses des nouveaux arbres fruitiers dès qu'il fait sec, pouponne d'odorantes lavandes, étudie tard le soir composts et élagage.

*

Jusqu'à quel point deviendra-t-il italien ? Assez peu, je le crains. Trop blond. Trop peu porté à parler naturellement avec les mains. J'ai vu une fois un homme sortir de son étroite cabine téléphonique afin de pouvoir gesticuler plus à l'aise en continuant de parler. Bien des gens se garent au bord de la route pour utiliser leurs portables, car ils ne savent tout simplement pas tenir leur téléphone d'une main, le volant de l'autre, et parler en même temps. Nous ne maîtriserons jamais l'art de parler tous à la fois. De ma fenêtre, je vois souvent des groupes de trois ou quatre personnes se promener sur notre route. Tous parlent en même temps. Qui écoute ? Parler peut être une activité en soi. Après un match de football, nous ne partons pas klaxonner à fond de train dans les rues ou faire cent fois le tour de la *piazza* en scooter. Le politique prime toujours la compréhension.

Nous fûmes au départ déconcertés d'apprendre que *ferragosto* était un jour férié. Commençant ensuite à comprendre que c'était un état d'esprit, nous l'avons peu à peu adopté nous-mêmes. En termes simples, *ferragosto*, le 15 août, marque l'ascension au paradis du corps et de l'âme de la

Vierge. Pourquoi le 15 août ? Peut-être faisait-il
trop chaud pour rester sur terre un jour de plus. À
l'intérieur, la coupole de la cathédrale de Parme
dépeint sa glorieuse ascension, au milieu de nombreux angelots. On a droit, vue d'en bas, à la perspective des manteaux et jupes gonflés de la troupe
qui s'élève dans le ciel. C'est un triomphe de l'art :
on ne voit la culotte de personne. Mais le jour en
lui-même n'est qu'un symbole du mois, puisque
le mot désigne plus largement les vacances d'été,
une période d'intense farniente. Nous devons
bientôt concevoir que l'ensemble des activités quo-
tidiennes s'arrête *tout* le mois d'août. Même devant
les touristes qui se pressent en ville, la meilleure
trattoria aura affiché son panneau *chiuso per ferie*,
congés annuels, tandis que les propriétaires ont
bouclé leurs valises pour Viareggio. La logique
commerciale américaine n'est pas de mise ici ; on
ne fait pas recette à la saison touristique pour
prendre ses vacances en avril ou novembre quand
tout le monde est reparti. Pourquoi ? Parce que
c'est le mois d'août. Les accidents se multiplient le
long des routes. Les villes côtières sont envahies.
Nous avons appris à renoncer à tout projet plus
compliqué que faire des confitures. Voire — mon
chapeau plein de prunes, je m'assois sous l'arbre,
suce la chair, et jette noyaux et peaux par-dessus le
mur. Partout en Italie, Assomption vaut célébra-
tion. Cortona organise une grande fête : la *sagra
della bistecca, festa* des délicieux steaks de la région.

Partout en Toscane, *sagra* est un mot qui vaut la

peine d'être traqué. On fête souvent les saisons qui reviennent, des fruits, légumes ou autres. Dans toutes les petites bourgades, des panneaux apparaissent qui annoncent la *sagra* des cerises, des châtaignes, du vin, du *vin santo*, des abricots, cuisses de grenouilles, sangliers, huiles d'olive ou truites du lac. Plus tôt cet été, nous sommes allés à la *sagra della lumaca*, fête des escargots, dans la partie haute de la ville. Quelque huit tables étaient disposées dans la rue sous une musique trop forte, mais comme il n'a pas plu, les escargots ont dû être remplacés par du veau en sauce. À une autre *sagra* d'un *borgo* de montagne, j'ai failli, à un numéro près, gagner un âne à la tombola. Nous avons mangé des pâtes au *ragù* et de l'agneau grillé, en regardant un vieux couple très digne danser élégamment au son de l'accordéon. Le monsieur portait un col amidonné, et sa femme le noir des pieds à la tête.

On prépare longtemps à l'avance les deux jours de fête à Cortona. Les employés municipaux construisent un énorme gril dans le parc — tout en briques, haut de trente centimètres, large d'un mètre quatre-vingts et long de six, couronné de vastes grilles en fer, et qui ressemble aux grands barbecues de mon enfance. Le gril est remis à contribution plus tard à l'automne pour la *festa* aux *porcini* (Cortona revendique le record de la plus grande poêle à frire les champignons au monde ; je n'ai jamais assisté à cette *festa*, mais j'imagine l'odeur savoureuse des cèpes embaumer le parc entier). Les hommes disposent des tables de quatre, six, huit ou douze convives sous les arbres, qu'ils décorent de lanternes. On place de petites baraques près du gril où l'on sert à manger, puis on ressort le guichet de la resserre, on le lave et on le pose à l'entrée du parc. En traversant celui-ci, j'aperçois des piles de charbon de bois.

Le parc, normalement fermé aux voitures, leur est ouvert ces deux jours-là, afin de recevoir les gens, nombreux, qui accourent pour la *sagra*. Mauvais temps pour notre route, qui donne accès au parc. Les voitures commencent à arriver vers sept heures du matin, et repartent dans l'autre sens à partir de onze heures. Nous préférons emprunter la voie romaine pour éviter des nuages de poussière blanche. Notre voisin, l'un des volontaires qui s'occupent du grand barbecue, nous fait signe.

De gros steaks grésillent sur l'immense lit de charbons rouges. Nous nous joignons à la longue file pour prendre nos *crostini*, assiettes, salades et légumes. Au gril, notre voisin ramasse avec sa pique deux énormes steaks pour nous et nous rejoignons tant bien que mal une table presque complète. Les pichets de vin passent et repassent. La ville entière est dehors pour la *sagra* et, bizarrement, il semble n'y avoir aucun touriste, à l'exception d'une longue tablée d'Anglais. Nous ne connaissons pas nos amis de ce soir. Ils viennent d'Acquaviva. Deux couples avec trois enfants. Une toute petite fille ronge un os d'un air ravi. Les deux garçons découpent soigneusement leurs steaks avec cette allure digne des petits Italiens, si bien élevés. Les parents lèvent leurs verres à notre santé et nous leur répondons de même. En apprenant que nous sommes américains, l'un des hommes veut savoir si nous connaissons sa tante et son oncle de Chicago.

Nous nous promenons en ville avec la foule après le dîner. La Rugapiana est bondée. Les bars sont pleins. Nous arrivons à négocier des cornets de glace à la noisette. Un groupe d'adolescents chante sur les marches de la mairie. Trois petits garçons allument des pétards à mèche, puis prennent un air innocent sans convaincre personne. Ils sont écroulés de rire. Je les écoute en attendant au-dehors, pendant que Ed rentre dans un bar avaler une dose du noir élixir bien-aimé. Nous repassons par le parc pour rentrer à la maison. Il est presque dix heures et demie et le gril fume toujours. Nous retrouvons notre ami le voisin, accompagné de sa splendide épouse, de leur fille et d'une douzaine d'amis. « Cela fait combien d'années qu'il y a des *sagre* ? demande Ed.

— Depuis toujours », répond Placido. Les chercheurs pensent que la première commémoration de l'Assomption fut célébrée à Antioche en 370 apr. J.-C. Cette année est donc son mille six cent vingt-quatrième 15 août. Vu l'âge de Cortona, le sacrifice d'une vache blanche à rôtir en l'honneur de quelque déité est sans doute plus ancien.

*

Après *ferragosto*, Cortona se mure plusieurs jours de suite d'un calme étonnant. Tout le monde est reparti. Assis devant les boutiques, les commerçants lisent le journal ou regardent la rue d'un air absent. Si vous avez commandé quelque chose, vous ne serez pas servi avant septembre.

*

Notre voisin et maître rôtisseur est également percepteur. Nous savons l'heure lorsqu'il passe devant la maison le matin sur sa Vespa, puis à midi, après la sieste, et le soir quand il rentre. J'ai commencé à romancer sa vie. Il est facile pour des étrangers de broder, d'idéaliser, de stéréotyper et de simplifier outrageusement les caractères locaux. L'alcoolique qui vacille le long de la route après avoir déchargé les caisses au marché le matin tombe facilement dans la rubrique Ivrogne du catalogue local. La dame bossue aux cheveux noir-bleu devient l'Avorteuse. Le toutou roux et blanc qui mendie ses bouts de viande toute la matinée chez les trois bouchers sera le Chien Municipal. Il y a aussi le Peintre Fou, le Fasciste, la Beauté Renaissance et le Prophète. Lorsqu'on sait réellement de qui il s'agit, bien sûr, ces représentations heureusement s'évanouissent. Mais Placido, notre voisin, possède deux chevaux. Il chante en roulant sur sa Vespa. Nous l'entendons distinctement puisqu'il longe notre maison en revenant. Il met le moteur en marche à la fin de la descente au bas de la

colline. Il élève des paons, des oies et des colombes
blanches. D'âge bientôt mûr, il porte des cheveux
longs et fins, parfois retenus par un bandana. Parfaitement à l'aise sur ses chevaux, c'est un cavalier-
né. Sa femme et sa fille sont d'une beauté peu
commune. Sa mère pose des fleurs dans la niche de
la Vierge et sa sœur appelle Ed le bel Américain.
Tout cela est vrai — ce que j'idéalise, c'est que Placido semble parfaitement heureux. Tout le monde
l'aime bien à Cortona. « Ah, Placi, dit-on, c'est
Placi, alors, votre voisin. » Chaque porte s'ouvre
pour lui dire bonjour. J'ai le sentiment qu'il aurait
pu vivre n'importe où ; il demeure hors du temps,
ici, dans sa maison de pierre aux terrasses d'oliviers
du paisible royaume. Et comme pour confirmer
mes dires, cette incarnation rousseauiste de voisin
est apparue à notre porte, un faucon chaperonné
au poignet.

Vu ma phobie des volatiles, séquelle d'un transfert infantile, la dernière chose que j'aie envie de
voir à ma porte est un oiseau prédateur. Placido
a amené un ami avec qui il commence à dresser
son faucon. Il est venu demander s'il peut empiéter
sur notre terrain pour un exercice. Je m'efforce de
ne pas montrer l'ampleur de mon angoisse. Je
confesse : « *Ho paura* », en remarquant intérieure-
ment à quel point l'italien est juste par rapport à
l'anglais : *I « have » fear*. Erreur. Placido avance
d'un pas avec son oiseau nerveux et crispé, pour
m'inviter à le prendre sur le bras ; comme si ma
peur devait disparaître devant la beauté suprême

de cette créature. Ed, qui vient de descendre, se place entre nous. Même lui est un rien troublé. Avec le temps, ma phobie est devenue légèrement contagieuse. Pourtant nous sommes heureux que Placido trouve ses *stranieri* assez bons voisins pour leur rendre visite, et nous partons ensemble au bout de la propriété. Son ami se saisit de l'oiseau et s'éloigne d'environ quinze mètres. Placido extirpe quelque chose de sa poche. Le faucon se met à battre ses ailes déployées — l'envergure est formidable — en se levant sur ses pattes.

« C'est une caille, vivante. Bientôt il ramènera les pigeons de la *piazza* », dit Placido en riant. Son ami détache le chaperon de cuir et l'oiseau file droit comme une flèche vers Placido. Les plumes se mettent à voler. Le faucon dévore vite sa proie, la pauvre caille n'est plus qu'un barbouillis de sang. L'autre homme souffle dans un sifflet, l'oiseau revient se poser sur son poignet et retrouve son masque. Le spectacle est glaçant. Placido annonce que l'Italie compte cinq cents fauconniers. Il a acheté son prédateur en Allemagne, le chaperon au Canada. Il faut dresser le premier tous les jours. Et il vante les qualités de l'oiseau, redevenu immobile sur son poignet.

Ce sport ne diminue en rien mon impression que Placido vit en dehors du temps. Je le vois sur son cheval blanc, faucon au bras, comme s'il partait rejoindre quelque joute ou foire médiévale. En approchant de sa maison, je remarque l'oiseau dans sa volière. Son profil sévère me rappelle

Mme Hattaway, mon institutrice. Le mouvement brusque et pivotant de la tête du faucon me remet en mémoire le flair infaillible avec lequel ma maîtresse repérait les petits papiers qui volaient dans la classe.

*

Je suis en train de faire mes bagages avant de prendre l'avion à Rome qui me ramènera en Californie, lorsqu'une inconnue m'appelle des États-Unis. La voix me demande au téléphone : « Quel est le revers ? » Elle a lu cet article que j'ai écrit pour un magazine dans lequel je parle de l'achat, puis de la remise en état de la maison. « Je suis navrée de vous importuner, mais je n'ai personne avec qui parler de cela. Je veux faire *quelque chose*, et je ne sais pas exactement quoi. Je suis avocate, à Baltimore. Ma mère est décédée, et... »

Je reconnais l'impulsion, le désir d'étonner sa propre vie. « Il faut changer votre vie », disait Rilke. Je conserve comme autant de lingots d'or tout ce que j'ai appris de mes premières années de résidente intermittente d'un autre pays. La seule satisfaction de voir bien des mots italiens devenir aussi familiers que leurs équivalents anglais serait déjà un plaisir suffisant : *pompelno, susino, gragola* — les nouveaux noms de tout. J'avais craint qu'au terme de mon mariage ma vie ne s'étiole. L'héritage d'une famille, je suppose, aux ancêtres déçus et résignés, aux vieilles belles d'un comté regardant leurs roses sèches entre les pages d'un atlas. Je crois, de plus, que, pour celles d'entre nous qui ont grandi avec le féminisme, la peur ne subsiste d'un changement irréel, comme si nous n'étions pas vraiment autorisées à choisir notre vie. J'ai eu cette sensation de surfer sur une longue déferlante en pensant que bientôt la vague se refermerait pour m'engloutir. Mais, si j'apprends lentement, je commence à accepter que les dieux n'arracheront pas mon premier enfant au moment où la vie me donne du plaisir. La femme au bout du fil a réussi, au travers de l'université, à obtenir mon numéro de téléphone en Italie.

Je pose la question à l'entière inconnue : « Qu'avez-vous l'intention de faire ?

— J'ai toujours aimé ces îles, près des côtes de l'État de Washington. Il y a une maison à vendre, mes amis pensent que je suis folle parce que c'est à l'autre bout du pays. Mais il y a un ferry, et... »

Je réponds fermement : « Il n'y a pas de revers. » Les avalanches d'ennuis avec Benito, les problèmes financiers, la barrière des langues, l'eau chaude dans les w.-c., les couches de poisse sur les poutres, les longs trajets en avion depuis la Californie — *rien* de tout cela ne saurait se mesurer au bonheur absolu de notre remarquable petit bout de colline aux confins de la Toscane.

L'idée me vient d'inviter ma correspondante. Le désir qu'elle ressent m'est si proche qu'aussitôt nous lierions amitié et parlerions des nuits entières. Mais je pars si vite. Tandis qu'elle me parle d'un bureau en haut de son gratte-ciel, un croissant de lune s'élève au-dessus de la forteresse Medici. Mes yeux tombent sur le banc que Ed a installé pour moi sous un chêne d'une terrasse supérieure. Une planche posée sur deux souches. J'aime sinuer de terrasse en terrasse pour m'asseoir là en fin d'après-midi, dans la lumière dorée qui tamise la vallée, tandis que les ombres s'étendent entre les longues corniches. Je n'ai jamais été hippy, pourtant je demande si elle a jamais entendu le slogan « Suivre le chemin de son bonheur ».

« Si, dit-elle. Je suis allée à Woodstock il y a vingt-cinq ans. Et aujourd'hui je règle des conflits de personnel pour une multinationale... Je ne comprends plus très bien.

— Mais est-ce qu'à l'horizon vous sentez quelque chose qui vous rendra plus libre ? Si vous saviez le plaisir que j'ai trouvé ici. » Je ne mentionne pas le soleil, ni l'image que j'ai de moi lorsque je n'y suis pas : toujours en pleine lumière. Je me sens aujourd'hui *perméable*. Le soleil de Toscane a réchauffé la chair de mes os. Flannery O'Connor disait que le plaisir se cherche même « les dents serrées ». Je m'y résous chez moi, mais ici il vient naturellement. Les journées disposent d'elles-mêmes les unes après les autres aussi aisément que le jeune garçon équilibre les plateaux chantants de sa balance entre l'épais melon et les vieux poids rouillés.

J'attends de savoir si elle a acheté le cottage au

toit de bardeaux devant la jetée privée qui domine la mer.

Je vois son vélo bleu posé contre le pin, et la gloire du matin briller le long du porche.

*

Brave petite ! Placido avance avec sa fille jusqu'au point d'envol. C'est elle qui tient le faucon sur son bras. Ses longues boucles rebondissent sur ses pas. Les craintes aussi s'enfoncent dans la mémoire ; j'en rêverai cet hiver. Le faucon traversera peut-être mes cauchemars. Ou sans doute se contentera-t-il d'accompagner nos voisins en fin d'après-midi, longeant l'allée de cyprès jusqu'à l'endroit où ils le lâcheront, toujours un peu plus loin. Mille autres choses à rapporter chez soi, à la fin de l'été. *La Nuit*, de Cesare Pavese, finit ainsi :

Il revient parfois,
dans le calme immobile du jour, le souvenir
d'avoir vécu plongé, absorbé, frappé dans la lumière.

Vert d'huile

« Mais il ne faut pas les cueillir aujourd'hui — elles sont toutes mouillées. » Marco nous regarde avec nos paniers. « Et ce n'est pas la bonne lune. Il faut attendre mercredi. » Il est en train de remettre les portes. Il en a gardé deux vieilles, en châtaignier, réparées et vernies, en sus des nouvelles, pratiquement identiques à l'œil, qu'il a fabriquées en notre absence cet automne. Celles-là remplaceront les portes aux cadres moulés que notre grand aménageur des années cinquante trouvait si attrayantes.

Nous sommes déjà en retard pour la cueillette des olives. Tous les moulins ferment à Noël et nous sommes arrivés à peine une semaine avant. Dehors, la bruine grise obscurcit les contours des intenses masses vertes qui viennent de profiter des pluies de novembre. Je pose une main sur la fenêtre. Le verre est froid. Marco a raison, c'est évident. Si nous faisons notre récolte aujourd'hui, les olives mouillées moisiront avant que nous les cueillions toutes pour les amener au moulin. Nous rassem-

blons les paniers en osier que nous nous attache-
rons à la taille — tellement pratiques pour libérer
les mains — les sacs bleus qui recueilleront les
olives, l'échelle d'aluminium et nos bottes en plastique. Encore décalés, étourdis par le trajet en
avion, nous nous sommes levés tôt, grâce à Marco
qui est arrivé à sept heures et demie, le jour à peine
levé. Il nous recommande d'aller prendre rendez-
vous au moulin ; peut-être fera-t-il meilleur plus
tard. Dans ce cas, le soleil séchera vite les oliviers.

Je demande : « Et la lune ? » En guise de
réponse, il hausse les épaules. Je sais bien qu'à
notre place, il attendrait.

Nous reviendrions bien nous effondrer au lit,
faute d'avoir pris le temps de récupérer après vingt
heures de vol. Les orages n'ont pratiquement pas
arrêté de ballotter l'avion au-dessus de l'océan. J'ai
eu envie d'embrasser le tarmac, une fois sortie de
l'avion à Fiumicino. Nous avons commis la folie de
faire quelques courses à Rome, avant de partir à
Cortona, l'esprit complètement vide, au volant
d'une hilarante Twingo de location, violette avec
l'intérieur menthe. Parfaitement épuisés, nous
avons rejoint l'*autostrada* avec notre auto-tampon-
neuse. Malgré tout, le paysage éclatant sous l'humidité nous a remplis d'allégresse — le vert partout
semble éclairé de lui-même, de nombreux arbres
déploient leurs feuilles colorées. Lorsque nous
sommes partis en août, le sol était desséché et flé-
tri ; la fraîcheur est venue tout raviver. Nous
sommes finalement arrivés à la tombée de la nuit.

Nous avons pris en ville du pain et un plat de can-
nellonis au veau. Laura, la jeune femme qui vient
faire le ménage, a ouvert les radiateurs deux jours à
l'avance et les murs de pierre ont eu le temps de
perdre leur froideur. Elle a même amené du bois
et nous avons fêté notre première nuit par un feu
de cheminée, avant de passer de pièce en pièce
vérifier la présence de chaque objet, tous palpés et
dignement salués. Et, pour finir, au lit, jusqu'à ce
que Marco nous en tire ce matin. « Laura m'a dit
que vous étiez arrivés. J'ai pensé que vous seriez
contents d'avoir vos portes tout de suite. » À
chaque fois que nous revenons, il nous faut déplacer quelque chose. Ed a aidé Marco à soulever les
portes en les gardant bien droites, pendant qu'il
ajustait les gonds sur leurs ergots de métal.

Le vénérable moulin de Sant'Angelo utilise toujours les méthodes les plus simples, nous dit Marco.
On y presse à froid, séparément, les olives de
chaque client, sans demander aux petits récoltants
de s'unir entre eux. Il faut cependant apporter au
moins un *quintale*, cent kilos. Nos arbres, à peine
sortis de trente ans d'abandon, ne seront peut-être
pas si prodigues. Certains ne présentent aucun
fruit.

Le moulin transpire une épaisse odeur d'oléagi-
neux. Le sol humide semble glissant, huileux peut-
être. Les pièces dans lesquelles raisins et olives sont
pressés conservent les senteurs du temps, aussi
sûrement que les pierres fraîches des églises.
Chaque goutte, chaque suintement, doit lente-

ment pénétrer les pores des ouvriers. Le meunier nous apprend que plusieurs autres moulins acceptent de presser les petits lots. Nous ne nous doutions pas qu'il en existait tant. Ils sont tous à droite après le plus haut pin, à gauche une fois passé le dos-d'âne, ou encore juste derrière telle grande étable.

Avant notre départ, il loue les vertus des méthodes traditionnelles et, pour bien vérifier la véracité de ses dires, nous remplit deux cuillers à soupe dans une cuve d'huile nouvelle pour que nous la goûtions. Pas question de la jeter par terre, nous n'avons d'autre choix que de tout avaler. Impossible, pourtant je le fais. Le goût semble d'abord imperceptible, mais l'huile est extraordinaire, d'une saveur douce, fondante, essentielle, d'olive entière. « *Splendido* », dis-je, une fois tout lampé, en regardant Ed qui hésite encore et fait semblant d'apprécier la belle couleur verte. Notre hôte se retourne, Ed vide rapidement sa cuiller dans la cuve pour n'avaler que la goutte restée sur le métal.

« *Favoloso* », dit-il. Et c'est vrai. Après la première pression, à froid, la pulpe est transférée à un autre moulin où on la presse de nouveau pour obtenir d'ordinaires huiles, puis une troisième fois pour obtenir des lubrifiants. Les restes déshydratés, merveille de recyclage, sont souvent utilisés comme engrais pour les oliviers.

Avant de reprendre la route, nous remarquons que les portes de San Michele Arcangelo, qui reçoit notre admiration, sont aujourd'hui ouvertes. Il y a encore du riz — *arborio*, le riz du risotto — répandu sur le parvis. Un mariage a eu lieu et quelqu'un doit venir enlever les rameaux de pin et de cèdre. L'édifice a presque mille ans. Situés en face l'un de l'autre de chaque côté de la route, l'église et le moulin ont servi deux fonctions essentielles — céréales et vignes ne sont pas bien loin. Au plafond, les poutres et les traverses de vieilles églises me rappellent souvent la coque des navires. Je n'en ai jamais fait part à personne, jusqu'à aujourd'hui. « D'autres que toi ont dû voir un lien entre la structure des églises et celle des bateaux, me dit Ed. "Nef" vient du latin *navis*, qui veut dire vaisseau*. »

Je lui demande : « D'où vient "abside" alors ? » puisque leurs jolies formes rondes me font penser aux fours à pain des cours des fermes.

« Je crois que la racine du mot a rapport à un assemblage d'objets, ce qui n'a rien de très poétique. »

Il y a une poésie en revanche dans la succession rythmique des trois nefs, trois absides. C'est en miniature le plan classique d'une basilique. Les lignes de la pierre s'accordent parfaitement à l'espace réduit. Le seul embellissement tient aux arbres toujours verts, et leurs senteurs. Si j'adore les majestueuses églises aux grandes fresques, ce

---

* *Nave* en anglais est seulement le vaisseau, ou la nef, de l'église, qui ne sont pas « navigables ». C'est aussi le moyeu d'une roue

sont les plus simples comme celle-ci qui savent le mieux m'émouvoir. Elles semblent reproduire la forme et la texture de l'esprit humain, transmué par la pierre et la lumière.

Ed engage la voiture dans ce qui fut autrefois une voie romaine. Les pèlerins l'empruntèrent ensuite sur le chemin de la Terre sainte. San Michele leur offrait le gîte et le couvert. Je me demande s'il se trouvait alors également un moulin. Les pèlerins ont peut-être massé leurs pieds las avec de l'huile. Quant à nous, nous sommes encore simplement à la recherche d'un moulin pour transformer nos sacs d'olives noires en bouteilles pleines. Deux des moulins indiqués ont déjà fermé. Au troisième, une femme vêtue de quelque six chandails les uns par-dessus les autres descend son escalier pour nous dire que nous arrivons trop tard, que nos olives devraient déjà être cueillies et que la lune s'y oppose. « Oui, répondons-nous, on sait. » Son mari a fermé le moulin jusqu'à la prochaine saison. Elle nous fait signe de suivre la route. Nous apercevons une grande villa et entrons dans l'allée. Un panneau discret, IL MULINO, nous dirige tout au fond, où nous trouvons les deux ouvriers en train de laver leur matériel au jet. Trop tard. Ils nous renvoient aux grands moulins, près de la ville.

Tout en roulant, même assez vite, j'observe les jardins d'hiver. Tout le monde fait pousser des *cardi*, cardons, aux longues tiges pâles — que le dialecte local appelle *gobbi* — et du *cavolo nero*, un

chou noir-vert foncé aux aigrettes verticales. La trévise étoilée, rouge et vert, est commune à tous les
jardins. La plupart ont aussi quelques plants d'artichauts. En dehors de l'hiver, je n'avais jamais
remarqué tous ces kakis partout. Les branches sont
nues par-dessus les fruits orange et brillants. Les
arbres ressemblent aux rapides coups de pinceaux
d'une estampe japonaïse.

Au moulin, les gens trop occupés ignorent notre
présence. Nous regardons çà et là comment se font
les choses sans ressentir l'envie d'y apporter nos
précieuses olives. Tout semble très mécanisé. Où se
cachent les grandes meules de pierre ? Nous ne
saurions affirmer qu'ils ne pratiquent pas la pression à chaud ici, censée nuire au goût. Nous voyons
un client entrer, faire peser son produit qui part
ensuite dans un grand chariot. Les olives se valent
peut-être toutes et les mélanger dans ce cas
importe peu, mais, pour cette fois au moins, nous
aimerions une huile qui soit le fruit de la terre que
nous avons travaillée. Nous repartons aussi vite vers
notre dernier espoir, un petit moulin près de Casti-
glion Fiorentino. Trois immenses meules sont
accolées au bâtiment, près de la porte. Des casiers
en bois, pleins d'olives, sont empilés à l'intérieur
derrière celle-ci. Ils portent tous le nom de quelqu'un. Oui, on peut presser les nôtres. Nous
devons revenir demain.

L'après-midi sera chaud et clair. Marco nous
donne le feu vert. Lune ou pas lune, nous
commençons la récolte. C'est rapide. Nous vidons

nos paniers dans celui, plus grand, qui sert pour le linge, puis nous remplissons au fur et à mesure le sac réservé aux olives. Si elles se détachent facilement à la main, peu sont tombées des arbres. En l'absence de filets bien disposés, un vent mauvais pourrait faire des ravages. Noires et luisantes, nos olives sont fermes et bien rondes. Curieuse de savoir quel goût elles ont, j'en mordille une. On dirait un bâtonnet d'alun. Comment a-t-on trouvé un jour le moyen de les traiter ? Ceux qui en ont eu l'idée eurent probablement le courage, aussi, d'ouvrir une huître et de la manger. Les Liguriens immergeaient leurs sacs d'olives dans la mer ; à l'intérieur des terres, on les suspendait tout l'hiver à fumer dans la cheminée, ce que j'essaierais bien. En travaillant, nous retirons nos manteaux, puis nos chandails, que nous suspendons aux arbres. Le thermomètre atteint les treize degrés. Nos bottes sont encore mouillées, mais l'air s'imprègne d'odeurs. Nous apercevons au loin la fine bande marine du lac Trasimeno sous le ciel bleu intense. À trois heures, nous avons cueilli toutes les olives de douze arbres entiers. Je remets mon pull-over. Les journées sont courtes ici l'hiver, et le soleil descend déjà vers la crête de la colline, derrière la maison. À quatre heures, nos doigts sont rouges et gourds. Nous nous arrêtons et rapportons sacs et paniers, de terrasse en terrasse, jusqu'au cellier.

Une fois encore dans le cours de notre histoire toscane, j'ai conscience de mon corps fourbu. Aujourd'hui : les épaules ! Rien ne serait plus

agréable qu'un long bain moussant suivi d'un massage. Prévoyante, j'ai laissé une lotion pour le corps
tiédir sur le radiateur. Mais nous ne restons que
trois semaines et chaque minute compte. Nous
nous forçons à partir en ville faire des provisions.
Ma fille et son ami Jess arrivent dans trois jours.
Nous allons préparer de grandes fêtes. Nous
entrons en ville au moment précis où les magasins
rouvrent après la sieste. C'est étrange — il fait déjà
nuit quand la ville se réveille. Des guirlandes lumi-
neuses, blanches, se balancent au vent dans les rues
étroites. Un faux sapin, plutôt dégarni, est installé
devant le marché A & O, où nous faisons nos
courses. Il y a à l'intérieur de grandes corbeilles de
chocolats et autres cadeaux.

Nous avons appris l'année dernière, lors de
notre bref séjour à Noël, que les grandes préoccu-
pations du moment sont de deux ordres : la nourriture et le *presepio*, la crèche. Nous sommes prêts
pour la première et intrigués par la seconde. Les
bars font étalage de bonbons fantaisie et de *panettone*, dans leurs boîtes colorées — en quelque sorte
l'équivalent italien, plus léger, de nos omniprésents gâteaux aux fruits de Noël. Quelques boutiques exposent leurs couronnes et guirlandes maison. Voilà pour la décoration, en sus des crèches
présentes dans toutes les églises et de nombreuses
vitrines. « *Auguri, auguri* », meilleurs vœux, disent
partout les gens. Personne ne se presse. Apparemment ni papier cadeau, ni promotions spéciales, ni
courses de dernière minute.

La vitrine du *frutta e verdura* est couverte de buée. Dehors, à la place des fruits de l'été, nous trouvons des paniers de noix, de châtaignes, et d'odorantes clémentines, ces petites mandarines sans pépins. Sous son gros chandail noir, Maria Rita casse des amandes à l'intérieur et nous accueille de ces « *Ah, benissimo ! Ben tornato !* ». Faute d'exquises tomates, elle a empilé des étals de *cardi*, que je n'ai jamais goûtés. « Ça se fait bouillir, mais il faut enlever les fils, avant. » Elle coupe une tige dont elle retire les filaments, comme du céleri. « Il faut mettre tout de suite du citron dans l'eau, sinon ça noircit. Une fois cuit, beurre et *parmiggiano*.

— Beaucoup ?

— Tant qu'on veut, *signora*. Et après au four. » Elle nous recommande ensuite de faire la *bruschetta* sur le gril de la cheminée, à tartiner de chou noir haché cuit à la poêle dans l'ail et l'huile. Nous achetons des oranges sanguines, les minuscules lentilles de sa grande jarre, des châtaignes, des poires d'hiver, de petites pommes craquantes et des brocolis. Je n'en avais encore jamais vu en Italie. « Les lentilles, c'est pour le nouvel an, dit Maria Rita, je mets toujours un peu de menthe, avec. » Puis elle fourre dans nos sacs tout ce qu'il faut pour la *ribolitta*, soupe de l'hiver.

Il y a des saucisses toutes fraîches chez le boucher, disposées autour des plats de viande. Un homme dont le nez ressemble justement à une saucisse donne un petit coup de coude à Ed et fait semblant de prier en égrenant un chapelet, puis il nous montre ceux des saucisses. Il nous faut un moment pour comprendre le calembour, qu'il trouve visiblement très drôle. Au lieu de chanter dans les arbres, cailles et autres volatiles sont figés dans leurs plumes et leurs plats. Au mur, des photographies en couleurs représentent plusieurs énormes vaches blanches — dont la race fournit le fameux steak du Val di Chiana, orgueil de la Toscane. Le nom du boucher figure sur leur postérieur. On reconnaît également Bruno, c'est lui, une main possessive sur le cou d'un des gros animaux. Il nous fait signe de le suivre à l'intérieur de la chambre froide. Pachydermique, une vache entière pend au plafond. Bruno tape affectueusement sur le flanc de l'animal. « C'est le meilleur *bistecca* du monde. Bien grillé, avec du romarin, et une rondelle de citron sur la table. » Il lève ses deux mains, d'un geste qui veut dire : « Qu'est-ce qu'il y a de mieux dans la vie ? » La porte de la chambre froide se referme brusquement et nous voici enfermés à côté de cet énorme cadavre couvert de graisse blanche.

« Ah non ! » Je nous vois tous trois prisonniers pour de bon. Qui a dit « un-deux-trois-soleil » ? Je fais volte-face vers la porte et Bruno éclate de rire. Il la rouvre sans problème et nous nous précipitons au-dehors. Je ne veux pas acheter de steak.

Nous voulions faire la cuisine à la maison, mais nous avons préféré traîner. Nous rangeons nos courses dans la voiture et rebroussons chemin pour aller dîner chez Dardano, une de nos *trattorie* préférées. Le fils de la maison que nous avons toujours vu servir a soudain pris un air d'adolescence. La famille tout entière est réunie à table, dans la cuisine. Il n'y a que deux clients, des gens d'ici, penchés sur leurs assiettes creuses de *penne*, qui mangent l'un et l'autre comme s'ils étaient seuls. Nous commandons des pâtes aux truffes noires, et une carafe de vin. Nous partons ensuite nous promener dans les rues étrangement calmes. Quelques garçons jouent au football sur la place déserte. Leurs cris retentissent dans l'air froid. Les tables des terrasses sont rangées, les portes des bars bien fermées. Tout le monde à l'intérieur baigne dans la fumée. Pas une seule voiture. Un chien trottine, solitaire. Aucun visiteur étranger en ville, nous mis à part, et les lieux révèlent leurs silences, les longues nuits où les hommes jouent aux cartes bien au-delà des neuf coups de l'horloge, les rues vides qui semblent rendues à leurs origines médiévales. Arrivés aux remparts, piazza del Duomo, nous contemplons les lumières dans la vallée. Quelques personnes sont là également, accoudées au mur. Nous attendons d'être vraiment gelés pour pousser la porte d'un bar et entrer dans le bruit. Le cacao, réchauffé à la vapeur sous le percolateur, est épais comme un pudding. Revenue depuis un jour à peine, je tombe amoureuse de l'hiver.

*

Nous sommes sur les terrasses aux premières
lueurs, bien que les olives soient couvertes de
rosée. Nous voulons terminer aujourd'hui, sans
leur laisser le temps de moisir. Plus bas, un brouillard épais comme le mascarpone a surgi dans la vallée. Nous régnons par-dessus dans l'air clair et
givré, si frais qu'il nous pique les narines, avec l'impression de regarder par le hublot d'un avion :
vision désincarnée — la colline flotte. Même le toit
rouge de notre voisin Placido a lui aussi disparu. Le
lac donne à ce paysage une part de son mystère. De
grands rubans de brume s'élèvent des eaux pour se
déplier dans le val. Le brouillard tourbillonne en
hauteur. Tandis que nous cueillons, de fines
mèches de nuages glissent près de nous. Bientôt le
soleil se déclare en brûlant peu à peu la brume et
nous rend le cheval blanc dans le champ de Placido, puis son toit et les oliviers des terrasses derrière sa maison. Le lac reste caché sous un tourbillon de nacre. Nous trouvons des arbres stériles,
puis un autre très chargé. Je m'occupe des
branches inférieures ; Ed pose l'échelle au milieu
et monte. Pour notre plus grande joie, Francesco
Falco, qui entretient nos oliviers, nous rejoint. Il est
la quintessence du cueilleur d'olives, avec son épais
pantalon de laine, sa casquette de tweed et son
panier accroché à la taille. Il se met au travail et, en
vrai pro qu'il est, va bien plus vite que nous. Moins

délicat, il laisse passer brindilles et feuilles, alors
que nous ôtons péniblement la moindre feuille
depuis que nous avons lu qu'elles donnent un goût
tannique aux huiles. De temps à autre, il sort sa
machette de sa poche arrière (comment fait-il pour
ne pas se piquer les fesses ?) et taille une pousse
rebelle. Il faut vite rentrer les olives, nous dit-il, il
pourrait geler bientôt et fort. Nous faisons une
pause-café, mais il continue. Tout au long de l'automne, il a coupé les tiges mortes pour favoriser de
nouvelles excroissances. Au printemps, il n'aura
sauvegardé que les branches les plus prometteuses,
et désherbé le tour de chaque arbre. Nous lui
demandons ce qu'il pense de la culture en buissons
et des techniques expérimentales d'élagage dont
parlent certains livres, mais il ne veut rien entendre
de tout cela. L'entretien des oliviers est une
seconde nature qu'on ne met pas en question. À
soixante-quinze ans, Francesco a la vigueur d'une
personne deux fois moins âgée que lui. La même
endurance, je suppose, qui lui a donné la force de
rentrer ici à pied depuis la Russie à la fin de la
Seconde Guerre mondiale. Nous l'identifions si
entièrement à la région autour de Cortona qu'il
nous est difficile d'imaginer le jeune soldat qu'il
fut, en train de parcourir des milliers de kilomètres
à la fin de cette sale guerre. Il plaisante sans arrêt,
mais comme il a aujourd'hui oublié son dentier,
nous avons du mal à le comprendre. Il prend bientôt le chemin des terrasses du bas, encore en

friche, où il a aperçu depuis la route plusieurs oliviers fournis.

Grâce à ces derniers, nous avons notre *quintale*. Après la sieste, que nous avons ignorée pour continuer, nous entendons Francesco et Beppe en train de remonter la route en tracteur, leur remorque pleine d'olives. Ils ont ramassé les sacs de leur ami Gino et se dirigent vers le moulin. Ils les installent maintenant dans le Ape de Beppe et nous aident aussi à charger les nôtres. Nous les suivons. Il fait presque nuit et le thermomètre descend. Mes nombreux hivers californiens ont occulté ma mémoire du vrai froid. C'est un compagnon à part entière. Le chauffage de la Twingo tousse un triste filet d'air tiède. « Il ne fait que moins cinq », dit Ed, qui semble irradier le chaud. Son vieux sang du Minnesota se réveille à chaque fois que je me plains du froid.

« J'ai l'impression d'être restée dans la chambre froide. »

*

Nos sacs sont pesés, les olives transvasées dans un casier, puis lavées, et enfin broyées par les trois meules de pierre. Une fois réduites en purée, elles prennent le chemin d'une machine qui étend la pâte sur un premier tapis de chanvre rond, puis sur un autre par-dessus, et ainsi de suite jusqu'à obtenir une pile haute d'un mètre cinquante de couches d'olives et de chanvre. Un poids permet alors de presser l'huile qui suinte aux bords des tapis de chanvre et tombe dans le réservoir. Elle passe maintenant dans une centrifugeuse qui élimine toute l'eau. L'huile versée dans la dame-jeanne est verte et opaque. Le rendement, nous explique le meunier, est très élevé. Nos arbres nous ont fourni 18,6 kilogrammes d'huile pour un *quintale* — soit environ un litre par olivier bien développé. Pas étonnant que l'huile soit chère. Je demande : « Et l'acide ? » J'ai lu que l'huile doit contenir moins d'un pour cent d'acide oléique pour avoir le titre d'extra-vierge.

« Un pour cent ! » Le meunier écrase sa cigarette sous son talon. « *Signori ! Più basso, basso* », grogne-t-il, bien moins, comme insulté que son moulin puisse produire des huiles de qualité inférieure. « Ces collines sont les meilleures d'Italie. »

Revenus à la maison, nous versons une petite quantité d'huile dans un bol et y trempons des morceaux de pain, comme toute la Toscane est sans doute en train de le faire. Notre huile ! Je n'en ai jamais goûté de meilleure. Je distingue un soupçon de cresson de fontaine, à peine poivré mais frais comme l'eau de la cressonnière. Je vais avec cette huile confectionner toutes les sortes de *bruschette* connues et inconnues. Je vais peut-être même apprendre à manger mes oranges avec huile et sel comme j'ai vu faire le prêtre.

Le dépôt se tassera avec le temps dans la grande bonbonne, toutefois nous aimons autant cette huile trouble et fruitée. Nous remplissons plusieurs jolis flacons que j'ai conservés dans ce but, et rangeons le reste dans la pénombre du cellier. J'ai aligné sur le comptoir de marbre cinq bouteilles toutes munies de ces petites capsules qu'utilisent les barmen pour doser, particulièrement commodes pour verser lentement l'huile ou arroser légèrement un plat. Le petit capuchon se remet en place après usage, de sorte que le contenu reste toujours propre. Nous allons tout préparer, cet été, avec notre huile maison. Nos amis devront venir nous voir et ramener des bouteilles chez eux ; nous en avons plus que nous ne pouvons utiliser, et personne à qui en donner, puisque tout le monde ici produit la sienne, sinon au moins un cousin. Lorsque nos arbres auront un meilleur rendement, nous vendrons peut-être notre surplus à la coopérative locale. J'ai une fois acheté, en cruchon de quatre litres, l'excellente huile de la *comune* pour environ vingt dollars. J'ai en même ramené à la maison, et cela valait bien le long trajet en avion avec la bonbonne froide coincée entre les pieds.

Malgré le froid, les plantes aromatiques continuent de pousser. Je cisèle une poignée de sauge et de pousses de romarin, je coupe des oignons en quartiers avec des pommes de terre, puis je dispose le tout autour d'un rôti de porc avant de l'enfourner, gentiment arrosé de notre premier millésime vert pour baptiser le plat.

Le lendemain après-midi, nous tombons sur une dégustation d'huile d'olive, première *festa* locale en l'honneur de la *olio extravergine del colle Cortonese*,

huile extra-vierge des collines cortonaises. Je me
rappelle la cuillerée que j'ai avalée au *mulino*,
cependant il y a cette fois du pain de la boulangerie
voisine. Neuf huiles du cru sont exposées sur une
table de la *piazza*, flanquée d'oliviers en pots pour
plus de pittoresque. « Je n'aurais jamais imaginé
ça, toi si ? » me demande Ed tandis que nous goûtons la quatrième ou cinquième huile. Non, moi
non plus. Ces huiles, comme la nôtre, sont profondément fraîches avec une vigueur qui me pousse à
me lécher les babines. Entre les flacons, les
nuances sont subtiles. L'une a le goût, je trouve,
d'un vent chaud de l'été, l'autre d'une première
pluie d'automne, puis c'est l'histoire d'une voie
romaine, du soleil sur les feuilles. Elles ont un goût
de verdeur, plein de vie.

L'approche de Noël s'accompagne inévitablement d'une frénésie laborieuse. Je me sens irrésistiblement attirée à la cuisine. J'ai une faim souveraine de biscuits étoilés, de glace à la mandarine et de gâteaux au caramel, toutes choses auxquelles je ne pense jamais le reste de l'année. Les fois où j'ai émis le vœu de rester simple, je me suis retrouvée tout de même en train de préparer ces Martha Washington Jetties que ma mère faisait chaque année, au froid, sur le perron du jardin. Il est nécessaire de les confectionner dehors puisque la coupable crème, le sucre et les fondants au pécan doivent être trempés dans le chocolat au bout d'un cure-dent, puis assemblés avant de prendre place sur le plateau froid garni de papier sulfurisé. Évidemment, le chocolat fondu durcit sans arrêt, c'est pourquoi il faut revenir à la cuisine le réchauffer souvent. Ma mère n'a jamais arrêté de faire ses Jetties, puisque ses amis les voulaient. Nous prétendions les trouver trop lourds, en continuant toutefois d'en engloutir jusqu'à la rage de dents. Je possède encore le vase à bonbons de cristal taillé dans lequel ses confiseries faisaient de courts séjours.

Les noix de pécan grillées étaient un autre *must*. Rôties dans le beurre et le sel ; les artères souffrent rien qu'en y pensant — nous les mangions par livres entières. Je ne peux passer Noël sans elles, même si j'en donne la plus grosse part à nos amis pour n'en garder qu'une petite boîte à la maison. Pour les invités, bien sûr.

Cette année, pas de Jetties. Mais il faut faire quelque chose de toutes nos amandes, et d'évidence, nous allons les griller. Le temps d'hiver requiert un grand pot de soupe rouge. En prévision de la venue d'Ashley et Jess, j'en prépare un de *ribolitta*, la soupe que l'on mange le soir en revenant des champs ou, maintenant que j'y pense, en arrivant de New York. Bouillie deux fois sonne comme une traduction peu appétissante. C'est bien sûr, comme tant de plats paysans, une soupe de la nécessité : haricots, légumes et quignons de pain.

L'hiver me permet de comprendre la cuisine toscane avec plus de profondeur. La gastronomie française, mon premier amour, est l'aboutissement d'une façon bourgeoise, alors que la cuisine toscane est une tradition paysanne évoluée. Un livre de recettes locales parle de la *cucina povera*, cuisine pauvre, origine d'une table maintenant abondante. Les *tortellone in brodo*, plat classique de Noël, ont une allure presque sophistiquée Trois demi-lunes de pâtes fourrées dans un bol fumant de bouillon clair — pourtant, vraiment, quoi de plus simple ? Ce sont quelques restes de *tortellone* dans un autre de bouillon. Plus encore que les pâtes, le pain est l'ingrédient de base de toute la gamme. Soupes et salades au pain, d'allure si riche, si imaginative, dans les restaurants de Californie, ne sont qu'une manière intelligente d'accommoder les restes, dans une petite maison où, sans doute, la cuisinière ne disposait que d'un peu d'huile ou d'un fond de cuisson en guise de variété. Probablement l'illustration la plus parlante de cette cuisine pauvre est l'*acquacotta*, « eau cuite ». S'il en existe plusieurs sortes d'un bout à l'autre de la Toscane, il s'agit toujours d'agrémenter un potage à base d'eau et de pain. Par chance, le bord des routes et des sentiers est truffé de compléments naturels. Une poignée de feuilles de menthe, quelques champignons, une petite pimprenelle, ou divers légumes verts prêteront leur arôme à l'eau de cuisson. Si l'on avait un œuf à portée de main, on l'incorporait à la soupe avant de servir. Le fait que la cuisine toscane soit restée si simple est un hommage séculaire aux paysannes qui s'arrangeaient si bien de leurs fourneaux que personne, même aujourd'hui, ne cherche à s'écarter des traditions.

*

Ashley et Jess arrivent à une heure d'intervalle, un miracle de synchronisation puisqu'elle a pris à

Rome le train de Chiusi et, lui, celui qui rejoint Camucia depuis Pise et Florence, où il a atterri en provenance de Londres. Nous cherchons d'abord ma fille et refaisons en vitesse les quarante minutes de trajet pour trouver Jess qui descend du train.

Les amis que les enfants amènent à la maison ne sont pas toujours faciles à gérer. Nous en avions reçu un dans la maison que nous louions dans le Mugello au nord de Florence, qui ne jurait que par Thomas Wolfe et passait ses journées sur la banquette arrière à lire *L'Ange exilé*. Nous avons parcouru la Toscane de long en large (pour lui et son amie qui étaient tous deux peintres) afin de leur montrer les toiles de Piero della Francesca, tandis qu'il s'obstinait à retourner ses pages et soupirer en chemin. Une fois seulement il a levé les yeux et, remarquant les balles de foin dorées dressées au milieu des champs, s'est mis à commenter : « Super, ça ressemble aux sculptures de Richard Serra. » Nous doutons qu'autre chose ait pu l'impressionner. Une jeune femme que Ashley a invitée souffrait de terribles rages de dents, en dehors toutefois des périodes de shopping. C'est à ces moments-là que, miraculeusement, ses douleurs se transformaient en fièvre acheteuse — et elle avait un œil pour les jolies choses. Ce après quoi elle rechutait et partait dans sa chambre, où il fallait lui apporter ses repas. Son appétit était en bonne santé, lui. Une fois rentrée à New York, son dentiste lui a curé trois dents jusqu'à la racine, et il faut croire que ses excursions commerçantes *furent* de remarquables triomphes intellectuels sur la souffrance. Un autre de ces hôtes ne m'a jamais remboursé l'aller et retour New York-Rome que Ashley a réglé en même temps que le sien avec ma carte AmEx. D'évidence, nous nous sommes posé des questions sur la personne avec qui nous allons passer deux semaines.

Si j'avais eu un fils, j'aurais aimé qu'il soit comme Jess. Nous avons été séduits d'entrée par son humour, sa vivacité intellectuelle, sa chaleur. Il s'est présenté avec un panier garni en osier, rempli de saumon fumé, stilton, biscuits d'avoine, miels et jambon. Il a passé ses deux dernières journées à Londres à acheter de jolis paquets enveloppés pour tout le monde. Mieux encore, il ne semble pas nous considérer comme des parents avec un grand P, mais comme des amis potentiels. Il ne nous demandera pas d'efforts particuliers, et j'aime le sentiment de se sentir plus grand lorsqu'on accueille une personne bienvenue dans sa vie. Mon amie iranienne maintient que les gens sont au départ attirés les uns les autres par leurs odeurs, ce qui me paraît assez logique. J'ai aimé instantanément la plupart des personnes qui comptent vraiment pour moi, sachant au même moment que je voudrais avec elles des relations à long terme (les liens qui n'ont pas pu durer me blessent encore). Jess connaît les paroles de tous les airs de rock. Ahsley s'amuse. Nous chantons déjà dans la voiture. Une chance.

C'est le milieu d'une journée trop ensoleillée

pour une *ribolitta*. Nous nous arrêtons en ville avaler des sandwichs dans un bar où Jess nous raconte
le mariage auquel il a assisté à Westminster Abbey.
Au terme d'un vol plus long, Ashley a besoin de
repos. Nous partons, Ed et moi, nous promener,
puis, le temps étant décidément agréable et l'habitude persistante, nous nous mettons à travailler au
jardin. Je dégage les mauvaises herbes autour des
plants comestibles, je sors les géraniums de leurs
pots en gardant les racines propres que je conserve-
rai, l'hiver, dans du papier journal. Ed tond le
gazon épais, puis ratisse. Tout est mouillé, riche,
sucré, plein de sève ; les mauvaises herbes elles-
mêmes sont belles. Je décore la niche de la murette
de quelques rameaux d'épicéas avec leurs pignes,
de branchettes d'oliviers, et je place une étoile
dorée au-dessus de la tête de Marie. Ed tente de
brûler un tas de feuilles que nous avons gardées
depuis l'été dernier où le temps était trop sec pour
le faire. Elles sont aujourd'hui si humides qu'elles
fument à peine. Lorsque Ashley et Jess refont apparition, nous partons à la pépinière acheter un sapin
et un grand pot pour le garder vivant. Il n'est pas
bien grand, mais domine tout le salon. Comme
nous ne disposons que d'une guirlande lumineuse
blanche, nous décidons d'aller le lendemain à Florence acheter d'autres décorations. J'ai rapporté
de Californie des bougies en forme d'étoiles et des
farolitos qui n'ont certes rien de toscan. C'est une
coutume de Santa Fe que de garnir à Noël les maisons d'*adobe* de ces lampions de papier, et je l'ai

adoptée depuis un séjour là-bas. Ceux-là sont en papier glacé dans lequel on a découpé des étoiles. Nous en disposons une douzaine le long de la première murette de pierre qui s'habille de magie sous les motifs illuminés. Nous couvrons le manteau de la cheminée des pignes de pins et des branches de cyprès que Ed a ramassées cet après-midi. Tout semble merveilleusement facile et je retrouve avec un plaisir infini le bonheur de Noël. Nos bols de *ribolitta* devant un bon feu finissent de nous achever. Enveloppés de couvertures de mohair dans nos grands fauteuils, nous écoutons Elvis chanter son Noël *blue, blue, blue...*

*

Au marché en plein air de Florence, nous trouvons boules et cloches de papier mâché et de longues guirlandes d'anges prédécoupés. Un camion au bord d'une allée sert des bols de *trippa*, des tripes, délice florentin par excellence. Les affaires semblent prospérer. Si j'ai eu l'impression hier de tomber amoureuse de l'hiver, aujourd'hui j'en suis certaine. Florence, magnifique, est rendue à elle-même par ce matin froid de décembre. Comme dans toutes les villes, les décorations sont jolies — proches les unes des autres, les guirlandes brillent dans les petites rues, perles de lumière aux nombreux pendentifs. Apparemment les Florentines ignorent le destin cruel des animaux à fourrure ; je n'ai jamais autant vu de longs et luxueux manteaux. Pas de fourrures synthétiques dans les magasins non plus. Les hommes portent de fins pardessus de laine et d'élégantes écharpes. Gilli, un de mes bars préférés, résonne de toutes ses voix bruyantes, du cliquetis des tasses et des incessants souffles du percolateur. Au milieu de la rue, Ed s'arrête en levant les mains : « Écoutez ?

— Quoi ? demandons-nous, figés.

— Rien, justement. Comment se fait-il que nous ne nous en soyons pas aperçus ? Pas la moindre Vespa ! C'est qu'il doit faire trop froid. »

Ashley veut des bottes pour Noël. C'est d'évidence l'endroit où les acheter. Elle en trouve des noires et une autre paire de daim marron. Je remarque un sac noir qui me plaît vraiment, dont je n'ai pas besoin et auquel je parviens à résister. Avant que tout soit fermé, nous nous précipitons à San Marco, calme monastère aux cellules ornées de fresques de Fra Angelico. Jess ne les a jamais vues et les douze anges musiciens me paraissent tout à fait d'actualité en cette saison. L'heure de la *siesta* ne tardera pas, et nous nous installons pour un long déjeuner chez Antolino's, une digne *trattoria* chauffée par un poêle bedonnant au milieu de la salle. Le menu propose pâtes au *ragù* de lièvre et de sanglier, canard, polenta et risotto. Les garçons vont et viennent avec leurs platées de gros rôtis.

Il nous reste tout le temps d'une longue promenade avant que la ville ne se ranime. Florence ! Si les touristes ne sont pas partis, c'est que le fin crachin brumeux les garde dans les murs. Nous pas-

sons devant l'appartement que nous avions loué, il
y a cinq ans, lorsque je me suis juré de ne jamais
revenir ici. L'été, des nuées de touristes encombrent toute la ville comme s'il s'agissait d'un Dis-
neyland Renaissance. Tout le monde semble à
table. Cette année-là, les éboueurs firent grève plus
d'une semaine et je commençais à redouter le
retour de la peste en longeant les monceaux d'immondices qui se répandaient hors des poubelles. Je
fus épatée tout le long du mois de juillet de voir
serveurs et commerçants garder leur habituelle
gentillesse dans cette situation impossible. J'ai eu
l'impression de gêner partout où je mettais le pied.
L'humanité entière me parut odieuse — jeunes
gens de tous pays avachis sur les marches avec leurs
tee-shirts déchirés et leurs sacs à dos, hordes de
touristes quittant leurs autocars pour jeter dans la
rue leurs emballages de glace et demander autour
d'eux : « Cela fait combien en dollars ? » Des Allemands dans leurs shorts trop courts qui laissaient
leurs enfants faire les quatre cents coups dans les
restaurants. La dame anglaise et sa fille qui avaient
commandé des *lasagne verde* avec un coca et se plai-
gnaient ensuite de ce que la pâte aux épinards soit
verte. Mon propre reflet dans une vitrine, mes nombreux paquets de chaussures à la main et ma robe
de soleil pas si avantageuse. Triste pays de merveille. Henry James à Florence parlait de « ses semblables et haïs pèlerins ». Certes oui, il est grand
temps de partir lorsque sa propre image devient un
de ces « semblables ». Malheureusement ce siècle

n'a pas donné de nouvelles gloires à cette ville
— sinon les meutes et le plomb qui encombrent
l'air.

Tôt le matin, pourtant, nous partions à pied chez
Marino prendre des brioches tièdes que nous
emportions sur le pont pour regarder les reflets
argentés d'une faïence vert pâle miroiter sur
l'Arno. Nous passions presque tous nos après-midi
à la piazza Santo Spirito, où un esprit de voisinage
se maintient même l'été. Le soleil déchiffré par les
branches des arbres dardait de ses rayons la grandiose et sculpturale façade nue de Brunelleschi,
tandis que des enfants jouaient en dessous au ballon. Cela doit se ressentir quelque part si on a
grandi en projetant sa balle sur l'un des murs de
Santo Spirito. Après tout, de nombreux visiteurs de
Florence parviennent peut-être l'été à trouver des
instants et des lieux de cette qualité, ceux où la ville
s'offre en redevenant elle-même.

Aujourd'hui, les rues de pierre luisent sous la
brume. Nous allons droit à la chapelle Brancacci.
Pas de file d'attente ; juste une demi-douzaine de
jeunes prêtres dans leurs longues soutanes noires,
derrière celui, plus âgé, qui leur montre et
explique les fresques de Masaccio. Je n'ai pas vu
Adam et Ève quitter le jardin d'Éden depuis que les
feuilles de vigne, peintes lors d'un accès de pudeur
papale, ont été retirées des fresques nettoyées et
restaurées. Presque choquant de les découvrir ainsi
débarrassées de cette pellicule que des siècles de
chandelles y avaient déposée : tous les visages sont

nets, sur les robes rose craie et safran. Chaque tête, isolée, étudiée, révèle un personnage. « Je voulais voir ce qui faisait de chacun ce qu'il était », disait Gertrude Stein à propos de son désir d'écrire des vies différentes. Masaccio avait un sens développé de la psychologie, de l'évocation narrative, et savait d'un œil sûr placer l'homme dans l'espace. Agenouillé dans un ruisseau, un néophyte attend d'être baptisé. L'eau transparente révèle ses genoux et ses pieds. Une cuvette inclinée à la main, San Pietro lui arrose la tête et le dos. Tout symbolisme de quelque art antérieur est délaissé pour éclabousser réellement la nuque du jeune homme. Le soin porté à l'architecture, à la lumière et à l'ombre est au nombre des ravissants talents de Masaccio (de Masolino et Lippi aussi, dont les mains sont visibles). Voici Florence comme il la vit, idéale peut-être, mais le soleil ici brille logiquement — contrairement à l'éclairage sans source de ses prédécesseurs — sur cette série de personnages que l'on aurait certainement reconnus dans la rue.

Nous nous dépêchons pour attraper le train de six heures dix-neuf, mais le manquons. En attendant le suivant, je mentionne le sac noir que je n'ai pas acheté et Ed conclut alors que ce serait un fantastique cadeau de Noël, bien que nous ayons décidé de ne dépenser d'argent que pour la maison. Littéralement *en courant*, il repart avec Jess au magasin qui se trouve presque à l'autre bout de la ville. Nous nous inquiétons, Ashley et moi, de ne pas les voir revenus cinq minutes avant notre départ, mais les voici, souriants, haletants, leur emplette à la main, tandis que le haut-parleur annonce l'arrivée du train.

L'avant-veille de Noël, nous faisons un périple en Ombrie. Ed veut nous servir son vin rouge préféré, le sagrantino, au dîner de Noël, impossible à trouver trop loin des rangs de vigne. Je cherche, moi, le parfait *panettone*. J'ai appelé Donatella, une amie italienne merveilleuse cuisinière, pour lui demander si nous pourrions en préparer un ensemble, pensant qu'à la maison il serait meilleur que celui du commerce, empilé par boîtes colorées dans toutes les épiceries et bars. « Il faut que la pâte lève vingt heures, dit-elle, c'est-à-dire quatre fois de suite. » Je me rappelle ma promptitude à gâcher la levure lorsque je m'évertue encore à faire seulement du pain. Donatella m'apprend que pour sa mère, lorsque celle-ci était jeune, le *panettone* était un simple pain dont on fourrait la pâte de noix et de fruits secs. *Cucina povera.* « C'est vraiment plus pratique de l'acheter. » Elle m'a indiqué plusieurs marques et j'en choisis un pour la famille de Francesco. Je suis en train d'en examiner un autre, lorsqu'une femme près de moi m'explique que les meilleurs sont ceux de Perugia. Elle inscrit le nom d'une boutique, Ceccarani, sur un bout de papier. Nous voilà donc partis à Pérouse.

La vitrine de Ceccarani figure une crèche entière finement constituée de pâte à pain glacée. Ce doit être un matériau commode ; le visage des personnages est expressif, les moutons sont laineux, les branches des palmiers, détaillées et précises. La nativité est entourée de champignons de massepain et des *pannetone* sont disposés sur les côtés. À l'intérieur de chaque gâteau, devinez ? Une autre crèche miniature. Incroyable.

La boutique est bondée : que des femmes. Je me fraie un chemin au fond pour choisir un *panettone* grand comme un haut-de-forme.

Nous nous enfonçons dans l'Ombrie et nous arrêtons à Spello dont nous arpentons les pentes raides et les terrasses. En redescendant de la ville, nous voyons une lune précoce se hisser par-dessus les collines. Nous la perdons au prochain virage pour la retrouver ensuite. La lune la plus grande, la plus blanche, la plus fantomatique que j'aie jamais vue. Tout le long de la route qui mène à Montefalco, pays du sagrantino, nous jouons à cache-cache avec elle. Jess s'est mis à surnommer Ed « Montefalco » en raison de son blouson de cuir noir et de sa tendance à accélérer. Il invente de nouvelles aventures de Montefalco à chaque fois que nous nous trompons de route. La cave est ouverte sur la *piazza*, mais le propriétaire est absent. Nous cherchons autour de nous, entrons, sortons, revenons — personne. Nous partons faire le tour de la *piazza*. La boutique reste toutes portes ouvertes et le propriétaire ne revient pas. Nous finissons par interroger un serveur dans un bar qui nous montre un homme en train de jouer aux cartes. Nous lui achetons quatre bouteilles et repartons à la maison en pourchassant la lune à travers l'Ombrie.

La veille de Noël, Ashley et moi nous lançons dans la cuisine. Jess, novice, joue les commis en récitant des textes de rock. Ed dédie toute la matinée à appliquer du silicone sur les vitres des fenêtres. Il court en ville prendre l'entrée du dîner, des *crespelle*, toutes fraîches chez le marchand de pâtes. De fines crêpes fourrées à la crème et aux truffes. Suite du repas : salade aux *porcini* chauds, poivrons rouges rôtis, laitues des champs, côtelettes de veau grillées et cardons à la béchamel et aux amandes. Au dessert, un gâteau de ma famille que je fais les yeux fermés, et le *castagnaccio*, classique toscan à la farine de châtaignes. Ma voisine conseille de ne pas m'y frotter. Sa grand-mère en faisait quand ils étaient très pauvres. « Ce n'est que de la farine, de l'huile d'olive et de l'eau, fait-elle en grimaçant. Ma grand-mère disait qu'elle en avait toujours mangé. Qu'on y mettait du romarin, des pignons, des graines de fenouil ou des raisins secs, s'il y en avait. » Je n'ai jamais travaillé la farine de châtaignes, que j'ai longtemps considérée ésotérique avant d'apprendre que c'était une des bases de la *cucina povera*. Cette recette est décidément bizarre. Comme le dit ma voisine, il doit s'agir d'un *goût acquis*.

« Mais, s'il n'y a pas de sucre, pas d'œufs — c'est un gâteau, quand même ? Combien d'eau faut-il mettre ? La recette dit seulement que la pâte doit couler facilement. » Ma voisine hoche la tête. Je suis intriguée. Ce gâteau doit nous ramener aux sources de la cuisine toscane. Ashley et Jess ne sont pas sûrs de vouloir voyager aussi loin dans le temps.

Avant la sieste, nous rejoignons la ville par la voie romaine pour ramener des laitues et du pain frais. Où est notre « ange » ? L'hiver, il ne semble pas venir honorer la Vierge. Je guette sa démarche lente, son regard vers la maison, puis le temps suspendu pendant lequel il dépose ses fleurs. Apportera-t-il une tige d'églantier avec son fruit rose vif, une grappe échevelée de raisins secs, une coque hérissée prête à donner naissance à trois petites châtaignes ? Peut-être se promène-t-il ailleurs l'hiver, ou reste-t-il chez lui dans un appartement moyenâgeux, à remettre des bûches dans son fourneau à bois.

Cortona bondit et sautille. Tout le monde porte au moins un *panettone* et un panier de douceurs sous cellophane. Aucune boutique ne diffuse cette musique de Noël passe-partout en conserve que je trouve si déprimante à la maison. Les bars sont bondés de clients qui s'abreuvent de café et de chocolats chauds, à cause de la *tramontagna* qui recommence à souffler l'air glacial des Alpes et des Apennins au nord.

Veille paisible, table d'abondance, dessert au coin du feu. Nous mangeons tous du gâteau de châtaignes. Plat et caoutchouteux, il a probablement le goût exact d'un dessert de Noël pendant la dernière guerre, quand on fouillait les forêts à la recherche de châtaignes. Nous l'abandonnons pour un grand plat de noix, de poires d'hiver et de gorgonzola, un dessert des dieux. Bien avant la messe de minuit, à laquelle nous voulions assister dans l'une des petites églises, nous nous replions.

*

Ed appelle d'en bas : « Regarde par la fenêtre. » La neige est tombée cette nuit, juste assez pour couvrir les branches des palmiers et glacer les terrasses d'une pellicule brillante.

« Génial ! Monte le chauffage ! » Mes pieds nus sont gelés. J'enfile chandail, jeans et chaussures et descends l'escalier. Les portes du rez-de-chaussée sont grandes ouvertes à la lumière givrée qui se rue à l'intérieur. Ed ramasse une boule de neige sur la table du jardin. Je fais un bond de côté, tandis qu'elle atterrit par terre. Nos beautés endormies n'ont pas émergé. Nous apportons nos cafés à la murette, épousetons la neige, et regardons le brouillard onduler par-dessous comme une mer d'opaline. De la neige pour Noël !

Ce bonheur est-il permis ? me demandé-je toute seule. Les dieux ne vont-ils pas descendre confisquer cette richesse, cette abondance de joie, et tous nos grands espoirs ? Est-ce la vieille cicatrice, que le désir et l'angoisse ont de tout temps refroissée ? Mon père est mort quand j'avais quatorze ans, la veille de Noël. Les obsèques furent couvertes de pluie, si intenses que le cercueil a flotté un instant avant de s'enfoncer. La robe de tulle rose pour ma danse de Noël est restée accrochée derrière la porte du placard. Ou bien ce trouble est-il seulement un avatar du grand *blues* collectif de fin d'année qui remplit les pages de décembre de tous les quotidiens ? Bien des Noëls de ma vie adulte ont été exquis, tout particulièrement lorsque Ashley était petite. Certains, peu, ont été solitaires. Un autre très agité. Quelles qu'elles soient, les saisons des joies ravivent des besoins primitifs qui sommeillent au fond de la psyché.

Le petit déjeuner pris, nous allumons un feu et ouvrons nos cadeaux. Nous en avons amené quelques-uns des États-Unis et, peu à peu, le tas habituel s'est formé sous l'arbre. Nous ne voulions pas qu'il y en ait tant, mais notre journée à Florence a inspiré savons, cahiers, chandails, en sus d'une quantité surprenante de chocolats. Parmi les cadeaux se trouve un poêlon à griller les châtaignes, que nous étrennons aussitôt. Comme nous nous retrouvons à quatre heures chez Fenella et Peter, nous arrivons munis de marrons au vin rouge. Il faut d'abord entailler finement la coque, puis les rôtir moins de dix minutes au-dessus des braises, en remuant souvent, avant de se casser les ongles à les peler. Parce qu'elles sont fraîches sans doute, les coques se défont vite sur les fruits cuits et charnus. Tout le monde se joint à la tâche et nos deux *faraone*, pintades, ont l'air de cuire toutes seules avec la tourte paysanne aux pommes dont nous roulons la pâte sur la plaque à gâteaux, avant d'y déposer nos quartiers sucrés et beurrés, les

amandes au centre, et de rabattre la croûte en dessins irréguliers. Notre cuisinière, Willie Bell, serait
fière de ma version de sa sauce à la crème. Au jus
des pintades, j'ajoute une béchamel et des miettes
de marrons grillés. Je mettrais des châtaignes partout. Fenella doit concocter un rôti de porc à la
polenta, Elizabeth apporte la salade, et Max s'est
désigné pour un second légume en sus du dessert.
Le jeûne ne serait pas de trop avant un tel festin,
mais nos lasagnes aux champignons des bois feront
un léger *lunch*. La promenade de Noël est une
vieille tradition, du moins pour Ashley et sa mère.
Ed et moi n'avons dit à personne où nous irons.

Nous prenons la voiture jusqu'au bout d'une
route qui part de la maison et descendons. C'est le
pur hasard qui nous a amenés là, un jour que nous
marchions ici et que nous avons aperçu le petit sentier à la fin. Nous avons continué de marcher et fait
cette découverte fantastique. C'est l'une des plus
belles sentes que mes jambes ont connues, et nous
avons décidé d'y revenir à Noël. L'eau ruisselle en
tous points inconnus de l'été. Les ruisseaux surgissent de la pierre et se déversent sur le chemin.
Nous trouvons une cascade qui lézarde en petits
torrents. Nous atteignons bientôt une forêt de pins
et de châtaigniers aux immenses troncs cente-
naires. Des nappes de neige subsistent dans les
bois, d'autres s'amassent plus haut au fond du paysage. L'air porte une saveur profonde de pin
mouillé. Nous trouvons un chemin pavé aux dalles
bien serrées. « Regardez, c'est une vieille route, dit

Ashley. Mais qu'est-ce que c'est ? Elle est plus large,
par là. » Au milieu de nulle part, voici une voie
romaine qui est restée presque intacte dans l'étendue du temps. Nous ne sommes jamais allés jusqu'au bout, mais Beppe, qui la connaît depuis qu'il
est petit garçon, affirme qu'elle mène à Monte
Sant'Egidio, vingt kilomètres plus loin. Au lieu de
sinuer en contournant les obstacles, les voies
romaines ont tendance à s'élever droit vers les som-
mets. Les chars romains étaient légers, et la distance la plus courte entre deux points semble avoir
eu la préférence des arpenteurs. J'ai lu que les fondations de certaines routes pouvaient atteindre
trois mètres cinquante de profondeur. Nous guet-
tons l'apparition d'une borne milliaire, mais elles
n'ont pas survécu ici. Cortona, en contrebas,
domine la vallée où l'horizon semble lustré, brillant. Nous apercevons au loin des montagnes que
nous n'avions pas encore remarquées, et les villes
hautes de Sinalunga, Montepulciano et Monte San
Savino, qui s'élèvent, toutes droites, comme trois
navires voguant dans le ciel. Sentant alors se
dénouer le dernier fil d'une fatigue sous-jacente, je
me mets à fredonner : « I saw three ships come sai-
ling on Christmas Day, on Christmas Day in the
morning[*]. » Un renard bondit sur le sentier devant
nous. Sa queue rousse et épaisse oscille un instant,

---

[*] « J'ai vu trois bateaux arriver le jour de Noël, le jour de
Noël au matin. »

le temps de nous dévisager, puis il file aussitôt rejoindre les bois.

*

La route qui conduit à la noble ferme de Fenella et de Peter est déjà assez accidentée l'été. Aujourd'hui nous devons bien tenir casseroles et plateaux sur nos genoux pour ne pas tout renverser. Je plains les essieux de la Twingo ! Il faut trouver le gué des torrents impromptus et nous manquons de nous enliser dans un fossé aux allures de marécage. À notre arrivée, tout le monde s'est groupé devant l'immense cheminée et le vin rouge coule déjà. Cette maison est vraiment l'un des plus beaux fleurons du style local. Le salon fut un grenier à blé, haut de deux étages. Des rangées de poutres noires parcourent le plafond. La pièce, immense, déborde d'antiquités, tapis et autres trésors — la collection d'une vie. Elle est impossible à chauffer, c'est pourquoi nous nous réfugions dans les grands canapés de l'ancienne cuisine, dont la vaste cheminée permettait aux cuisinières de l'époque d'y installer leurs chaises en surveillant les cuissons. Au rez-de-chaussée, la table longue de neuf mètres est ornée de rameaux de pin et de cierges rouges. Les fantômes de Noëls anciens passent dans les récits de chacun. Fenella étend la polenta chaude sur la planche en bois, tandis que Ed découpe les *faraone* et que Peter tranche le succulent rôti. Nous empilons nos assiettes. Fenella a fait un détour par Montepulciano d'où elle a ramené une cargaison de son *vino nobile* chéri, qui se promène de verre en verre. Fenella lève le sien : « Aux amis qui ne sont pas venus. » « À la polenta », renchérit Ed. Notre petite bande d'expatriés est heureuse.

En rentrant, plus tard, nous nous arrêtons en ville boire un café. Nous nous attendions à trouver les rues désertes, un soir de Noël à neuf heures, mais tout le monde est dehors, du bébé à la grand-mère avec tous les intermédiaires. Et l'on parle, et l'on parle, bien sûr. Je demande à Jess : « Toi qui es objectif : comme cet endroit est encore nouveau pour toi, il faut que tu me dises ; est-ce une illusion, ou bien est-ce que cette ville est l'endroit le plus génial, le plus divin de la planète ? »

Sans hésiter, il répond : « Je dirais que oui. Extra *primo* super. »

La *passeggiata* consiste ce soir à déambuler d'église en église, pour y admirer la naissance du Christ. Omniprésente, elle est encore ici l'essence de Noël. Je suis probablement païenne, mais je pense que cette naissance est une excellente métaphore de la fin de l'année, si sombre et si profonde. Au premier cri du nouveau-né sur la paille, la mort s'écarte. Le petit Jésus de chaque église porte une auréole sur la tête. Le soleil franchit l'équateur céleste pour nous ramener les journées que j'aime tant. Le premier pas d'un balancement vers la lumière. L'incessante nervosité du moment recouvre peut-être le désir de retrouver une clarté interne au fond de soi. J'ai lu quelque part que le

corps humain détient la même et exacte propor-
tion de minéraux que la terre ; les pourcentages de
zinc et de potassium détenus par le sol correspon-
dent aux nôtres. Se pourrait-il que le corps soit
animé du désir inné d'imiter le pouvoir régénérateur de la terre ?

Les églises de Cortona ont toutes leur crèche, le
presepe. Certaines sont de minutieuses reproductions, à la cire, de peintures connues, avec leur
architecture propre et de petits personnages cos-
tumés en bois ; d'autres sont simplement en terre
cuite. Un berceau, ici, est fait de bâtonnets d'esqui-
maux. L'école secondaire a exposé les créations de
ses élèves. Elles sont moins élaborées, mais les
enfants ont composé d'émouvantes crèches. La
plupart sont traditionnelles : poupées, arbres de
brindilles, miroirs en guise de mares, mais il s'en
trouve une épatante. Paolo Alunni, peut-être âgé
de dix ans, est le véritable héritier des Futuristes,
de leur vénération de la mécanique et de l'énergie.
Sa crèche — l'étable, les personnages et les animaux — est entièrement constituée de clefs. Celles
qui figurent les animaux sont placées à l'horizon-
tale, et il n'y a aucune confusion possible entre les
moutons et les vaches. Les humains se dressent plutôt à la verticale, à l'exception de la minuscule et
adorable clef de journal intime qui représente l'enfant Jésus. Le toit de l'étable est un gond de porte.
Surréaliste, mais efficace — une formidable œuvre
d'art qui se détache du petit lot consciencieux.

*

Je regarde tous les matins de ma fenêtre la vallée couverte de brume, teintée de rose à l'aube des journées claires, d'un gris trouble lorsque le vent pousse les hauts nuages du nord. Ce sont des jours unis de promenades et de lecture, d'aller et retour à Anghiari, Siena, Assisi, ou Lucignano plus proche, dont les remparts dessinent une gracieuse ellipse. Le soir, nous faisons avec le gril de la cheminée — *bruschetta* aux noix et *pecorino* fondu, tranches de *pecorino* frais au *prosciutto*, saucisses. La *scamorza*, originaire des Abruzzes, mais qui jouit d'un succès croissant en Toscane, est un fromage à croûte dure qui reproduit la forme d'un 8. Il fond presque tout seul et nous le couchons sur le pain. J'apprends à me servir de la cheminée pour chauffer les assiettes et garder les plats à la bonne température, comme ma *nonna* imaginaire devait le faire. Nos pâtes favorites du moment sont des *pici con funghi e salsiccie*, épaisses comme des crayons, avec champignons des bois et saucisses. Dix kilomètres de marche le long d'un pare-feu estompent l'effet d'une soirée de grillades.

La veille du nouvel an, je rentre à la maison, la voiture pleine de provisions. Nous préparons les traditionnelles lentilles (les formes rondes de petites pièces de monnaie symbolisent la prospérité) avec des *zampone*, des saucisses qui ressemblent à un pied de cochon. En montant vers la maison, je passe devant le dôme de Santa Maria Nuova en contrebas. Le brouillard enveloppe entièrement l'église dont la coupole flotte par-dessus un nuage. Cinq arcs-en-ciel plongent et s'entrecroisent autour du dôme. Je manque de quitter la route. Arrivée au tournant, je me gare pour descendre de voiture en regrettant d'être toute seule. C'est époustouflant. Au Moyen Âge, j'aurais crié au miracle. Une autre voiture s'arrête, de laquelle bondit un homme arborant un chic accoutrement de chasseur. C'est sans doute un ennemi du chant des oiseaux, mais il semble lui aussi stupéfié. Nous restons immobiles à contempler la scène. Le nuage s'élève au-dessus de l'église, tandis que les arcs-en-ciel un par un s'évanouissent. Mais le dôme continue de dériver sous mes yeux, comme en l'attente d'un autre signe annonciateur. Je lève la main à l'attention du chasseur. « *Auguri* », fait-il à haute voix.

*

Avant que Ashley et Jess ne rentrent à New York, où un hiver plus dur attend de prendre place, et nous à San Francisco où des narcisses blanches comme du papier vierge fleurissent déjà à Golden Gate Park, nous plantons notre arbre de Noël. Je m'attendais à ce que le sol soit dur, mais non. C'est un terreau fort riche qui cède sous la pelle. En creusant, Jess tombe sur le crâne blanc d'un hérisson dont le maxillaire denté, relié à la mâchoire par un ligament, est encore parfaitement articulé.

Memento mori, pensée adéquate alors que la fin de l'année s'enroule dans la suivante. L'arbre solide semble aussitôt chez lui sur la terrasse du bas. Devenu grand, il dominera un jour la route en contrebas. D'en haut, nous regarderons sa cime s'élever de saison en saison. S'il profite, les premières années, de pluies assez abondantes, il sera dans cinquante ans le géant de la colline. Ahsley sera alors âgée et se souviendra de l'avoir planté. Elle est d'une beauté si épanouie que je ne peux pas l'imaginer vieillir. Elle viendra avec ses amis, ou sa propre famille, et tous s'émerveilleront. Ou peut-être les inconnus qui auront la maison couperont les branches du bas pour faire du feu. Bramasole sera sûrement toujours là, et les oliviers que nous avons également plantés seront grands et forts sur les terrasses.

Notes d'une cuisine d'hiver

Cibo, les aliments, la nourriture, un mot du vocabulaire de base. Je remplis un sac de *cibo* que j'emmène en Californie. Je ne sais pas à quel moment précisément mon fourre-tout sert de camouflage au cabas. En sus de l'huile d'olive (chacun de nous en rapporte deux litres), j'y glisse des tubes de ces pâtes si pratiques pour composer de rapides hors-d'œuvre : aux truffes blanches, aux câpres, aux olives et à l'ail. Elles sont très bon marché ici et faciles à transporter. Je prends des cubes de bouillon de *porcini*, introuvables à la maison, et environ une livre de *porcini* secs. Les boîtes colorées et les emballages luisants des chocolats Perugina sont des cadeaux pratiques. Je ramènerais bien une meule de *parmiggiano*, mais mon sac manque peut-être d'un peu de place. J'y fourre également une bouteille de vinaigre aromatisé aux truffes et un bon *aceto balsamico*. Je remarque que Ed a déjà rangé une bouteille de grappa, avec un pot de miel de châtaignier.

À la question « Transportez-vous des comestibles ? » du formulaire des douanes, je dois toujours répondre oui. Tant que les produits sont pourvus d'un emballage scellé, personne ne semble s'inquiéter. Une amie qui rapportait dans ses poches des saucisses typiques de sa ville natale de Ferrara s'est fait repérer par les chiens policiers, puis dépouiller de son patrimoine.

Le seul accessoire de cuisine que j'emporte généralement *en Italie* est un rouleau de film plastique transparent ; celui que l'on trouve ici se déroule toujours mal, et je dois ensuite démêler des bouts de rubans de cinq centimètres de large. Cette fois, pourtant, j'avais rapporté de Californie un sac de noix de pécan de Géorgie et une bouteille de sirop de sucre de canne, la tarte aux pécans étant indissociable de Noël. Tous les autres ingrédients d'un Noël toscan me paraissent nouveaux. C'est un des plaisirs de la cuisine de tout réapprendre de temps à autre.

Ici les plats d'hiver rappellent le chasseur qui rentre à la maison, ses grandes poches pleines d'oiseaux morts, le fermier qui range sa récolte d'olives avant d'entreprendre dans le froid l'élagage des arbres, et la taille des vignes pour un nouveau printemps. En cette saison, la cuisine toscane répond aux meilleurs appétits. Nos longues promenades nous préparent aux plats copieux que nous choisissons dans les *trattorie* : pâtes au *ragù* de sanglier, ou de *lepre*, lièvre, fricassées de champignons, polenta. Les riches odeurs qui se répandent hors de la cuisine sont différentes, l'hiver. Aux senteurs du basi-

lic, de la citronnelle et des tomates, légères et esti-
vales, succèdent celles d'un succulent rôti de porc
glacé au miel, de pintades qui cuisent sous les
bardes de *pancetta*, et de la *ribolitta*, la plus cordiale
des soupes. Subtiles et pourtant si terrestres, les
fines lamelles des truffes d'Ombrie dont on pare
une assiette de pâtes éveillent tous les sens. Nous
oublions au petit déjeuner les melons parfumés de
l'été et garnissons les tranches du pain de la veille
des confitures que j'ai faites l'an dernier avec les
coscie di monaca, cuisses de nonnes, qui poussent
derrière la maison. Les œufs m'étonnent toujours
ici, tant ils sont *jaunes*. Leur remarquable fraîcheur
est tellement sensible qu'une assiette d'œufs
brouillés, mélangés à une bonne cuillerée de mascarpone, devient un mets de choix.

Je ne m'attendais pas à prendre autant de plaisir
à cuisiner l'hiver : la liste des provisions change du
tout au tout à la saison froide. Il n'y a pas ici d'asperges du Pérou ni de raisins du Chili. On trouve
essentiellement ce qui pousse sur place, quoique
les agrumes proviennent du Sud et de la Sicile. Sur
le rebord de la fenêtre, le saladier bleu fait ressortir
une petite montagne de minuscules clémentines,
d'un orange éclatant. Ed les mange par deux ou
trois. Il jette les peaux dans la cheminée, qui noircissent et se flétrissent en dégageant une odeur
âcre d'huile d'orange brûlée. Comme les journées
sont courtes, les dîners, longuement préparés,
s'étendent dans la soirée.

ANTIPASTI.

Les *crostini, antipasti* communs aux menus de tous les restaurants de Toscane, sont comme les *bruschette* des bouts de pain que l'on garnit ou tartine de différentes préparations. Les *crostini* sont des rondelles d'un pain en forme de baguette que l'on achète au *forno*. On trouvera généralement plusieurs sortes de *crostini* dans le même plat. Les plus appréciés sont les *crostini di fegatini*, aux foies de volailles cuits et écrasés. J'en sers souvent garnis d'une pâte aillée, puis couronnés de crevettes grillées. Les *bruschette* sont faites avec des tranches de gros pain que l'on trempe rapidement dans l'huile d'olive avant de les griller et de les frotter à l'ail. L'été, garnies de tomates hachées et de feuilles de basilic, elles servent souvent de hors-d'œuvre ou d'en-cas. C'est un plaisir de préparer devant la cheminée les copieuses *bruschette* d'hiver. Quand des amis nous rendent visite, nous ouvrons avec eux un généreux *vino nobile*.

Bruschette au pecorino et aux noix.

> *Préparer des* bruschette *comme décrit ci-dessus. Pour chaque* bruschetta, *faire fondre lentement une tranche de* pecorino *(ou* fontina*) dans une poêle sur les braises, ou sur le gaz. Lorsque le fromage commence à fondre, saupoudrer de miettes de noix. Faire ensuite glisser de petites portions sur le pain grillé avec une spatule.*

Bruschette au pecorino et au prosciutto.

> *Préparer les* bruschette. *Dans un poêlon au-dessus du feu, ou une poêle antiadhésive (sur la cuisinière), faire lentement fondre des tranches de* pecorino, *couvrir d'un peu de* prosciutto, *puis d'une nouvelle tranche de fromage. Retourner pour bien faire fondre des deux côtés. Les bords doivent être croustillants. Garnir le pain.*

Bruschette vertes.

> *Hacher un* cavolo nero, *chou noir (ou cardes suisses). Saler, poivrer, puis faire sauter dans l'huile d'olive avec 2 gousses d'ail haché. Tartiner 1 à 2 cuillerées à soupe sur chaque* bruschetta.

Bruschette con pesto di rucola.

Cette variante du *pesto* habituel est aussi bonne avec les pâtes. C'est un plaisir de cultiver de la roquette. Elle pousse vite et les jeunes feuilles poivrées sont les meilleures. Plus tard, et plus grandes, elles deviennent généralement amères.

> *Préparer des* bruschette, *mais cette fois couper le pain en petits morceaux. Dans un mixeur ou au mortier, mélanger 1 petite botte de roquette, sel et poivre, 3 gousses d'ail et 1/4 de tasse de pignons. Mixer ou malaxer, puis incorporer assez d'huile d'olive pour former une pâte épaisse. Ajouter 1/2 tasse de parmesan râpé. Tartiner le pain grillé. Pour obtenir environ 1 tasse ou 1 1/2 tasse.*

Bruschette aux aubergines grillées.

J'ai souvent carbonisé mes aubergines sur le gril
— je les retrouvais noires, jamais à point — c'est
pourquoi je les fais maintenant cuire au four, environ vingt minutes, avant de les couper en tranches,
et je termine sur le gril.

> *Mettre au four 1 aubergine enveloppée de papier alu-*
> *minium jusqu'à ce qu'elle soit presque cuite. Couper*
> *en tranches, saler, puis laisser reposer quelques*
> *minutes sur un papier absorbant. Badigeonner légè-*
> *rement chaque tranche d'huile d'olive, saler, poivrer*
> *et faire griller. Hacher 1/2 tasse de persil frais,*
> *mélanger avec un peu de thym et de marjolaine*
> *ciselés. Huiler de nouveau légèrement les tranches si*
> *elles semblent desséchées. Poser chacune sur un mor-*
> *ceau de* bruschetta, *saupoudrer avec les herbes*
> *mélangées et un peu de* pecorino *ou parmesan*
> *râpé. Remettre ensuite à four chaud pour que le fro-*
> *mage fonde un instant.*

PRIMI PIATTI.

Lasagne aux champignons.

Les boîtes de pâte à lasagne sèche me laissent
froide — trop épais, ils font un plat caoutchouteux.
Alors qu'avec une pâte fine et fraîche on obtient
des lasagnes très légères. J'ai observé une vrai pro
en faire dans une boutique d'ici. La pâte qu'elle

étend est mince et souple comme un drap de lit. L'été, on remplacera les champignons par des légumes frais : courgettes, tomates, oignons et aubergines en tranches, assaisonnés d'herbes fraîches.

Découper la pâte de façon à obtenir 6 couches de la taille d'un grand plat à four (les couches intermédiaires peuvent se composer de plusieurs bouts). Préparer une béchamel : faire fondre 4 cuillerées à soupe de beurre, mélanger avec 4 cuillerées à soupe de farine, faire prendre sans brunir. Au bout de 3 ou 4 minutes, introduire hors du feu 2 tasses de lait d'un coup et mélanger au fouet. Mettre ensuite à feu doux et remuer jusqu'à ce que la sauce épaississe. Émincer 3 gousses d'ail que l'on ajoute à la béchamel, avec 1 cuillerée à soupe de thym haché, sel et poivre. Râper entre 1 tasse et 1 1/2 tasse de parmesan. Dans une grande poêle, faire chauffer 2 cuillerées à soupe d'huile d'olive, ou de beurre, et faire sauter 3 tasses de champignons frais en morceaux — cèpes de préférence. En l'absence de champignons frais, utiliser un mélange de champignons secs — porcini entre autres — que l'on aura fait tremper 30 minutes dans un bouillon, de l'eau, du vin ou du cognac.

Montage : faire cuire sommairement à l'eau bouillante 1 feuille de pâte, puis la laisser reposer brièvement sur un linge propre étendu sur le plan de travail. Placer la feuille presque sèche dans le plat à four légèrement enduit d'huile, étendre une couche

*de béchamel, une autre de champignons cuits et sau-
poudrer de fromage. Ébouillanter les feuilles de pâte
au fur et à mesure. Étendre la béchamel avec 1 ou
2 cuillerées à soupe de l'eau de cuisson, s'il n'en reste
pas assez à la fin. Les Toscans mettent toujours un
peu d'eau de cuisson des pâtes dans leurs sauces.
Saupoudrer la dernière couche de chapelure et de
parmesan. Mettre au four 30 minutes à 175 degrés.
Pour 8 personnes.*

*

Ribolitta.

Au pain, bien sûr, cette soupe épaisse de
légumes et de haricots blancs vous réchauffera
l'âme. Comme le suggère la traduction, « bouillie
deux fois », c'est une soupe dans laquelle on incor-
pore aisément des restes, ceux d'un grand repas du
dimanche, par exemple. La recette traditionnelle
indique que des quignons de pain doivent être
ajoutés en fin de cuisson. Les Toscans versent de
l'huile dans leurs assiettes. Avec une salade, on a
un repas complet — à moins d'avoir passé la journée à labourer les champs. Tous les légumes, ou
presque, trouvent leur place ici. Lorsque je dis
« *zuppa* » à Maria Rita, elle mettra dans mon sac
tout ce dont j'ai besoin, avec quelques touffes de
persil frais, du basilic et de l'ail. Je suis son conseil
de mettre dans la soupe une croûte de parmesan.
Une fois cuite, c'est le cadeau de la cuisinière.

Bien laver 1 livre de haricots blancs, puis les mettre à bouillir dans beaucoup d'eau dans une grande casserole. À ébullition, sortir du feu et laisser environ 2 heures dans l'eau. Couvrir à nouveau d'eau, ajouter sel et poivre, et laisser mijoter jusqu'à ce qu'ils soient presque cuits. Il faut les surveiller car, une fois cuits, ils deviennent vite spongieux. Laver et couper en morceaux moyens : 2 oignons, 6 carottes, 4 branches de céleri, 1 botte de chou frisé ou de bettes, 4 ou 5 gousses d'ail, et 5 grosses tomates (ou 1 boîte de tomates pelées en hiver). Hacher 1 touffe de persil. Sauter oignons et carottes dans l'huile d'olive. Au bout de quelques minutes, ajouter le céleri, puis les bettes et l'ail, et 1 goutte d'huile si nécessaire. Laisser cuire 10 minutes, puis mettre les tomates, 1 croûte de parmesan et les haricots. Couvrir avec suffisamment de bouillon (légumes, poule ou viande). Porter à ébullition, puis laisser mijoter 1 heure à feu doux pour lier les saveurs. Ajouter pain en cubes. Laisser refroidir plusieurs heures. Au moment de réchauffer, mettre le persil, râper du parmesan par-dessus, et servir avec la bouteille d'huile d'olive. Le lendemain, on pourra ajouter des restes de pâtes, des haricots verts, de la pancetta *ou des pommes de terre. Pour au moins 15 personnes, selon la quantité de bouillon utilisée.*

*

Pici rapides à la crème et à la tomate.

Les épaisses sauces au lièvre et au sanglier conviennent particulièrement bien à ces grosses et longues pâtes de notre coin de Toscane, rondes comme des crayons. J'utilise également cette sauce avec des *fusilli*, des *pappardelle*, ou autres pâtes larges. C'est une de nos préférées.

> *Faire griller 4 ou 5 tranches de pancetta, éponger sur papier absorbant, puis émietter et réserver. Hacher 2 oignons moyens avec 2 ou 3 gousses d'ail et faire revenir 5 minutes dans l'huile d'olive. Hacher, puis ajouter 1 grand poivron rouge et 4 ou 5 tomates. Saler, poivrer, et laisser cuire 5 minutes. Ajouter thym, origan et basilic ciselés. Introduire 1/2 tasse de crème légère et 3/4 de tasse de purée de tomates. Mélanger 1 ou 2 cuillerées à soupe de l'eau de cuisson des pâtes. Il faut ajouter la pancetta en miettes au dernier moment pour qu'elle reste croustillante. Préparer suffisamment de pâtes pour quatre. Introduire la moitié de la sauce dans les pâtes et poser le reste par-dessus. Maintenant, faites passer le parmesan ! Pour 4 personnes.*

SECONDI.

Cailles braisées aux baies de genièvre et à la pancetta.

Mon père était chasseur et Willie Bell, notre cuisinière, se perdait parfois derrière des nuages de duvet, tandis qu'elle plumait des nuées de cailles. Leurs petites têtes mortes penchaient toujours du même côté. Je n'en mangeais jamais, même au sortir du four à bois, dans le jardin, où elles cuisaient, couvertes de crème poivrée, dans un immense chaudron fermé. J'en ai goûté d'autres depuis, avec de meilleures dispositions. Âgé d'au moins douze ans, le vinaigre balsamique devrait venir de Modena, porter l'appellation *Aceto Balsamico Tradizionale di Modena* et les lettres *API MO*. Les très vieux vinaigres balsamiques sont si doux qu'ils ont presque un goût de liqueur. Je crois que Willie Bell ne ferait pas la fine bouche.

Fariner 12 cailles (2 par personne) que l'on fait rapidement brunir dans l'huile d'olive chaude, avant de les disposer dans une épaisse cocotte bien fermée, dans laquelle on verse 1/4 de tasse de vinaigre balsamique. Couvrir les cailles de bardes de pancetta *et de 2 échalotes émincées. Ajouter brindilles de thym, poivre du moulin et baies de genièvre. Faire braiser 3 heures à four doux (135 degrés). Retourner les cailles à mi-cuisson. Ajouter un peu de vin rouge, ou du vinaigre balsamique si elles paraissent trop sèches. Excellent avec la polenta. Pour 6 personnes.*

*

Poulets rôtis farcis à la polenta.

Dans ma Géorgie natale, la dinde de Noël était toujours fourrée d'une farce à base de maïs. Inspirée d'une recette de ma mère, cette version fait la part belle aux produits italiens.

> *Faire tremper 2 tasses de polenta dans 3 tasses d'eau pendant 10 minutes, puis ajouter aux 2 tasses d'eau que l'on a portées à ébullition dans une marmite. Faire bouillir à nouveau, baisser le feu et remuer constamment pendant 10 minutes. Sortir du feu et mélanger 2 œufs battus. Ajouter 2 tasses de petits croûtons, 2 oignons hachés, 3 branches de céleri émincées, et des doses généreuses de sel, poivre, sauge, thym et marjolaine. Farcir légèrement 2 poulets (ou 1 dinde), brider et poser quelques brindilles de thym sur la volaille avant de l'enfourner. Faire rôtir dans un grand plat huilé. Il faut compter environ 25 minutes par livre à 175 degrés — mais il est bon de vérifier la cuisson plus tôt. Les restes de farce peuvent être cuits séparément dans un plat beurré. Pour 8 personnes.*

Faraone (pintades) au fenouil.

On trouve toujours des pintades, goûteuses et délicates, chez le boucher. Pour Noël, nous en avons rôti deux que nous avons présentées sur un grand plat, garni de saucisses italiennes grillées et d'une tresse d'herbes aromatiques. Les os ont servi le lendemain à préparer un excellent bouillon. Des pommes de terre cuites au four avec ail et romarin feront un délicieux accompagnement.

Je crains qu'il ne faille recourir à la pince à épiler pour débarrasser les faraone *de leurs dernières plumes. Bien laver et sécher 2 pintades. La préparation la plus simple est la meilleure — le goût propre de la volaille en sortira intact. Poser quelques branches de romarin dans un plat huilé avant de mettre les pintades, que l'on aura frottées avec un mélange de romarin, de basilic et de thym, puis bardées de* pancetta. *Ôter la partie dure et extérieure de 2 bulbes de fenouil, que l'on coupera en croissants de 1 centimètre environ, avant de les disposer autour des volailles avec quelques oignons coupés en gros morceaux. Arroser légèrement d'huile d'olive, puis faire rôtir à 175 degrés (20 minutes par livre). La pintade étant moins grasse que le poulet, ne pas dépasser le temps de cuisson. On peut faire une sauce épaisse en ajoutant béchamel et châtaignes grillées au jus de cuisson. Pour 4 personnes.*

*

Lapin aux tomates et au vinaigre balsamique.

Le *coniglio* est un classique de la cuisine toscane. Une paysanne est toujours là au marché du samedi, avec trois ou quatre lapins duveteux qui vous regardent, serrés dans un vieux sac Alitalia. Rouge chair et bien rangés dans leurs casiers propres, ils me font moins de peine chez le boucher qui leur laisse parfois une collerette de fourrure pour bien montrer que ce ne sont pas des chats. Oublions ce genre de détails pour rappeler que le lapin, mijoté aux herbes dans une épaisse sauce tomate, est un mets délicieux. Et appelez-le *coniglio* devant les enfants.

> *Faire couper le lapin en morceaux que l'on passera dans la farine avant de les faire rapidement brunir à l'huile d'olive. Disposer dans un plat à four et couvrir avec la sauce suivante : faire blondir 1 grand oignon haché avec 3 ou 4 gousses d'ail. Tailler 4 ou 5 tomates que l'on ajoute dans la poêle. Assaisonner de curcuma, romarin, sel, poivre et graines de fenouil grillées. Introduire 4 cuillerées à soupe de vinaigre balsamique et laisser réduire. Mettre le lapin au four, sans couvercle, environ 40 minutes à 175 degrés. À mi-cuisson, arroser de 2 ou 3 cuillerées à soupe de vinaigre balsamique. Pour 4 personnes.*

*

Polenta aux saucisses et fontina.

L'hiver, la boutique de pâtes fraîches de Cortona vend de la polenta aux miettes de noix, qui fera une garniture simple, mais agréable, pour rôtis et poulets. Accompagnée de saucisses et d'une bonne salade, la polenta est déjà un copieux repas.

> *Préparer normalement la polenta (voir page 222). En verser la moitié dans un plat à four huilé.*

Râper ou couper en fines lamelles entre 1 tasse et 1 1/2 tasse de fontina que l'on étendra sur la première couche de polenta. Saler, poivrer. Ajouter par-dessus le reste de polenta. Faire griller 6 saucisses italiennes que l'on coupera en tranches à disposer sur le plat avec le jus de leur cuisson. Faire cuire 15 minutes au four à 150 degrés. Pour 6 personnes.

*

Filet mignon de porc glacé au miel et au fenouil.

Le filet est le morceau le plus tendre et le plus maigre du porc. Un beau filet suffit à deux bons appétits, et le goût du fenouil se marie bien à celui de la viande. Il pousse partout spontanément à Bramasole. Je ne sais si sa popularité ici a pour origine ses vertus aphrodisiaques, ou curatives en cas de maladie des yeux. J'aime son joli plumet et la mythologie associée. Prométhée est censé avoir apporté le feu aux hommes, conservé à l'intérieur d'une branche creuse et épaisse de fenouil.

Badigeonner 2 filets d'une fine couche de miel. Dans un mortier, ou au mixeur, broyer 1 cuillerée à soupe de graines de fenouil. Ajouter 1 cuillerée à soupe de romarin finement ciselé, sel, poivre et 2 gousses d'ail pressées. Étendre la pâte obtenue sur les filets. Disposer dans un plat creux huilé. Faire cuire environ 30 minutes au four à 200 degrés : le porc doit être alors encore légèrement rose au centre. Entre-temps, émincer 2 bulbes de fenouil en tranches de 1,5 centi-

mètre. Retirer la partie dure et amère. Faire cuire à la vapeur environ 10 minutes ; le fenouil ne doit pas ramollir. Réduire en purée, puis ajouter 1/4 de tasse de vin blanc, 1/2 tasse de parmesan râpé et 1/2 tasse de mascarpone (ou crème fraîche). Placer les filets dans un plat beurré puis verser la sauce ; garnir de chapelure et de beurre. Mettre au four environ 10 minutes à 175 degrés. Décorer avant de servir avec des feuilles de fenouil, si possible, ou du romarin fais. Pour 4 personnes.

CONTORNI.

Châtaignes au vin rouge.

Bien que je vive à proximité d'une forêt de châtaigniers, leur fruit reste pour moi un luxe. Nous en grillons quelques-unes tous les soirs que nous dégustons avec un verre d'*amaro*, une *grappa* ou un dernier café. Une petite entaille, une petite croix sur la coque avant de les mettre dans leur poêlon, et elles s'ouvrent aisément une fois bien chaudes. De nombreux livres de cuisine conseillent de les faire griller jusqu'à une heure ! Cela va très vite dans la cheminée — quinze minutes tout au plus, selon l'intensité des braises. Il faut remuer souvent le poêlon et les retirer au moindre signe de brunissement. Les châtaignes accompagnent toutes les viandes goûteuses de l'hiver, notamment les pintades.

Faire griller, puis peler 30 à 40 châtaignes que l'on couvre à peine de vin rouge pendant 30 minutes, ce qui suffit à combiner les goûts. Ne pas consommer la marinade. Pour 6 personnes.

*

Flan à l'ail.

Excellent avec tout rôti.

Détacher les gousses d'une grande tête d'ail. Les plonger, non pelées, dans l'eau bouillante pendant 5 minutes. Laisser refroidir, peler et émincer les gousses, puis les presser à la fourchette. Mélanger ensuite à 2 tasses de crème fraîche que l'on fait juste chauffer dans une poêle. Ajouter un peu de muscade râpée, sel et poivre. Sortir du feu pour introduire 4 jaunes d'œufs. Verser dans 6 moules à flan individuels bien huilés, ou un moule plat. Faire cuire au bain-marie à 175 degrés, ou jusqu'à obtention d'une consistance épaisse. Laisser refroidir 10 minutes avant de démouler.

*

Cardons.

Grands comme le bras, épineux et vert pâle, les cardons sont difficiles à préparer, mais en valent la peine. C'était pour moi un nouveau légume. J'ai appris à peler les tiges dures et filandreuses — elles ressemblent un peu au céleri — et à les immerger aussitôt dans une eau citronnée, faute de quoi ils noircissent tout de suite. J'ai d'abord essayé la vapeur, mais ils n'avaient jamais l'air cuits. Les bouillir est en fait le mieux — jusqu'à ce qu'ils cèdent sous la fourchette. Leur goût, leur consistance rappellent l'artichaut — ce qui n'est pas surprenant puisqu'ils en sont cousins.

> *Peler 1 bonne botte de cardons que l'on pose un instant dans de l'eau citronnée, avant de les découper en morceaux de 5 centimètres d'épaisseur. Mettre à bouillir sans les cuire tout à fait. Passer, et disposer dans un plat à four bien beurré. Saler, poivrer et couvrir d'une béchamel légère (voir recette page 369), de beurre en dés, et saupoudrer de parmesan râpé. Mettre au four 20 minutes à 175 degrés.*

*

Cèpes tièdes en salade aux piments rôtis verts et rouges.

Cette salade composée sera aussi bien une entrée colorée qu'un bon plat de résistance.

> *Faire griller ou sauter 2 grands champignons la tête en bas dans l'huile d'olive (c'est ainsi qu'ils ne perdent pas leur jus). Couper en tranches et mouiller légèrement de vinaigrette. Faire griller deux poivrons, un rouge et un vert, qu'on laisse refroidir dans un sac en plastique pour mieux enlever les peaux. Couper en tranches et mouiller légèrement de*

*vinaigrette. Trancher en rondelles 1 oignon rouge.
Griller 1/4 de tasse de pignons de pin. Faire une
salade — trévise, roquette et autres couleurs et
consistances — avec sa vinaigrette, remuer les
feuilles, puis placer sur chaque assiette individuelle.
Disposer par-dessus poivrons chauds, rondelles d'oignon, champignons cuits et pignons grillés à la fin.
Pour 6 personnes.*

DOLCI.

Poires d'hiver au vino nobile.

Des poires marinées sont toujours jolies. Leur
goût paraît rehaussé lorsqu'on les sert avec un gorgonzola, des toasts et des noix rôties beurre-et-sel.

*Peler 6 poires fermes avant de les poser, droites, dans
un faitout. Laisser les queues si elles en sont encore
dotées. Verser par-dessus 1 tasse de vin rouge et saupoudrer le haut des fruits de 1/4 de tasse de sucre.
Ajouter 1/4 de tasse de raisins secs, une gousse de
vanille et quelques clous de girofle. Couvrir et laisser
mariner 20 minutes (ou plus, selon la grosseur et la
maturité des poires) ; elles ne doivent pas mollir. Au
bout de 10 minutes (voir ci-dessus), coucher les
poires pour les arroser plusieurs fois de marinade.
Servir en assiettes individuelles, arroser de marinade
et garnir de fins zestes de citron. Pour 6 personnes.*

*

Pudding campagnard aux pommes.

Je suis sans cesse surprise par le goût intense des pommes noueuses que je ramène du marché du samedi. Même notre pommier, si longtemps négligé, continue d'offrir courageusement ses pommes maigrichonnes. Trop petites pour faire des quartiers, elles font au moins de respectables pommes au beurre. Coupez de grossiers morceaux pour ce dessert copieux.

> *Peler, vider et couper en larges tranches 4 ou 5 pommes à cuire craquantes que l'on arrose de jus de citron et saupoudre de muscade. Faire griller 1 tasse d'amandes effilées. Ôter la croûte d'un pain rassis pour n'en garder que la mie (le pain frais serait trop mou). Couper le pain en rondelles dont on dépose quelques-unes au fond d'un plat à four rectangulaire (20 × 50 centimètres environ), beurré. Dans le faitout, mélanger 6 cuillerées à soupe de beurre et 4 cuillerées à soupe de sucre. Ajouter 3/4 de tasse d'amandes grillées, 2 cuillerées à soupe de jus de citron et 1/4 de tasse de cidre ou d'eau. Ajouter et remuer les morceaux de pomme dans le faitout. Alterner couches de pommes et couches de pain, pour finir avec le pain. Battre 4 cuillerées à soupe de sucre dans 6 cuillerées à soupe de beurre ramolli. Introduire ensuite 4 œufs, puis 1 1/4 tasse de lait et 3/4 de tasse de crème fraîche. Verser d'une façon égale sur la dernière couche de pain. Saupoudrer de*

sucre et muscade avec le reste des amandes. Cuire
1 heure à 175 degrés. Laisser refroidir 15 à
20 minutes. Servir avec un mascarpone sucré ou de
la crème fraîche. Pour 8 personnes.

*

Sorbet aux clémentines.

Si j'avais grandi ici, je suis sûre que l'odeur des
agrumes serait pour moi indissociable de Noël. Fin
décembre, les magasins d'Assisi sont tous décorés
de grands rameaux de citronniers. Les citrons ont
un air brillant et électrique contre les pierres, et
l'air froid porte leur parfum. Toutes les épiceries
de Cortona ont en devanture des paniers de clémentines qui illuminent les rues. Les bars pressent
le plus généreux des jus, celui des oranges sanguines. Leur goût, légèrement acide, laisse vite la
place à une profonde douceur. Le sorbet ci-des-
sous fait merveille au milieu d'un repas d'hiver. Il
peut être préparé avec d'autres agrumes. C'est
aussi un excellent dessert, léger, que l'on peut servir avec de fins biscuits au chocolat.

À l'aide de 1 tasse d'eau et 1 tasse de sucre, faire
bouillir un sirop qu'on laissera cuire ensuite à feu
doux 5 minutes. Ajouter en remuant entre 1 tasse et
1 1/4 tasse de jus de clémentines fraîches, 1 tasse
d'eau, 1 cuillerée à soupe de jus de citron et le zeste
des clémentines. Faire glacer au freezer jusqu'à ce

que la surface soit dure. Puis passer à la sorbetière
selon les indications du fabricant. Pour 6 personnes.

*

Gâteau au citron.

C'est une recette de famille d'un gâteau du Sud
que j'ai dû faire cent fois. Mais, coupé en tranches
fines, il est ici chez lui pour accompagner fraises et
cerises de l'été, ou poires en hiver — voire un petit
verre d'un de ces fantastiques « vins de dessert »
italiens, comme le Banfi B.

> *Battre ensemble 1 tasse de beurre doux et 2 tasses de*
> *sucre. Introduire 3 œufs l'un après l'autre. Mélan-*
> *ger à part 3 tasses de farine, 1 cuillerée à café de*
> *levure, 1/4 de tasse à café de sel, et incorporer le tout*
> *dans le beurre sucré avec 1 tasse de babeurre, en*
> *alternant les deux (faute de babeurre, j'utilise en Ita-*
> *lie une tasse de crème). On commence et on finit avec*
> *le mélange farineux. Ajouter 3 cuillerées à soupe de*
> *jus de citron et le zeste pelé d'un citron. Mettre au*
> *four dans un moule rectangulaire, 50 minutes à*
> *150 degrés. Vérifier la cuisson à l'aide d'un cure-*
> *dents. On peut glacer le gâteau à l'aide d'une crème*
> *que l'on obtient en battant 1/4 de tasse de beurre*
> *ramolli, 1 1/2 tasse de sucre en poudre et 3 cuillerées*
> *à soupe de jus de citron. Décorer avec le zeste.*

L'allée de roses

Collée à mon dossier dix heures de suite, je lis avec une concentration intense un précis de poésie expérimentale française, le magazine de l'avion, même les consignes d'urgence. Jusqu'à ce départ au début du mois de mai, le travail à San Francisco n'a été qu'une succession de crises. Au point que j'ai souhaité me faire conduire sur un brancard, dans une camisole blanche, pour qu'on me mette derrière quatre rideaux à l'avant de l'avion et que le steward m'apporte de temps en temps une tasse de lait chaud — ou un Martini-gin bien frais. Je pars une semaine avant que Ed ne finisse ses cours, ou plutôt je m'enfuis aussitôt après *graduation*, la remise des diplômes, dans le premier avion qui fume sur la piste. Il va à Paris.

Après une courte attente à Charles-de-Gaulle, j'ai ma correspondance Alitalia. Sans perdre de temps, le pilote a foncé droit au ciel. Un Italien au volant, je suppose, reste un Italien au volant ; j'ai soudain ressenti un sursaut d'énergie. J'étais en train de me demander si le pilote faisait passer quelqu'un en fraude, lorsque l'avion a entamé sa descente, piqué du nez plutôt, sur l'aéroport de Pise. Comme personne ne semblait s'en inquiéter, j'ai maîtrisé mon souffle, en me cramponnant à l'avion du bout des accoudoirs.

Je passe la nuit sur place. En cas de retard, la perspective de changer de train à Florence était insupportable. Je rentre dans un hôtel et je me sens prête à ressortir. C'est l'heure de la *passeggiata*. Des hordes de touristes se mêlent aux gens, qui visitant, qui se promenant, qui faisant ses courses. La tour reste penchée, et on se prend toujours en photo en faisant semblant de la soutenir ou de la faire tomber. Les maisons d'ocre et de pastel peignent dans le fleuve leur image d'aquarelle. Des femmes se pressent avec leurs cabas dans les boulangeries chaudes. Une merveille que d'arriver seule dans un autre pays et se sentir immergée dans la différence. Il y a des gens partout, affairés, vivants ; ils ne parlent pas comme moi, ne me ressemblent pas. Leurs journées battent d'un autre rythme ; je suis entièrement d'ailleurs. Je dîne à la terrasse d'une *piazza*. Raviolis, poulet rôti, haricots verts, salade, un demi-pichet de rouge local. La jubilation cède soudain à la fatigue, entière et délicieuse. À l'hôtel, la baignoire mousse de tous les sels offerts et je dors dix heures.

Le premier train du matin parcourt les champs fleuris de coquelicots, les oliveraies, et les villages de pierre dont je connais maintenant le nom. Bottes de foin, quatre nonnes ensemble sous leurs cornettes blanches, les draps de lit flottent à travers la fenêtre, bergeries, lauriers-roses, l'Italie ! Je garde les yeux braqués sur la fenêtre de bout en bout. À l'approche de Florence, j'ai peur d'abîmer mon nouveau petit ordinateur en jonglant avec mes valises. La plupart de mes vêtements d'été étant à la maison (j'ai dit *home*, à la maison !), je peux voyager léger. Je me fais quand même l'impression d'une bête de somme avec le portable, et mes deux sacs. Mais j'aime bien m'arrêter à la gare de Florence, qui me rappelle toujours le frais souvenir de mon premier séjour ici, il y a presque vingt-cinq ans, la chanson caillouteuse des haut-parleurs qui annoncent l'arrivée du train de Rome *binario undici*, et le départ pour Milan *binario uno*, puis l'odeur huileuse des wagons et les gens en partance.

Par chance, le train sera presque vide et j'y monte aisément mes bagages. Un chariot passe au milieu du trajet avec boissons et sandwiches. Le train ne s'arrêtant pas à Camucia, je dois descendre à Terontola, quinze kilomètres plus loin, et appeler un taxi.

Un quart d'heure passe et un taxi arrive. Je suis à peine montée qu'un autre stoppe à gauche, dont le chauffeur gesticule en criant. J'ai pensé que mon taxi est celui que j'ai appelé, mais non, il est venu de lui-même et il n'a pas l'intention de renoncer à sa course. J'ai beau lui dire que j'ai demandé quelqu'un avant lui, il se met quand même en marche. L'autre tape sur la portière en criant de plus en plus fort — qu'il était en train de déjeuner, qu'il s'est déplacé spécialement pour l'*Americana*, et qu'il a besoin de gagner sa vie, lui aussi. Il a de la salive plein les commissures des lèvres et je crains qu'il ne se mette littéralement à écumer de rage. « Arrêtez-vous, s'il vous plaît. Je suis vraiment désolée, mais c'est avec lui que je dois aller. » Mon chauffeur grogne, freine brutalement, dégage de même mon sac de voyage. Je monte dans l'autre taxi. Les deux hommes se font face, parlent tous deux en même temps, poings et mâchoires serrés, et finissent subitement par s'entendre. Ils se serrent la main en souriant. Le chauffeur écarté fait le tour de la voiture pour me souhaiter bon voyage

Ma sœur, mon neveu et leurs amis sont déjà à la maison depuis une quinzaine de jours. Ma sœur a replanté des géraniums rouges et blancs dans tous les pots du jardin. L'odeur de l'herbe bien verte, fraîchement coupée, m'apprend que Beppe a dû tondre la pelouse au matin. Malgré la taille sévère que je leur ai infligée en décembre, les rosiers sont aussi grands que moi. Leurs fleurs sont exubérantes — abricot, blanches, roses, jaunes. Les papillons, par centaines, volettent entre les lavandes. Partout dans la maison des vases d'amaryllis d'or, de marguerites, de fleurs des champs. Tout est propre et plein de vie. Il y a même un nouveau pot de basilic devant la porte-fenêtre de la cuisine.

J'arrive alors qu'ils passent la journée à Florence. J'ai tout l'après-midi pour sortir mes vêtements d'été, rangés dans un grand sac sous le lit, et les aérer. Comme ils sont venus à cinq, je vais dormir plusieurs jours dans mon bureau. Je garnis le lit étroit d'une paire de draps jaunes, j'installe l'ordinateur sur la table de travertin, j'ouvre les fenêtres et je suis chez moi.

Je retrouve plus tard mes bottes et pars sur les terrasses. Beppe et Francesco ont enlevé les mauvaises herbes. J'ai perdu une fois de plus la guerre des fleurs sauvages. Rien ne les a arrêtés, l'un et l'autre, dans leur zèle de bien faire, même pas ces roses qu'on appelle cherokee dans le vieux Sud. Les coquelicots, œillets rouges, autres fleurs blanches cotonneuses et les buissons de genêts ne survivent qu'au bord des terrasses. La grande nouveauté tient aux oliviers. Ils ont comblé en mars les trente intervalles vides, ce qui nous donne maintenant un total de cent cinquante arbres. Ils sont déjà en fleur. Les trente nouveaux oliviers sont plus grands que ceux qu'a plantés Ed l'année dernière ; et, à la vitesse où poussent les olives, nous aimerions en profiter pour presser un peu d'huile. Beppe et Francesco, qui ont doté chaque nouvel arbre d'un tuteur, ont également placé entre le tronc et les pieux une bonne épaisseur d'herbes fauchées pour que l'écorce ne s'abîme pas. Ed avait réussi à creuser des trous assez grands pour ses arbres, mais pas de cette taille, ni aussi profonds ; Beppe nous a expliqué que ces nouveaux oliviers exigeaient un vrai *polmone*, poumon. Les trous qu'ils ont creusés autour ont une circonférence de un mètre vingt. Ils ont ajouté deux nouveaux cerisiers, près de ceux que Ed a plantés au printemps dernier.

Toute la semaine, nous cuisinons, visitons Arezzo et Perugia, marchons, ramenons draps et foulards du marché de Camucia, et prenons des nouvelles des autres branches de la famille. Ed arrive à temps pour un dîner d'adieu, dignement arrosé du brunello que mon neveu a ramené de Montalcino. Puis nos invités se lancent dans leurs paquets (avec tout ce qu'ils ont acheté ici, il y en a) avant de partir.

Ils ont bien profité de la chaleur de mai, alors qu'il pleut maintenant. Les rosiers luxuriants plient et penchent sous le vent. Accourant avec nos pelles pour les étayer, nous sommes bientôt trempés. Ed creuse, tandis que j'ôte les boutons morts, taille quelques tiges ici ou là et dispose de l'engrais. J'ai peur toutefois d'être en train de faire comme Jack et le Haricot magique. Je coupe une brassée de roses blanches, ouvertes, qui composent toutes seules un bouquet déjà prêt. Puis, à l'intérieur, nous repassons nos vêtements et rangeons ce qu'inévitablement nos cinq invités ont déplacé à leur guise. Tout est bientôt en ordre. Il y a une éternité, semble-t-il, qu'échelles, ouvriers, tuyaux, câbles, gravats et poussières m'attendaient par un jour du mois de juin. Nous commençons tout juste maintenant à vivre.

Soupière de minestrone pour les nuits de pluie. Promenade le long de la voie romaine et prendre en ville fromage, roquette, café. Les cerises de

Maria Rita sont meilleures que jamais ; nous en dévorons un kilo chaque vingt-quatre heures. Le déblaiement continu des souches et des pierres a porté ses fruits. L'entretien des terrasses est devenu plus facile. La déchaumeuse ne projette plus de cailloux en fauchant les mauvaises herbes. Combien de pierres avons-nous ramassées ? Assez pour construire une maison ? Les lucioles luisent sur les terrasses la nuit, les coucous (ne disent-ils pas plutôt *woucou* ?) chantent dans l'aurore bleu tendre. Un oiseau timide gazouille un genre de « sweet-sweet ». Les huppes toutes parées de leurs plumes exotiques n'ont d'autre activité que de picorer dans le sol. De longues journées dans le chant des oiseaux sans la sonnerie du téléphone.

Nous plantons d'autres rosiers. Les roses sont un spectacle extraordinaire de ce coin de Toscane. Presque tous les jardins en sont remplis. Nous avons choisi des Paul Neyron, aux pétales rose sombre chiffonnés comme des tutus, et d'une senteur curieusement citronnée. Je veux deux plants de ces roses tendres, grosses comme des balles de tennis, que l'on appelle Donna Marella Agnelli. Leur parfum me rappelle une des amies de ma grand-mère, Delia, lorsqu'elle me serrait contre sa poitrine, sous ses immenses chapeaux. Elle était kleptomane mais personne ne l'accusait jamais, pour que son mari ne meure pas de honte. Quand il remarquait quelque chose de neuf chez eux, il s'en allait au magasin d'où il pensait que l'objet provenait et disait : « Ma femme a complètement oublié de vous payer ceci — elle est partie sans s'en rendre compte et ne s'en est souvenue qu'hier soir. Combien est-ce que je vous dois ? » Peut-être volait-elle aussi son poudrier parfumé à la rose.

« Ne plante pas de roses de la Paix* », m'a recommandé une amie, grand amateur et connaisseur de roses. « Il y en a partout. » Seulement elles sont superbes et, de plus, leurs teintes crème, pêche, et rose clair sont celles de la maison. Leur place est dans ce jardin. J'en plante plusieurs. Celles de l'année dernière, grandes ouvertes, diffusent leur parfum, et leurs couleurs si vives font oublier qu'elles sont communes. Nous accédons maintenant à la maison par une allée de roses, ponctuée de lavande entre chaque plant. Je commence à croire à l'aromathérapie. Quand je traverse cette mer de senteurs, il m'est impossible de ne pas en respirer les vagues qui m'inondent de bonheur.

Le cadre de la vieille pergola est resté en haut des marches de la première terrasse, et le jasmin que nous avons planté là il y a deux ans s'enroule sur la structure de métal et autour de la rampe. Nous décidons alors d'installer une deuxième longue rangée de rosiers à un bout de l'allée et de monter une pergola à l'autre extrémité. Nous retrouverons ainsi l'impression ressentie le jour où nous avons visité la maison, à la différence que nous préférons marcher à ciel ouvert le long des

---

* Roses « Peace », ou « Madame A. Meilland »

rosiers, sans reconstruire toute la pergola. Deux variétés que nous avons choisies — l'une d'un rose laiteux, l'autre d'un rouge velouté — portent les noms de Queen Elizabeth et d'Abe Lincoln (« ébé linconé » chez la pépiniériste). Deux géants, côte à côte. Celles que je préfère fleurissent dans une teinte et s'ouvrent sur une autre. La *Gioia*, Joie, est nacrée en boutons et s'épanouit jaune paille, tandis que certains pétales restent bordés ou veinés de rose. Nous plantons diverses variétés entre aube et abricot, une orange comme un feu orange, des Pompidou, et une espèce qui porte le nom du pape Jean XXIII. Que de personnalités en fleur dans ce jardin. Je ne résiste pas à adopter une espèce décadente, d'une teinte lilas fumé, qui semble prête à orner la main d'un mort dans sa bière.

Nous allons chez le *fabbro*, le forgeron, juste au-dessus de la rivière, à Camucia. Ses deux fils se rapprochent tandis que nous parlons à son père et profitent de la chance de voir des étrangers de près. L'un des deux, âgé d'environ douze ans, a des yeux d'un vert glacial, inquiétant. Un enfant svelte à la peau bronzée. Je ne peux m'empêcher de lui renvoyer son regard. Il ne lui manque qu'une peau de bête et une flûte à trois notes. Le *fabbro* a lui aussi les yeux verts, mais d'une couleur plus familière. Avec le temps, j'ai déjà visité les ateliers de cinq ou six *fabbri*. C'est un artisanat qui semble attirer des hommes d'une personnalité vive. L'atelier disposant d'une aération, la suie y est moins intense que dans les autres. Le forgeron nous montre les décorations de puits et plaques d'égout qu'il confectionne, assurément commodes. Je me rappelle comment notre premier *fabbro*, boudeur, mort depuis d'un cancer de l'estomac, déambulait dans son univers de fer, cet atelier noirci, passant un doigt sur les contours sinueux de ses réverbères, ou ses crochets à têtes d'animaux. Ouvert, notre portail est toujours bancal ; le forgeron est mort avant d'avoir eu le temps de l'arranger et nous avons fini par nous habituer à la rouille et aux courbes déformées. Le *fabbro* aux yeux verts nous fait visiter son jardin et sa jolie maison. Son faune de fils prendra peut-être sa suite un jour.

Certaines choses sont si simples. Nous n'aurons qu'à creuser, planter nos poteaux métalliques, puis combler les trous avec du ciment. Nous choisissons un rosier grimpant, rose (« Comment s'appelle celui-ci ? — Il n'a pas de nom, *signora*, il donne des roses, c'est tout. *Bella, no ?* »), que nous planterons des deux côtés.

J'ai tenu plusieurs jardins, mais n'ai jamais planté de rosiers. Quand j'étais petite, mon père dessina le parc de la filature de coton qu'il dirigeait pour mon grand-père. Avec une détermination qui m'émerveille encore, il planta un millier de rosiers, tous de la même variété. La fleur de mon père est l'*Étoile de Hollande*, rose sanguine, d'un rouge essentiel. Pour dire les choses gentiment, mon père était un homme difficile qui, pour ne rien arranger, est mort à quarante-sept ans. Jusqu'à ce qu'il disparaisse, la maison fut chaque jour décorée de ses roses — hauts vases, vasques de cristal, minces pichets et leurs uniques boutons ornaient toutes les surfaces possibles. Les fleurs ne fanaient jamais car il en faisait porter une nouvelle brassée chaque jour de la belle saison. Je le vois encore à midi ouvrir la porte de la cuisine dans ce costume de lin beige qu'il savait ne pas froisser malgré la chaleur. Et, comme un bébé au bras, le cône de papier journal dans lequel il enveloppait une masse rouge de boutons. « Vous voulez bien vous en charger ? », disait-il à Willie, qui l'attendait déjà, armée de vases et de ciseaux. Mon père fait tourner son panama sur son index levé. « Dites-moi, qui a encore envie d'aller au paradis ? »

J'ai planté dans mes jardins des herbes aromatiques, des pavots d'Islande, des fuchsias, des pensées, des œillets de poète. Aujourd'hui je suis amoureuse des roses. L'herbe est assez haute en ce moment pour me laisser descendre chaque matin pieds nus dans la rosée et couper une rose et une touffe de lavande pour mon bureau. Les souvenirs resurgissent : à la filature, mon père posait toujours une rose sur le sien. Je me rends compte n'avoir planté qu'une variété de roses rouges. Au soleil du matin, les deux parfums s'élèvent dans la pièce.

*

Maintenant que les gros chantiers sont terminés, nous goûtons l'avenir. Le moment viendra où nous nous contenterons de jardiner, d'entretenir (à notre grande surprise, certaines fenêtres ont besoin d'être retouchées à l'intérieur), d'affiner. Nous avons établi une liste de projets d'agrément : dalles de pierre dans le jardin, une fresque pour la cuisine, promenades dans les Marches sur les traces des chasseurs antiques, et un four à pain dans le jardin. Une autre de projets moins glorieux : voir ce qui ne va pas avec la fosse septique, qui répand son effroyable odeur de navet lorsque nous sommes nombreux ; nettoyer et ajuster les murs de pierre du cellier ; remettre sur pied les sections des murettes qui s'effondrent à plusieurs endroits des terrasses ; refaire le carrelage de la salle de bains aux papillons. Autant de travaux qui nous auraient paru importants il y a quelque temps, et qui aujourd'hui ne sont que des mots sur une liste. Mais les jours sont proches où nous apprendrons l'italien avec un professeur, où nous ferons de longues promenades, notre herbier à la main, explorerons Veneto, Sardinia et Apulia, où nous prendrons peut-être le bateau à Brindisi ou Venise vers un port de Grèce. Oui, embarquer à Venezia, où l'on sent déjà une touche orientale !

Mais ce n'est pas tout à fait pour aujourd'hui ; le dernier gros œuvre est imminent.

Sempre pietra
(toujours la pierre)

Primo Bianchi cahote le long de l'allée dans son
Ape chargé de sacs de ciment, et le quitte d'un
bond pour aider le grand camion blanc qui
convoie sable, poutrelles d'acier et briques à monter l'étroit chemin en marche arrière. Le rétroviseur égratigne les pins, puis c'est une branche
d'épicéa qui cède en craquant violemment. Nous
aurions préféré que Primo, il y a trois ans, s'occupe
des grands travaux, mais une opération à l'estomac
l'en a empêché. C'est le même homme — il a toujours l'air d'un assistant du Père Noël. Nous véri-
fions nos plans ensemble. D'une épaisseur de un
mètre, le mur du living-room sera troué pour permettre l'accès avec la cuisine des *contadini*, dont
nous allons refaire le sol, les plâtres et l'électricité.
Primo hoche la tête. « *Cinque giorni, signori* », cinq
jours. La pièce vétuste, encore intacte, sert à ranger
l'hiver les meubles de jardin. C'est le dernier bas-
tion des scorpions. À cause des tremblements de
terre, l'ouverture pratiquée ne sera que de un
mètre cinquante, environ, soit moins que nous vou-

lions. Mais d'autres portes donneront au-dehors et, enfin, les pièces des anciens paysans seront jointes aux nôtres.

Nous racontons à Primo l'épisode des ouvriers de Benito qui s'enfuirent en courant de la maison après avoir troué le mur qui sépare la nouvelle cuisine du séjour. Son rire me rassure. Commencent-ils demain ? « Non, demain, c'est mardi, c'est un mauvais jour pour démarrer un chantier. Ce qu'on a commencé le mardi ne finit jamais — c'est une vieille superstition. Je n'y crois pas, mais mes hommes, si. » Tout à fait d'accord, nous sommes déterminés à mener ce projet à bien.

Le méchant mardi, nous dégageons tous les meubles et livres du salon, pour ne laisser que la cheminée et les murs. Nous posons une marque au milieu de celui qui sera percé, en essayant de visualiser la pièce ouverte. C'est en fait l'imagination qui nous aide à supporter le stress causé par ces travaux. Nous allons être bientôt heureux ! Et les deux pièces auront l'air de n'en avoir jamais constitué qu'une ! Nous placerons des chaises de jardin au bout de la terrasse, devant la maison, pour écouter Brahms ou Bird flotter par la porte de la cuisine des *contadini*. On ne parlera d'ailleurs même plus de celle-ci, seulement du salon.

Je ne connais le mot *intercapedine* qu'en italien[*]. Mon dictionnaire en donne la traduction suivante : « intervalle, cavité ». Dans le jargon des restaura-

---

[*] « Je suis seul à en pleurer. »

teurs de vieilles maisons humides, c'est toutefois un grand mot. Cet *intercapedine* est un mur de briques construit jusqu'à une certaine hauteur contre un autre mur humide. Un interstice large comme *due dita*, deux doigts, est conservé entre les deux pour empêcher l'humidité de franchir la barrière de briques. Le nôtre paraît plus épais que de coutume. Impatients, nous décidons avec Ed d'en dégager une partie, afin de nous rendre compte si notre *intercapedine* pourrait être repoussé contre le mur, ce qui agrandirait la petite pièce. Les briques s'affalent et nous sommes bientôt stupéfaits de découvrir qu'au rez-de-chaussée la maison ne possède *pas* ici de mur extérieur ; elle a été construite directement *contre* la roche dure de la colline. Notre *intercapedine* jouxte le Monte Sant'Egidio ! Un énorme bloc de rocaille ! « Eh bien, on sait pourquoi, maintenant, il y a un problème d'humidité dans cette pièce. » Ed dégage sumac et racines de figuiers et révèle, par terre contre le mur, les restes encombrés d'une gouttière qui a dû autrefois fonctionner.

« Cela ferait une cave parfaite », est bien la seule chose que je puisse en dire. Faute de savoir quoi faire, nous prenons quelques photographies. Cette découverte ne correspond certes pas à mon onirique programme des cent anges.

Arrive l'heureux mercredi qui nous amène, à sept heures trente, Primo Bianchi et ses deux *muratori*, maçons, plus un ouvrier qui déblaiera la pierre. Ils arrivent sans gros équipement. Chaque

homme porte avec lui un seau plein d'outils. Ils
déplient échafaudage, chevalets à scies, qu'ils
appellent *capretti*, cabris, et des barres de soutien
pour le plafond, en forme de T, dénommées *cristi*
(toujours Jésus). Lorsqu'ils aperçoivent le mur de
pierre naturel que nous avons dégagé, ils restent
debout, immobiles et les mains sur les hanches,
pour lancer de concert un : « *Madonna mia.* » Ils ne
veulent pas croire que nous ayons descendu le
mur, et encore moins que j'y aie participé. Sans
attendre, ils se mettent au travail, étalant tout
d'abord une épaisse bâche de plastique au sol,
avant de s'atteler à percer l'autre mur. Ils commencent par retirer une série de pierres, horizontale-
ment, au-dessus de ce qui sera la porte. Nous
retrouvons le *chink-chink* familier du ciseau
— antique chant des bâtisseurs. La poutrelle est
bientôt introduite dans l'ouverture, puis calée à
l'aide de briques et de ciment. Il faut attendre que
ce dernier sèche avant de continuer, c'est pourquoi ils vont maintenant retirer l'horrible carrelage au sol à l'aide de grands pieds-de-biche.
  Ils parlent et rient aussi vite qu'ils travaillent.
Primo étant légèrement dur d'oreille, ils ont l'habitude de dialoguer en criant ou presque. Ce qu'ils
font même en son absence. Ils restent impeccables,
nettoyant derrière eux au fur et à mesure ; pas de
téléphone enseveli, cette fois. Franco, dont les yeux
noirs scintillent presque comme ceux d'un animal,
est le plus fort d'entre eux. Svelte, il possède ce
genre de force sèche et noueuse qui semble plus

volontiers le fruit de la volonté que du muscle. Je le vois soulever la pierre carrée qui servait de première marche à l'escalier du fond. Comme je le remarque, il la pose, crâneur, sur son épaule. Même Emilio, venu déblayer la pierraille, semble s'amuser de ce qu'il fait. La gaieté ne le quitte pas. Il fait une chaleur folle, pourtant il garde un bonnet de laine enfoncé sur sa tête et ses cheveux forment en dessous une collerette rebelle. On lui donne soixante-cinq ans, ce qui me semble un peu âgé pour un *manovale*, travailleur manuel. Je me demande s'il était *muratore* avant de perdre deux doigts. À mesure qu'ils dégagent l'ineffable carrelage de sa couche de béton, le sol de pierre apparaît par-dessous. Franco soulève alors une des grandes dalles, pour découvrir une seconde couche de pierre. « *Pietra, sempre pietra* », dit-il, la pierre, toujours la pierre.

Bien vrai. Maisons, murettes, terrasses, remparts et rues de pierre. Plantez la moindre rose et votre pelle trouvera quatre ou cinq gros cailloux. Les sarcophages étrusques, sculptés d'un portrait du défunt dans une pose réaliste, vivante, sont certainement le produit d'un transfert naturel sur la pierre, dont l'évidence s'imposa à l'imagination. Pourquoi, mort, ne pas s'immerger dans le roc, puisque la vie entière lui était dévolue ?

Le lendemain, ils percent dans le mur, comme hier, une trouée par-dessus la porte à venir, mais cette fois du côté des *contadini*. Ils nous appellent. Primo tapote une poutre maîtresse avec son burin.

« *È completamente marcia, questa trava.* » Il frappe ensuite la partie exposée. « *Dura, qua.* » Bien que la partie visible soit saine, la poutre est entièrement pourrie à l'intérieur du mur. « *Pericoloso !* » Elle aurait pu se fendre, et l'étage au-dessus se serait en partie effondré. Ils soutiennent la poutre à l'aide d'un *cristo*, pendant que Primo prend des mesures, puis part acheter une autre solive de châtaignier. À midi, la poutrelle est installée côté *contadini*. Ils ne font aucune pause, prennent une heure pour déjeuner et reviennent travailler jusqu'à dix-sept heures.

Le troisième jour, ils ont déjà accompli une tâche formidable. Au matin, la vieille poutre est partie comme une dent de bébé. Grâce aux longues planches maintenues par les *cristi* de chaque côté, le plafond reste en place, tandis qu'ils dégagent les pierres et font jouer la solive un instant avant de la descendre au sol. La nouvelle la remplace aussitôt. Simple construction, mais fabuleuse. Ils comblent de pierres tout interstice, les recouvrent de ciment, puis comblent de celui-ci la mince bande ouverte entre la poutre et le plafond. Entre-temps, deux d'entre eux creusent le sol à coups de pelle. Ed, qui travaille tout près dans le jardin, les entend crier : « *Dio maiale* », un étrange juron qui veut dire cochon de Dieu. Il jette un coup d'œil à l'intérieur et aperçoit, sous l'énorme pierre qu'Emilio soulève de son pied-de-biche, un troisième dallage — de pierre, évidemment. Les deux premières couches se composaient de

grandes pierres lisses, lourdes à dégager. Celle-là
est rugueuse — ce sont de gros blocs, de la taille
d'une valise, parfois ébréchés, et profondément
enterrés. J'entends depuis la cuisine des gémissements de dépit, tandis qu'ils les dressent et les rou-
lent au-dehors à l'aide d'une planche. J'ai peur
qu'ils n'atteignent bientôt une nouvelle source.
Emilio charrie petites pierres et poussières dans
l'allée, où une montagne de gravats est en train de
se former. Nous garderons les très grandes pierres.
L'une d'elles porte des glyphes allongés. Étrusques ? Je consulte l'alphabet dans un livre, mais
l'inscription n'y ressemble pas. Peut-être s'agit-il
d'un vieux plan de cultures ou de griffonnages pré-
historiques. Ed passe la pierre au jet pendant que
nous l'inspectons de biais. La gravure prend alors
son sens : c'est un IHS chrétien, surmonté d'une
croix, et bordé d'une autre, plus grossière, sur le
côté. Pierre tombale ? Autel ? La partie supérieure,
plate, est lisse, et je demande à Ed de la garder
quelque part ; nous en ferons une petite table d'extérieur. Emilio s'en désintéresse. « *Vecchio* », dit-il,
vieux. Il mentionne toutefois que ce genre de
pierre reste toujours utile. Ils creusent tout l'après-
midi. Je les entends marmonner : « *Etruschi,
Etruschi* » — ces Étrusques... Sous la troisième
couche de pierre apparaît celle de la montagne. Ils
finissent par déboucher une bouteille de vin et avalent une petite rasade de temps en temps.

Je tente une plaisanterie : « *Come Sisyphus* »,
comme Sisyphe.

« *Esattamente* », répond Emilio. La troisième couche de pierre contenait plusieurs linteaux de porte et *una soglia*, un seuil en *pietra serena*, pierre de construction noble de la région. D'évidence, des matériaux d'une maison plus ancienne ont été réutilisés pour la nôtre. Ils disposent les vieilles pierres le long du mur, en s'étonnant de leur finesse.

*

Nous avons conservé sur l'une des terrasses une pile de *cotti* en prévision du sol, récupérés tandis que l'on installait la nouvelle salle de bains et que l'on remplaçait ceux du grand balcon. Nous espérons qu'ils seront en assez bon état pour notre nouvelle pièce. Nous les trions, Ed et moi, dégageons les restes de mortier, puis les lavons dans une brouette avant de les frotter à la brosse métallique. Il y en a environ cent quatre-vingts, dont quelques-uns bien abîmés, que l'on pourra peut-être utiliser en les coupant. Les hommes continuent de charrier les pierres. Le sol de la pièce est plus bas de soixante centimètres. Le camion blanc qui revient manœuvrer le long de l'allée apporte de longs carreaux plats d'environ vingt-cinq centimètres sur soixante, parcourus à l'intérieur de conduites pour l'air. Les *muratori* disposent maintenant au sol une dizaine de rangées de briques ordinaires, pratiquement sur la rocaille — la roche de la montagne contient notamment cette pierre que l'on appelle ici *piscia*, pisse, car l'eau y creuse de petits tunnels. Les briques servent à canaliser et à drainer, et les carreaux oblongs sont cimentés par-dessus. Les ouvriers font leur ciment comme de la pâte à pizza — ils forment un gros tas de sable sur le sol, creusent une fontaine au milieu de laquelle ils mélangent ciment et eau, en remuant avec une pelle. Ils recouvrent les carreaux de *membrane*, qui est un genre de papier goudronné, renforcé ensuite d'une épaisse grille métallique. Et, par-dessus, une couche de ciment. Une journée de travail, je dirais.

Nous n'aurons pas à subir le couinement aigu de la bétonnière. Nous rions au souvenir de celle d'Alfiero à l'époque de la Grande Muraille. Un jour qu'il faisait du ciment, il n'est resté ici travailler qu'un moment, pour partir sur un autre chantier. Lorsqu'il est revenu, nous l'avons vu taper du poing sur la machine ; il l'avait oubliée et le ciment s'était durci. Nous sourions maintenant des insuffisances de ces autres ouvriers ; ceux d'aujourd'hui sont des princes.

Comme à San Francisco dans la salle à manger après le séisme, le plâtre s'est fendu aux deuxième et troisième étages, au-dessus de l'ouverture pratiquée dans le mur en bas. Il est même tombé par endroits en grandes plaques. La maison *pourrait*-elle s'effondrer en un bloc ? Le jour, les travaux m'enthousiasment. Mais chaque nuit je retrouve mes plus vieux rêves d'angoisse — je vais passer un examen, on ne me donne pas l'indispensable cahier bleu, je ne connais pas mon cours. J'ai raté mon train dans un pays lointain et il fait nuit. Ed rêve qu'un autocar entier d'étudiants arrive à la maison avec leurs copies à corriger avant demain. Le matin, mal réveillée à six heures, je fais griller le pain deux fois de suite.

Le mur est presque ouvert. Les hommes ont inséré une troisième poutrelle d'acier par-dessus le trou, ont érigé une colonne de briques sur le côté et ont commencé à bâtir le mur plus épais qui nous isolera de la montagne. Primo inspecte les dalles que nous avons nettoyées. Un gros scorpion s'échappe de celle qu'il regarde et aussitôt il l'écrase d'un coup de marteau. Il rit en remarquant mes paupières plissées.

Plus tard, dans mon bureau, j'aperçois un minuscule scorpion en train de ramper sur le mur jaune pâle. Je les attrape généralement dans un verre pour les renvoyer dehors ; mais je laisse celui-là continuer sur le mur. D'ici, le bruit des marteaux des trois maçons suit une étrange cadence, presque orientale. Il fait chaud, si chaud que j'ai envie de fuir le soleil, comme on fuirait une averse sous l'orage. Je lis un livre sur Mussolini. Pour financer sa guerre contre l'Éthiopie, il avait collecté les alliances des femmes du peuple, qu'il n'a toutefois jamais fait fondre. Des années plus tard, on l'arrêta alors qu'il voulait prendre la fuite et on découvrit sur lui un sac des précieuses alliances. Il apparaît sur une photo, les yeux exorbités, le crâne chauve et inégal, la mâchoire en avant. On dirait un fou, ou Casper le fantôme. Le *chink-chink* des marteaux me fait penser à un gamelan. Je vois Mussolini pendu la tête en bas sur la dernière photo. La légende dit qu'une femme lui a donné un coup de pied au visage. Je m'assoupis en imaginant les hommes en bas entamer une danse indonésienne avec Il Duce.

*

La montagne de pierraille de chaque côté de la porte prend des proportions alarmantes. Il va falloir commencer à déblayer. Stanislao, notre ouvrier polonais, est là à l'aube. À six heures, le fils de Francesco Falco, Giorgio, débarque avec son nouveau tracteur, prêt à retourner la terre des terrasses d'oliviers, suivi de peu par son père qui arrive à pied. Ce dernier porte comme toujours son outil favori, entre serpe et machette, dans sa poche arrière. Il prépare le travail de Giorgio en retirant pierres et cailloux sur le chemin du tracteur, en ficelant les branches, en égalisant le sol. Mais notre fourche est inutilisable. « Regardez. » Il la lève, dents en haut, et celles-ci se retournent au bout du manche. À coups de marteau, il détache le râteau, puis le replace dans le bon sens et le fixe sur le bois. Il refait le même geste que précédemment, et cette fois les dents ne bougent plus. Nous nous sommes servis cent fois de cette fourche sans rien remarquer et, bien sûr, c'est Francesco qui a raison.

« Les vieux Italiens savent tout », dit Stanislao.

Brouette après brouette, nous charrions un tas de pierres sur l'une des terrasses d'oliviers. Je ne prends que les petites et les moyennes ; Ed et Stanislao bataillent avec les grosses. Gentil aérobic, pas besoin de vidéo, mais de quoi se ronger le cœur. Il faut boire huit verres d'eau par jour ? Pas de problème, je suis déjà desséchée. À la maison, dans mon léopard mauve, je lève poids après poids, et une, et deux, et une, et... Mais c'est ici un travail, pas de la gymnastique. Pliez, tendez — rien de plus facile lorsqu'on désherbe les collines. La tâche m'épuise toutefois, même si je m'y adonne avec plaisir. En trois heures, nous n'avons enlevé que le quart de cette montagne de pierres. *Madonna serpente !* Inutile de vouloir calculer combien d'heures il faudra y passer — de plus, les pierres vraiment énormes forment une seconde pile. J'ai les bras ruisselants de sueur poussiéreuse. Les hommes, torse nu, transpirent. J'ai des boules de terre dans mes cheveux humides. Ed saigne à la jambe. J'entends la voix de Francesco, au-dessus de ma tête, qui parle aux oliviers. Le tracteur penche dangereusement au bord d'une terrasse, mais Giorgio est trop habile pour culbuter tout en bas. Je pense au long bain fondant qui m'attend. Stanislao commence à fredonner *Misty*. Ils n'arrivent pas à faire bouger d'un millimètre cette pierre qui ressemble à une énorme tête de cheval romain. Je prends un burin pour lui sculpter une crinière et des yeux. Le soleil tourbillonnant parcourt toute la vallée. Primo ne nous a jamais vus travailler dur. Il admoneste ses hommes tout haut. Depuis le temps qu'il restaure des maisons... Les *padrone*, dit-il, les étrangers, ne bougent pas, ils regardent. Il fait la pose, mains sur les hanches, moue boudeuse. Mais qu'une femme prenne part à la tâche, alors il lève les bras au ciel. À la fin de l'après-midi, j'entends Stanislao jurer : « *Madonna sassi* », pierres de Madone, mais il repart à siffloter son leitmotiv : « It's cherry pink and apple blossom white when you're in love...*. » Les hommes descendent et nous buvons une bière, assis sur la murette. On estime le travail. En fait, on s'amuse vraiment !

*

Le camion blanc revient décharger des sacs de plâtre — du plâtre, on approche de la fin — et emporter des monceaux de débris. Les trois ouvriers parlent de la Coupe du monde de football aux États-Unis, de raviolis au beurre et à la sauge et du temps nécessaire pour gagner Arezzo. Trente minutes. Tu es fou, vingt minutes, ça suffit.

Claudio, l'électricien, vient regainer la tresse molle des câbles qui, il faut bien en convenir, nous fournissent le courant. Il a amené son fils Roberto, âgé de quatorze ans, qui a de beaux sourcils collés l'un à l'autre, et des yeux en forme d'amande qui vous regardent toujours. Son père explique que le

---

* « Les cerisiers sont roses et les pommiers tout blancs, quand on est amoureux... »

petit aime les langues, mais qu'il se propose de le former cet été, puisqu'on le dirige vers la vie active. Roberto reste nonchalamment adossé au mur, prêt à tendre à son père les outils nécessaires. Ce dernier part chercher des pièces dans sa camionnette, et le petit ramasse pour l'étudier une feuille d'un journal anglais qui protège le sol.

Il faut installer des conduites électriques dans les murs de pierre avant de les enduire. Le plombier devra déplacer le radiateur que nous avons fait installer avec l'eau chaude. Je vois qu'il n'est pas à sa place. Tant de choses à faire. Sans ces journées passées à dégager des couches de pierre au sol, le travail préliminaire serait terminé. Les Polonais sont rentrés chez eux après avoir récolté le tabac. Seul Stanislao est resté. Qui enlèvera les immenses pierres ? Avant de partir, les maçons nous montrent un gentil petit nid d'herbes et de brindilles qu'ils ont trouvé dans le mur, un *nido di topo*, tellement plus joli en italien qu'un nid à rat américain.

Ils éclaboussent littéralement le mur d'enduit, pour qu'il colle à la pierre, avant de l'égaliser. Primo a amené de vieux *cotti* de sa propre réserve, pour le sol. Avec les siens, nous devrions en avoir suffisamment. Comme c'est l'étape ultime, la fin est sûrement proche. Je suis prête pour celle qui suivra, la plus agréable ; difficile de penser à l'ameublement, tant que la pièce ressemble à une cellule de prison. Nous avons droit finalement au bruit d'un appareil, le premier depuis le début des travaux. Le fils de l'électricien, légèrement hésitant, attaque le mur à la perceuse. Il prépare les conduites pour les fils. Son père est rentré après avoir pris le courant au bout d'un fil dénudé. Nos câbles *doivent* être parmi les plus terribles qu'il ait jamais vus.

Le plombier qui a installé la nouvelle baignoire et le chauffage central nous envoie deux de ses assistants pour déplacer les tuyaux du radiateur qu'ils ont dessoudés la semaine dernière. Ils sont eux aussi très jeunes. Je me rappelle que les élèves qui ne partent pas dans le supérieur finissent l'école à l'âge de quinze ans. Tous deux sont bien en chair, silencieux, mais terriblement souriants. J'espère qu'ils savent ce qu'ils font. Tout le monde parle en même temps, voire crie le plus souvent.

Sans doute tout va-t-il aller vite maintenant. À la fin de chaque journée, nous tirons, Ed et moi, les chaises du jardin pour nous asseoir dans la nouvelle pièce, en nous efforçant de penser que nous y boirons bientôt le café, sur un petit canapé de toile bleue peut-être, sous un vieux miroir accroché au mur, à écouter de la musique et parler des prochains travaux...

*

L'enduit devant sécher avant d'appliquer le plâtre, Emilio travaille seul à dégager les murs de l'escalier du fond. Il charrie des brouettées fumantes vers la pile de gravats.

L'électricien ne peut terminer avant le plâtrage.

Je comprends tout l'intérêt des panneaux de revê-
tement, une sacrée invention. Plâtrer est un travail
pénible. Cela vaut pourtant la peine d'être vu, le
procédé ayant fort peu changé depuis l'époque où
les Égyptiens enduisaient de même leurs tombes.
Les jeunes gens du plombier n'ont pas sectionné la
conduite d'eau à l'endroit où il aurait fallu et nous
devons donc leur demander de revenir. Nous partons nous changer les idées à Passignano où nous
mangeons une pizza aux aubergines devant le lac.
Le beau devis de cinq jours ! J'attends avec impatience mes journées de *dolce far niente*. Je rentre
dans sept semaines déjà. J'entends la première
cigale, dont le chant aigu nous révèle que l'été
profond est là. « On dirait un canard en excès de
vitesse », dit Ed.

Samedi, soleil brûlant. Stanislao nous amène
Zeno, récemment arrivé de Pologne. Ils se débar-
rassent aussitôt de leurs chemises. Ces hommes
sont habitués à la chaleur : ils travaillent la semaine
à la pose d'un oléoduc de méthane. En moins de
trois heures, ils déblaient une tonne de pierraille.
Nous avons mis à part les dalles plates, destinées
aux allées et de grandes pierres carrées qui, une
fois assemblées, serviront de perron à chacune des
quatre portes, afin que les traces de pas restent
bien à l'extérieur. Ils se mettent au travail après le
déjeuner, creusent, posent d'abord une assise de
sable, taillent et ajustent les pierres, et comblent les
interstices avec de la terre. Ils dégagent aisément
les petits demi-cercles que nous avons composés

l'année dernière à l'aide de pierres ramassées sur les terrasses. Celles qu'ils utilisent aujourd'hui, provenant de la *contadina*, sont grosses comme des oreillers.

En train de désherber, je m'égratigne le bras contre une touffe d'orties. Ces plantes sont féroces. Elles « piquent » aussitôt, les feuilles duveteuses dégageant au moindre contact leurs sucs irritants. Et dire que les petites orties sont bonnes avec le risotto. Je cours dans la maison pour me frotter la peau avec un désinfectant, mais mes bras semblent animés d'une seconde vie, comme si des vers électrisés rampaient tout le long. Je me décide à prendre un bain après le déjeuner, j'enfile ma robe de lin rose et je m'assois sur le balcon jusqu'à ce que les boutiques soient ouvertes. Assez travaillé. Il y a un peu d'air en haut et je passe un doux après-midi à ne rien faire, entre les pages d'un livre de recettes et ce lézard qui semble observer le défilé des fourmis. Un superbe petit animal vert et noir très brillant, aux articulations complexes, souples, dont la gorge palpite et la tête balance, toujours aux aguets. J'aimerais bien qu'il vienne se promener sur mon livre pour le regarder de plus près, mais le moindre de mes mouvements le fait détaler. Il revient à chaque fois étudier les fourmis. Quant à elles, je ne sais pas ce qu'elles regardent.

En ville, j'achète une robe de coton blanc, des pantalons marine avec la chemise assortie, une crème hors de prix pour la peau, du vernis à ongles et une bouteille de très bon vin. Je trouve Ed en rentrant qui prend une douche à l'intérieur. Les Polonais ont accroché le tuyau du jardin sur une branche et ouvert un jet léger. Je les aperçois rapidement se déshabiller, avant de se rincer et de se changer. Les quatre portes nous accueillent maintenant avec leurs beaux porches de pierres bien ajustées.

*

Franco entame la couche fine et finale de plâtre. Le patron de l'entreprise de plomberie, Santi Cannoni, arrive en short bleu pour inspecter le travail de ses gars. Nous le connaissons depuis qu'il nous a installé le chauffage central — mais entièrement habillé. Il donne l'impression d'avoir tout simplement oublié de mettre son pantalon. Ses jambes imberbes, blanches comme une aspirine, si loin de sa chemise repassée, son visage distingué et bronzé et ses cheveux gris bien coiffés ne cessent d'attirer mon regard. Ses mocassins et ses chaussettes de soie noire ne font que renforcer cet air vaguement obscène. Depuis que ses assistants ont déplacé le radiateur, celui de la pièce à côté s'est mis à fuir.

Francesco et Beppe garent leur Ape dont ils descendent avec la déchaumeuse, prêts à massacrer mauvaises herbes et roses sauvages. Beppe parle clairement et nous le comprenons mieux que Francesco qui refuse toujours de porter son dentier Comme il adore parler, il s'énerve lorsque Beppe traduit ce qu'il dit Ce que fait bien sûr Beppe quand il voit que nous ne comprenons pas. Francesco, sarcastique, s'est mis à l'appeler *maestro*, professeur. Ils se disputent pour savoir si les lames de Ed doivent être affûtées ou changées, s'il faut doter les pierres de vignerons de pieux en bois ou en fer. Derrière Beppe, Francesco lève les yeux au ciel · non mais, vous entendez ce vieux fou ? Et Beppe fait de même, dès que l'autre a le dos tourné.

Un chargement de sable arrive pour le sol, cependant Primo affirme que ses vieux carreaux n'ont pas la même taille que les nôtres, et qu'il lui faut en trouver une cinquantaine avant de tous les poser.

Piano, piano, est le mot d'ordre des restaurateurs. Doucement, donc.

Encore du plâtre. Le mélange ressemble à un *gelato* grisâtre. Franco dit que sa vieille maison est toute petite et qu'il ne lui faut rien de plus ; il y a toujours quelque chose qui ne va pas dans les grandes villas. Il retouche les murs de l'étage qui se sont fendillés lorsqu'on a retiré le mur du living-room. Je lui demande de regarder sous le plâtre le bâti des portes que Benito a rouvertes. Les poutrelles de métal qu'il était censé y insérer n'y sont pas. Les longues pierres initiales sont restées à leur place. Franco ne veut pas que je m'inquiète, la pierre va aussi bien sur une porte de petite taille.

Les murs me paraissent secs, mais ce n'est pas leur avis. Un autre jour sans rien faire. Nous sommes impatients de jouir de cette pièce, de frotter les murs, de teindre les poutres, de nettoyer et

peindre le plafond de briques. Nous sommes prêts,
depuis déjà longtemps, à aménager. Quatre fauteuils sont partis chez le tapissier avec des mètres
de tissus à carreaux bleus et blancs que ma sœur a
envoyés pour deux des sièges. Les autres seront
revêtus de coton à rayures bleues et jaunes que j'ai
trouvé à Anghiari. Nous avons commandé le petit
canapé bleu et deux bons fauteuils. Le lecteur de
CD a rejoint les piles de cartons et de livres, les
chaises et l'étagère sont rangées dans les chambres.
Cela n'en finira-t-il pas ?

C'était une coutume de la Renaissance que d'ouvrir au hasard un livre de Virgile et de poser le
doigt sur une ligne qui devait aider à prévoir le
futur ou répondre à une question urgente. Dans le
Sud, nous faisons cela avec la Bible. De tout temps,
les gens ont cherché les moyens d'une révélation :
les aruspices des Étrusques n'étaient guère plus
bizarres que les devins grecs qui lisaient l'avenir
dans le vol des oiseaux, ou les déjections animales.
J'ouvre Virgile et pose un doigt sur « Les années
prennent tout, et notre esprit avec ». Pas très
encourageant.

*

La Toscane, qui est toujours desséchée l'été, est
cette année profondément verte. Depuis le balcon,
les terrasses ressemblent à des vagues qui descendent la colline. Inutile de se remuer aujourd'hui.
Sous le soleil acéré, je lis l'histoire des saintes et

j'admire surtout Giuliana Falconieri qui demanda, à l'heure de sa mort, que l'on pose sur sa poitrine une hostie. Celle-ci a disparu pour se dissoudre dans son cœur. Un faisan picore mon carré de laitues. J'apprends que Colomba ne mangeait que des hosties, qu'elle vomissait ensuite dans le panier rangé sous son lit. Véronique m'enchante, qui mâchonnait cinq pépins d'orange en mémoire des cinq plaies du Christ. Ed monte d'énormes sandwiches et un pichet de thé glacé au jus de pêche. Je me laisse peu à peu envoûter par les saintes, par leur abnégation. C'est peut-être une réponse aux voluptés de la vie italienne. Une attirance soudaine pour un quelconque sujet est toujours mystérieuse. Pourquoi ramène-t-on un jour à la maison quatre volumes sur les ouragans ou l'ensemble des opéras de Mozart ? Plus tard, souvent même bien plus tard, l'explication de la quête se révèle. Que finirai-je par comprendre, à propos de ces excentriques ?

Primo arrive avec d'autres carreaux que Fabio se met à laver. Il travaille malgré une rage de dents et nous montre celles-ci en train de pourrir au bas de sa mâchoire. Je me mords la lèvre pour ne pas tressaillir. On va lui en enlever quatre la semaine prochaine, d'un seul coup.

Pour la dépose des carreaux, Primo n'a d'autres outils qu'un peu de ficelle et un long niveau. Sûr et rapide, il sait d'instinct où taper, quel carreau va où. Depuis que toute la pierre a été dégagée, les sols ont presque la même hauteur dans les deux pièces. Primo bâtit une petite marche, à peine visible, entre les deux. Ils commencent à tasser les carreaux. Fabio en découpe à l'aide d'une machine stridente qui projette des nuages de poussière. Il a bientôt les bras rouges jusqu'aux coudes. Poser les carreaux a quelque chose d'un jeu. Le sol est bientôt terminé, et le dessin répète le motif en L de la pièce adjacente.

Des invités arrivent, malgré les piles de lampes, corbeilles et livres dans les couloirs, toutes couvertes de plastique, et les meubles du salon répartis dans le reste de la maison. Simone, une collègue de Ed, couronne son doctorat d'un voyage en Grèce, et Barbara, une de mes anciennes élèves, qui vient de terminer ses deux ans en Pologne avec le Peace Corps, est en route vers l'Afrique. Je suppose que l'Italie a toujours été un carrefour. Les pèlerins de la Terre sainte longeaient le lac Trasimeno au Moyen Âge. Plus près de nous, d'autres pèlerins de toutes sortes traversent encore la péninsule ; notre maison est l'endroit idéal pour se reposer quelques jours. Madeline, une amie italienne, et son mari John, qui est de San Francisco, viennent aussi déjeuner.

Nous faisons d'incessants aller et retour entre nos hôtes et les dernières décisions à prendre. Les ouvriers terminent aujourd'hui ! Le déjeuner arrive donc à point pour tout fêter ! Nous avons commandé des *crespelle* de chez Vittorio, monsieur pâtes fraîches de Cortona. Ses crêpes sont légères comme l'air. Nous ne sommes que six, mais nous avons pris une douzaine par sorte : *tartufo* (aux truffes), *pesto*, et celles que nous adorons, *piselli e prosciutto* (petits pois et jambon rouge). En entrée, salade *caprese* (tomate, mozzarella et basilic sous un filet d'huile), avec un plat de fromages, d'olives, de pain et de tranches de plusieurs salamis locaux. La salade de roquette vient du jardin. Le vin que nous avons acheté à Trerose, un chardonnay du nom de *salterio*, est sans doute le meilleur vin blanc que j'aie bu en Italie. Bien des chardonnays, californiens surtout, sont trop tanniques, trop sirupeux, à mon goût. Celui-ci, peu boisé, a un arôme de pêche, avec un brin de rocaille.

La longue table sous les arbres est parée de sa nappe aux carreaux jaunes et d'une corbeille de genêts en fleur. Nous proposons un verre aux ouvriers, mais non, ils se dépêchent de tout achever. Ils ont répandu du ciment par terre pour combler les minces interstices entre les carreaux. Ils nettoient ensuite à grande eau, puis étendent de la sciure qu'ils balaient. Ils vont élever deux petites colonnes pour y installer le vieil évier que nous avons exhumé. Cela fait deux ans qu'il loge dans la vieille cuisine. Primo appelle Ed pour l'aider à déplacer l'énorme pierre. Deux hommes sont déjà en train de le « conduire » devant la maison, et montent les trois marches qui mènent à l'ombre vers la table du déjeuner. John, notre invité, court aussitôt les aider. Cela fait cinq hommes. « *Novanta chili, forse cento* », dit Primo. L'évier pèse quelque cent kilos. Cela fait, ils chargent leurs *cristi*, leurs outils, et c'est tout — la pièce est terminée. Primo reste pour retoucher de petites choses. Il se munit d'un seau de ciment et comble plusieurs fissures sans importance le long de la murette, puis monte à l'étage caler quelques carreaux descellés.

Tout ne se réduit-il pas à la fin à une métaphore, une image poétique qui, d'une seule touche, englobe une tranche de vie ?

C'est non seulement le dernier œuvre, mais aussi l'ensemble des travaux de restauration qui prennent fin ce jour. Nous recevons nos amis dans ce berceau de verdure, miroitant de soleil, comme je l'avais imaginé. Je pars à la cuisine disposer une sélection de fromages locaux sur leurs feuilles de vigne. Je rougis, un brin nerveuse, dans ma robe de lin blanc dont les manches légères volent comme de courtes ailes. Primo gratte le sol à l'étage. Je lève la tête. Il a retiré deux dalles, de sorte que je vois un trou dans le plafond. J'ai à peine le temps de reposer les yeux sur mon plateau de fromages que par mégarde il fait tomber son seau et que le ciment se déverse sur ma tête ! J'en ai plein les cheveux, ma robe, les fromages, mes bras, et aussi par terre ! Je lève à nouveau les yeux et j'aperçois son visage pétrifié qui me regarde comme le chérubin d'une fresque.

L'humour de la situation ne m'échappe tout de même pas. Je retourne à la table, dégoulinant de ciment frais. Aux regards stupéfaits et aux mâchoires tombées succède un rire général. Primo nous rejoint en courant et en se frappant le front du creux de la main.

Les invités réparent les dégâts tandis que je pars me doucher. Lorsque je redescends, ils sont tous assis au soleil sur la longue murette, en compagnie de Primo. Ed demande des nouvelles de Fabio et de son opération dentaire. Il ne s'est absenté que deux jours et aura de nouvelles dents dans un mois. Et voilà que Primo *maintenant* accepte de trinquer avec nous. Les invités lèvent leurs verres à la fin des travaux et au rire général. Ed et moi, qui me suis littéralement retrouvée submergée de plâtre et de ciment, trinquons avec plaisir. Primo prend du bon temps et se met à raconter l'histoire de ses propres dents. Il nous montre un grand trou dans sa bouche. Elles lui faisaient si mal, un jour il y a cinq ans — il prend sa tête dans ses mains et se penche en gémissant —, qu'il en a arraché une avec ses propres tenailles. « *Via, via* », crie-t-il, en mimant le geste. *Via* me semble d'une certaine façon plus empathique que « partie »...

*

Je ne veux pas qu'il s'en aille. Notre *muratore* s'est montré si charmant et si soigneux. Le travail est impeccable et le prix, miraculeusement raisonnable. Mais — oh que si, je veux qu'il s'en aille ! Son devis estimait cinq jours de travail ; nous en sommes au vingt et unième. Impossible, bien sûr, de prédire trois couches de sol pierreux et le bois pourri de la poutre. Primo reviendra l'été prochain — il refera le carrelage de la salle de bains aux papillons, puis ajustera les pierres du cellier. Il hisse sa brouette dans son Ape. Ce sont de petit chantiers, ça, *cinque giorni, signori*, cinq jours.

Reliques de l'été

Dans toutes les églises, les bénitiers sont vides. Je passe un doigt au fond de leurs poussiéreuses coquilles de marbre : pas une goutte pour mon front brûlant. La chaleur des juillets toscans perce le corps, pas les églises de pierre qui retiennent l'humidité de l'hiver, et libèrent une fraîcheur grise lentement dans l'été. J'ai le sentiment, en pénétrant dans l'une, puis l'autre, de marcher dans le silence tangible. Un couvercle, ou une grande main humide, semble fermer nos voix. Dans la vaste église de San Bagio, en contrebas de Montepulciano, le silence semble fait d'air au moment où l'on entre. Sous le dôme exactement, je connais cet endroit où lâcher un mot, frapper dans mes mains, pour que de très loin la coupole renvoie aussitôt son mystérieux écho. Le son offert n'a rien du « héo » que l'on lance sur un lac, c'est une voix sèche qui se répète plusieurs fois. La vôtre, aplatie, détachée de ce monde. Difficile de ne pas croire à la présence hautaine d'un ange moqueur entre quelques-unes des fresques, même si l'endroit attirerait plutôt les pigeons.

Depuis tous les étés que je passe à Cortona, la joie, le choc, est de constater à quel point je m'y sens chez moi. Ou, plus précisément, *rendue* à la conscience première d'une appartenance. Je m'y sens bien, parce que de vieux camions se garent aux carrefours pour vendre leurs pastèques et que l'on tape dessus pour savoir si elles sont mûres. Le jeune homme manipule une balance rouillée et place sur un plateau les disques de diverses tailles qui lui servent de poids. Son biceps est saillant comme celui de Popeye et la brise m'envoie dans un souffle son odeur d'herbe sèche, d'oignons et de terre. Les gros orages jettent leurs pieux étincelants dans le sol, et les grêlons rebondissent dans le jardin pour me rappeler l'odeur d'ozone de la Géorgie. Gros comme des balles de ping-pong, j'en ramassais des bols entiers que je rangeais dans le freezer.

Le dimanche italien est jour des morts, et si les étroits cimetières des petites villes du Sud sont austères, comparés aux débordements de fleurs qui ornent ici chaque tombe, nous aussi partions le dimanche en pèlerinage à Evergreen avec glaïeuls ou zinnias. Assise sur la banquette arrière, je tenais entre mes genoux le vase froid outremer pendant que ma mère se plaignait que Hazel ne l'avait pas aidée à cueillir une seule tige, Hazel dont c'était la vraie mère qui reposait là, pas celle de son mari. Assemblée devant Anselmo Arnaldo, 1904-1982, peut-être cette famille se dit-elle, comme la mienne, Dieu merci la vieille chèvre s'est retrouvée enterrée avant de nous rendre tous parfaitement fous.

Par les nuits étouffantes, l'air a la même température que nous, et des constellations mouvantes de lucioles concurrencent les étoiles. Nuits à moustiques, envolés sous la main, ou celui que j'ai tué dans mes cheveux. De longues journées où je goûte le soleil. Je me déplace dans cette maison que j'ai achetée dans un autre pays, comme si mes véritables ancêtres avaient laissé leur présence dans ses pièces. Comme si c'était l'endroit où j'étais toujours revenue.

Vivre de nouveau près d'une petite ville n'y est pas étranger. Comme de retrouver la nature, aussi (un de mes étudiants, originaire de Los Angeles, est venu nous voir. Je l'ai accompagné au bout du jardin pour profiter du grand panorama sur le lac, les forêts de châtaigniers, les Apennins, les oliveraies et les vallées. Il n'était pas prêt pour un tel spectacle. Il resta sans rien dire, ce fut bien la première fois, et lâcha finalement : « Euh, c'est comme la nature, quoi »). Exact, c'est la nature . les nuages s'élèvent, agités, par-dessus le lac et le tonnerre craque le long de mes vertèbres, il gronde comme les vagues qui s'abattent au grand large. J'écris dans mon carnet : « La foudre a touché le lave-vaisselle. On l'a entendu grésiller. Mais ce que c'est bon, ces orages gigantesques, et la terreur qu'ils ont dû ressentir comme un raz-de-marée, autour du feu dans leurs cavernes. Le tonnerre me ballotte comme un chaton que la mère attrape par le cou. Je rentre chez moi par ricochets, sous les éclairs de chaleur ; allongée par terre à six mille quatre cents kilomètres, je laisse la pluie me transpercer. »

La pluie fouette les vignes. Nature : qu'est-ce qui est mûr, l'allée va-t-elle glisser, quand ramasser les pommes de terre, et le puits d'irrigation est-il plein ? La vie revient à l'essentiel. Je sors ramasser du bois ; un scorpion noir détale sur mon bras et je me rappelle soudain les tarentules velues dans la douche de Lakemont, le cri de ma mère le jour où elle en a écrasé une sous son pied nu, le petit craquement, puis la chair molle comme une banane qu'elle a retirée de ses orteils.

Est-ce la liberté qui irrigue mes journées ? Je rêve que ma mère rince mes cheveux emmêlés dans un grand bol d'eau de pluie.

La douceur du temps, les jours agrandis, debout à l'aube : lorsque le soleil du cœur de l'été passe les crêtes de la vallée, les premiers rayons touchent mon visage de la même façon qu'ils frappent au solstice l'alignement de pierres levées à Stonehenge. Être parfaitement réveillée quand le ciel s'habille de stries rose corail, quand les soies de brouillard dérivent vers la vallée, et les canaris libres entament leur chanson. En Géorgie, mon père et moi nous levions tôt pour marcher sur la plage au lever du soleil. C'est le réveil qui me sort du sommeil à San Francisco, ou le klaxon du bus qui vient prendre la petite de l'étage du dessous, sinon le camion qui ramasse par cascades le verre de recyclage. J'aime la ville, mais ne m'y suis jamais vraiment sentie chez moi.

Les cités haut perchées, la cuisine, la langue, les arts m'ont attirée à la surface de l'Italie. J'ai été entraînée aussi par la vie qu'on y sent vécue, la coexistence de périodes qui contribuent à lui donner une aura d'intemporalité — je lève ma tasse de café chaque matin à la muraille étrusque au-dessus de la maison — toutes les grandes abstractions qui se révèlent partout, depuis l'agression des voitures le long de l'*autostrada*, jusqu'à la promenade de l'après-midi à travers la *piazza*. Je pose ma destinée ici de courts mois dans l'année, car ma curiosité envers ce pays et la profondeur de sa culture restent insatiables. Mais ce lien ombilical tellement imprévu, défiant toute logique, m'atteint par le travers de l'église.

À ma grande surprise, j'ai acheté une Marie de céramique avec un petit bol, réservés à un usage domestique de l'eau bénite. Étant une méthodiste apostasiée et une épiscopalienne abjurée, je suppose que mon eau bénite est un leurre. Je la prends à la source que j'ai découverte près de la maison, ce puits artésien où l'eau claire émerge dans une déclivité de pierre blanche. C'est de l'eau bénite pour moi. La source est sans doute celle qui alimentait au départ la maison. Ou elle est plus ancienne encore — médiévale, romaine, étrusque. Si un vague remue-ménage s'est déclaré en moi, je ne m'attends pas à en sortir catholique, ni même croyante. Je suis de toute façon païenne de naissance. Le populisme sudiste a bouilli très tôt dans mes veines ; l'idée d'un prélat infus du dernier mot me donne de l'urticaire. « Idolâtre », disait notre prêtre de l'adoration de Marie et des saints. « Poisson pourri, vendredi ? », c'est ainsi que mes camarades se moquaient de Andy Evans, seul enfant catholique de l'école. Lors d'une courte période, à l'université, le charme de la messe m'a quelque peu séduite, celle surtout des pêcheurs à trois heures du matin, dans la cathédrale Saint-Louis de La Nouvelle-Orléans. J'ai perdu tout intérêt pour ce genre de spectacle lorsque mon bon ami, catholique de New Orleans, m'enseigna avec le plus grand sérieux qu'au-delà de dix secondes le baiser devenait péché mortel. Pas de problème si on s'embrasse sur la bouche moins de dix secondes, mais vingt secondes sur la joue et les ennuis commencent. Si je m'intéresse encore aux rites, même desséchés, ce qui m'envoûte ici vient de bien plus profond.

J'aime aujourd'hui les messes courtes des minuscules églises des hautes rues de Cortona, où les mêmes résonances ont fourni aux habitants une calme ponctuation depuis presque huit cents ans. Le jour où un labrador noir s'est introduit dans l'église, le prêtre a interrompu son saint manège pour crier : « Au nom de Dieu, mettez-moi ce chien dehors. » Lorsque je m'arrête là un matin de semaine, je m'assois seule à détailler le baroque rural. Je pense : *me voilà ici.* J'aime ces processions qui arborent les reliques dans les rues, les prêtres aux robes d'or qui paradent dans un nuage d'encens, précédés d'enfants vêtus de blanc qui sèment en chemin leurs pétales de genêts, de roses, de marguerites. Dans la chaleur de midi, je crois presque halluciner. Que contient la petite boîte dorée au-dessus des têtes, entre les bannières — une écharde du berceau ? Qu'importe si l'on a cru que le petit Jésus était né humblement dans une *crèche*, c'est-à-dire une mangeoire à bestiaux ; voici une écharde de son vrai berceau. Ou est-ce que je me trompe ? C'est un éclat de la véritable croix. Et il parcourt les rues, où on lui fait prendre l'air une fois l'an. Je pense soudainement, que voulait dire ce cantique : *cloué pour moi sur la croix*, qui s'élevait il y a des années, tout droit par-dessus l'église de bois blanc en Géorgie ?

*

Dans mon vieux Sud, des panneaux sur les arbres disaient : « Repentez-vous. » À mi-hauteur d'un pin décharné, au-dessus du pot d'aluminium où coulait la résine, était accroché en guise d'avertissement un « Jésus revient ». Ici, quand j'allume l'auto-radio, une voix berçante implore la Vierge de plaider notre cause au purgatoire. L'église d'une ville voisine a pour relique un flacon du saint Lait. Comme dirait mon étudiant, c'est celui, euh, de Marie, quoi.

À midi sur la terrasse, j'allonge mes jambes au soleil en lisant l'histoire des premiers martyrs et des saints médiévaux. Je tombe sur San Lorenzo que l'on a mis à griller pour le punir de sa foi embarrassante. Il rôtit un moment avant de déclarer, dit-on : « Retournez-moi, je suis déjà cuit de ce côté. » Il est devenu ainsi le saint des cuisiniers. Les jeunes vierges martyres furent toutes violées, poignardées, torturées ou internées à cause de leur dévotion. Parfois la main de Dieu a fendu le ciel pour en emporter une, comme Ursula, qui ne voulait pas épouser le barbare Conan. Avec ses dix mille vierges, parquées dans leurs bateaux (renonçaient-elles toutes aux hommes ?), elle fut miraculeusement emportée par Dieu qui leur fit traverser des cieux malveillants pour les déposer à Rome, où elles se baignèrent dans une eau acidulée et fondèrent leur ordre sacré. La fréquence des miracles a quelque chose d'épatant. Au Moyen Âge, quelque vénérée femme retrouva brusquement dans sa bouche le prépuce du Christ. Je me demande s'il en existe une relique (de quoi aurait-il l'air ? un vieil élastique, tout mâchonné ? un chewing-gum desséché ?). Cette affaire de prépuce me laisse perplexe une bonne dizaine de minutes et je fixe les abeilles, plus loin, qui grouillent autour des *figli*, en essayant d'imaginer l'événement — je m'y reprends à plusieurs fois. Comment elle l'a reconnu, ce qu'elle a dit, sa réaction — un marais de spéculations. Il faut croire que je n'ai jamais entendu aux États-Unis parler de ces saintes qui y touchent, bien qu'on m'ait envoyé un jour une collection de livres neufs, consacrés à leur vie. Lorsque j'ai appelé la librairie, celle-ci m'a annoncé que mon bienfaiteur souhaitait garder l'anonymat. Je poursuis ma lecture pour découvrir que certaines souffraient d'une « sainte anorexie » et ne survivaient que grâce aux hosties. Lorsque les os d'une sainte étaient exhumés, un parfum de fleurs se répandait en ville. Saint François a un jour prêché à l'intention des oiseaux, qui reproduisirent en volant la forme d'une croix avant de se séparer dans les quatre directions. Les saints léchaient le pus et les poux des miséreux pour montrer leur humilité ; puis les fidèles se mirent à boire l'eau du bain des premiers. Lorsque, après la mort, on découpait le cœur d'un saint, peut-être y trouvait-on la Sainte Famille gravée sur un rubis. *Oh,* mais j'y pense, *c'est là qu'ils déposent leurs angoisses. Je peux comprendre cela.*

Et je le comprends parce que ces délires et prodiges quotidiens repartent très naturellement vers mon vieux Sud avide de miracles. Ce sont presque des souvenirs, finalement, ces vertèbres de la Vierge, l'ongle de pied de San Marco. Celui que je préfère est le souffle de San Giuseppe, père adoptif du Christ. J'imagine une bouteille de verre, vert opaque, munie d'un bouchon à l'émeri, et le souffle exhaler tout de suite à l'ouverture. Quand j'étais petite, notre couturière à la maison gardait ses calculs biliaires dans un bocal sur le rebord de la fenêtre, au-dessus de sa Singer. Tandis qu'elle marquait mon ourlet, la bouche pleine d'épingles, elle répétait : « Mon Dieu, que je n'ai pas envie de revivre ça. Bon, maintenant, tourne-toi. Même dans l'essence, on n'arrive pas à les dissoudre. » Son porte-bonheur contre le mal. Emblèmes et augures.

Santa Dorotea s'est cloîtrée deux ans dans sa cellule, au fond d'une oubliette dans l'humide cathédrale. Communion à travers la grille, régime de pain, d'avoine et de mortifications. Je détestais aller chez Miss Tibby, qui soignait les cors de ma mère. Elle pelait des copeaux de peau jaune au bord de ses orteils avec un économe avant de frotter ses pieds à l'aide d'une lotion qui sentait l'huile de carter et l'Ovomaltine. Son ampoule nue éclairait non seulement le pied de ma mère sur son coussin, mais aussi le cercueil dans lequel Miss Tibby dormait « pour ne pas avoir de mauvaises surprises plus tard ».

Nous nous garions avec mes amies à quelque distance du lycée pour secrètement épier derrière leurs fenêtres les Holly Rollers, qui parlaient des langages bizarres, et se mettaient parfois à hurler dans un air d'extase, avant de s'affaler par terre pour libérer leurs convulsions. Profanes, nous retenions nos fous rires devant leur ferveur probablement sexuelle et leurs contorsions. Nous revenions plus tard à la voiture, Jeff allumait une cigarette et nous les regardions sortir en file indienne de l'église décatie, avec l'air de personnes tout à fait ordinaires. À Naples, une fiole du sang congelé de San Gennaro se liquéfie une fois l'an. Il existe aussi un cruficix sur lequel un long cheveu poussait autrefois sur le corps de Jésus, et qu'il fallait raser tous les douze mois. Celui-là me semble particulièrement proche de la sensibilité sudiste.

Aux États-Unis, je ne pense pas qu'il se trouve d'endroits *consacrés* pour conserver l'empreinte de cette débile étrangeté, c'est pourquoi elle se contente de déborder quand elle veut. En traversant récemment le Sud, je me suis arrêtée près de Metter, en Géorgie, manger un *barbecue sandwich*. Une fois terminé mon porc sucré-salé et mon thé glacé, j'ai demandé au propriétaire de m'indiquer les toilettes ; par-dessus son embonpoint, les aisselles couvertes de sueur, il m'a montré le fond de la salle d'un hochement de tête. Rien qui me suggère qu'en ouvrant la contre-porte j'allais découvrir deux autruches en train de muer. Comment elles sont arrivées dans cette ville isolée du sud de la Géorgie et quel besoin de pittoresque a poussé cette famille à contempler et abriter ces poussiéreuses créatures procède d'un parti pris philosophique que j'ai longuement médité au cours de mes insomnies.

Élevée dans le Sud, entre la crainte de Dieu et la foi qui sauve puisque-la-fin-du-monde-est-proche, j'ai eu toutes les occasions de visiter les petits zoos à serpents qui bordent les stations-service où mes parents s'arrêtaient faire le plein ; de longer ces cérémonies religieuses où, au bord de la route et en pleine extase, on « tâte » du reptile ; de parcourir de minables foires « aux merveilles de ce monde » — reliquaires d'un autre genre — dans les villes qui jouxtent les marais. Je sais qu'une boîte contenant les os d'un chat noir sert à jeter un puissant mauvais sort. Et qu'un bracelet de pièces de dix cents repoussera celui-ci. J'ai pris l'habitude de ces cages pleines de bébés alligators qui rampent sur leur mère, une beauté de quatre mètres aux mâchoires assez grandes, ouvertes, pour que j'y tienne debout. Les clôtures des basses-cours, déjà affaissées, ne peuvent rien pour vous lorsqu'un de ces faux troncs d'arbres décide de se réveiller pour vous prendre en chasse — un alligator atteint les cent kilomètres-heure. Daims albinos couverts de tiques qui sautaient sur ma main tandis que je caressais le museau poisseux de leurs hôtes, panthères empaillées, deux billes vertes à la place des yeux, et un ténia de neuf mètres enroulé dans un pot. Le gardien explique qu'on l'a sorti de la gorge d'une nièce âgée de dix-sept ans, et que le docteur l'a fait sortir de son estomac en mettant devant sa bouche une gousse d'ail piquée sur un cure-dents. Ils attendirent ainsi jusqu'à ce que le solitaire passe la tête, l'ont attiré plus loin pour la trancher d'un coup de rasoir, et ont fini en extirpant le corps des entrailles de Darleen, comme un poisson au bout d'une canne à pêche.

Merveilles et miracles. Citadine, notre imagination est de moins en moins capable de surnaturel, cloués au sol comme nous le sommes par les réalités. Dans les zones rurales, plus proches des arbres et des étoiles, on est encore prêt à se lancer dans ce tourbillon. Je me rappelle le cobra, plus impressionnant encore avec sa tête plate que les serpents à sonnette, dont les peaux tapissent le bureau du propriétaire de la Huitième Merveille du Monde, où nous nous sommes arrêtés prendre de l'essence près de la frontière de la Géorgie. Nous sommes près de Jaspers, en Floride, où mon père et ma mère se sont mariés en pleine nuit. Mais je reste là, envoûtée, bien que ma mère m'ait avertie que les propriétaires ne sont que des forains, que leurs merveilles ne valent rien, et que j'ai exactement dix minutes pour regarder, faute de quoi ils partent sans moi à White Springs. Comme un léger frisson à l'idée de rester seule au bord du virage, flanqué de chênes mousseux, devant la caravane métallisée posée sur ses parpaings. J'aperçois une femme à l'intérieur, qui se lave les cheveux au-dessus d'une bassine d'étain, tandis que la radio hurle : « I'm so Lonesome I could Cry[*]. » J'étais déjà sûre et je sais toujours que l'homme à la torche tatouée sur le dos — elle brille dans le noir —, et aux biceps ornés de roses ouvertes, croyait vraiment à ses merveilles. Je le suis jusqu'à la hutte de bambous, où le cobra d'une obscure Calcutta s'élève au chant d'un peigne couvert de cellophane que l'on fait vibrer. Le cobra fascine le chien pelé dont la queue bat sur le cadre de la porte. Le paon pousse un puissant braillement, avant de faire sa grand-roue, et le bleu de ses plumes est plus intense que celui de mes yeux, ou

---

[*] « Je suis seul à en pleurer. »

celui de ma mère, qui avons, comme chacun sait, les plus purs yeux du ciel. Le paon, le serpent ont exactement les mêmes. La femme du patron sort de la caravane avec un boa constrictor posé en négligé sur ses épaules. Elle s'approche d'un autre serpent à qui elle vient de donner un gros rat à manger, entier. Le rongeur a simplement disparu, comme le poing dans la manche d'une veste. J'achète un Nehi et un biscuit d'avoine, puis cours rejoindre l'Oldsmobile qui vibre sous la chaleur. Mon père démarre en trombe ; le gravier fuse derrière nous. Ma mère se retourne : « Qu'as-tu acheté ?

— Quelque chose de frais à boire, et ça. » Je lui tends le gros biscuit.

« Il y a du saindoux là-dedans. Ce n'est pas de la crème — c'est de la vraie graisse de porc, tellement sucrée en plus que tu vas avoir mal aux dents. »

Je ne la crois pas, mais j'ouvre mon biscuit et, découvrant qu'il grouille de vers, je le jette par la fenêtre.

« Qu'est-ce que tu as vu, dans cet horrible piège à gogos ? »

Je réponds : « Rien. »

En grandissant, je me suis imprégnée de l'obsession sudiste de l'identité, du lieu où l'on vit qui devient en quelque sorte un prolongement du moi. Que je sois faite d'argile rouge, d'eau de fleuve noire, de sable blanc et de mousse, me semble naturel.

Toutefois, la femme qui réside aujourd'hui à San

Francisco n'a plus cette sensation d'appartenance. La ville blanche, la lumière nette sur l'eau, la côte d'une pureté à couper le souffle, et les collines Marin aux contours réguliers de ces géants endormis sous un berceau de verdure — me voilà touriste fascinée, ravie de cette brève escapade qui est ma vie d'adulte. Ma maison se confond dans des milliers d'autres ; ma vie pourrait n'être qu'une histoire de plus dans la ville nue. Depuis la fenêtre de la salle à manger, mes yeux parcourent, insouciants, la ligne effilée de la pyramide du Transamerica, la ligne accidentée de l'horizon. Tout le monde semble avoir entrouvert sa porte pour voir qui passe par là. Je vous regarde au travers de la fente ; et vous de même. Nous sommes des monuments d'autonomie.

*

Je ne me fatigue jamais d'entrer dans les églises italiennes. Voûtes et triptyques, oui. Mais chacune renferme une odeur caractéristique de poussière, la poussière bleue du temps. Dans leur langage codé, Annonciations, Nativités et Crucifixions dominent toutes les églises. Toutes se débattent au fond des choses avec les deux vrais éléments — la naissance et la mort. Nous sommes fragiles. Au sein des autels latéraux, des hautes arches, des manuscrits exposés dans les cryptes sous leurs cages de verre, dans les courbes ombreuses des absidioles, ces archétypes humains et l'onirique pays de la ferveur religieuse enserrent les formes des sujets peints au gré de leurs créateurs. Je suis attirée par un curieux tableau qui se projette littéralement hors du mur. Dans ce grand panneau sombre sous le toit de San Gimignano, Ève simplement prend vie et s'élève de la poitrine ouverte d'un Adam allongé. Ce n'est pas le *vvvouf* de la création immédiate telle que je l'ai imaginée en lisant la Genèse, lorsque Ève est apparue aussi aisément que la lumière fut. Non, la scène charnelle témoigne d'une passion d'*assister* aux miracles. Elle est aussi réelle que le prodigieux cobra de Calcutta s'élevant en spirale dans l'air humide de la Géorgie du Sud devant mes propres yeux. Adam est un tas de viande. La vision saisit le spectateur comme la torche phosphorescente du tatouage. Maintenant, écoutez bien cela. Au Duomo d'Orvieto, les hommes peints de Signorelli, revenus à leur chair au Jugement dernier, se dressent grandiloquents devant les squelettes grimaçants qu'ils étaient à l'instant. Si leurs corps brillent toujours par endroits de l'éclat d'un os nu, une lueur blanche et diaphane se dégage de leur peau, nouvelle et glorieuse. Curieux rebours — nous pensons d'habitude au déclin de la chair ; et voici là le rêve de la régénération. Dans ce même théâtre au sein de la cathédrale se suivent des visions de l'enfer, de diables à la peau verte et aux sexes de serpents. Les damnés sont tordus, frappés, lardés, tandis qu'une voluptueuse blonde (aucun doute sur la nature de *ses* péchés) s'envole sur le dos d'un diable aux ailes chétives et poussives. Nous trouvons d'évidence la psyché du peintre, son fantasme nocturne de la descente aux enfers, de la chute, du retour. Les icônes tendent au sublime, pourtant certaines ont quelque chose d'une bande dessinée, d'une progression muette, narrative et obtuse, très proche des sermons apocalyptiques des Fondamentalistes qui sévissent encore dans le Sud. S'il avait dû y avoir une suite aux Repentirs affichés sur les pins, elle n'aurait pu être que le Jugement dernier.

En faisant le tour des églises, je revois sans cesse San Sebastiano, le corps percé de flèches, Agata martyre, la poitrine posée sur un plat comme deux œufs cuits, Sant'Agnes pieusement agenouillée tandis qu'un charmant jeune garçon lui perce la nuque. Chaque église ou presque renferme un reliquaire, une miniature de mausolée, et qu'est-ce que cela veut dire ? Des épines de la couronne. Les empreintes digitales de San Lorenzo. Des talismans qui disent au visiteur : « Tenez bon ; comme eux, gardez la foi. » Debout dans la crypte obscure d'une église de campagne où l'on vénère depuis plusieurs siècles une poignée de poussière, je remarque qu'aujourd'hui encore, leur écrin est orné d'un frais bouquet d'œillets. J'arrive à ma seconde découverte : *c'est là qu'ils déposent leurs souvenirs et désirs.* Ces églises ne représentent pas seulement un vaste patrimoine culturel, elles tracent aussi la carte d'intimes besoins humains. Elles finissent par me sembler très familières (et si éloignées de l'histoire, sanglante, de la papauté) ; la robe épaisse de saint François, une autre relique de la Vierge Marie, cette fois un flacon de larmes. Je vois en elles le médaillon que je portais autrefois, celui qui contenait une mèche de cheveux châtains, dont plus personne ne savait d'où ils venaient, et la boîte de pétales de roses dans le placard, entre le flacon de magnésie hydratée, les lettres liées d'un ruban effiloché et la roche blanche transparente de Half Moon Bay. *Ne jamais oublier.* Lorsque je cire mes carreaux ou que j'essore le balai-éponge, je pense à Santa Zita de Lucca, patronne des ménagères, ce qu'était Willie Bell Smith dans notre maison de famille. Vanniers, mendiants, croque-morts, victimes de la dysenterie, notaires, spéléologues — tout le monde a son saint. *J'étais égaré mais l'on m'a retrouvé.* Le concept médiéval selon lequel le monde reflète l'esprit du Divin vient de basculer dans mon esprit. Et l'église que je vois maintenant est une carte en relief de l'esprit *humain,* cette fois. Une interprétation qui vient du fond des siècles : *nous* avons créé l'église d'après nos attentes, nos souvenirs, nos besoins, d'après les plis secrets d'intimes émerveillements.

Si j'ai mal à la gorge après un jus d'oranges, alors que je sais être allergique à celles-ci, un saint est là pour moi dans la monumentale église de Montepulciano, cette ville dont les syllabes sonnent comme un pizzicato de violoncelle. San Biago est une métaphore transsubstantiée avec une poignée de poussière dans un coffret ouvragé. Le petit trou de sa serrure nous rappelle ce que nous avons le

plus besoin de savoir, *vous n'êtes pas seuls au monde.*
San Biago rassemble mes idées et me projette au-
delà de l'âpre irritation de ma gorge. *Priez pour moi,
Biago, vous m'amenez plus loin que je ne peux.* Quand
le téléviseur est détraqué et que l'image ne s'arrange pas lorsqu'on tripote les boutons, ou qu'on
lui colle une claque sur le côté, il y a Santa Chiara
quelque part là-bas au royaume des saints. *Chiara,*
claire. Elle était clairvoyante, et de là, il n'y a qu'un
pas à faire pour trouver *récepteur,* le saint patron des
télécommunications. Tout à fait adapté à cette
jeune adepte de la transcendance. Une petite statue d'elle sur le récepteur TV ne peut pas faire de
mal. Le 31 juillet de l'année prochaine, l'alliance
de la Vierge sera exposée au Duomo de Perugia.
L'histoire relate qu'elle fut « pieusement volée »
— si ce n'est pas un contresens ? — dans une église
de Chiusi. Sans une once de foi littérale, quant à
moi, je viendrai.

*

En haut des marches de la maison, je passe une
main dans mon bénitier à la Vierge de céramique
et dessine un cercle sur mon front. Quand on m'a
baptisée, le prêtre méthodiste a trempé une rose
dans un bol en argent et m'a mouillé les cheveux.
J'ai toujours regretté de ne pas avoir été baptisée,
enfoncée jusqu'aux genoux, dans la boueuse Ala-
paha. On aurait maintenu ma tête sous l'eau jusqu'au dernier souffle, avant de me relever pour les

chants des fidèles. L'eau de source de mon bénitier n'est pas sacrée pour laver mes péchés ni ceux des autres mortels. *Mary* me fait plus volontiers penser à ma tante préférée qu'à Santa Maria. Marie est simplement devenue une amie, l'amie des mères qui ont souffert des douleurs de leurs enfants, celles des enfants qui assistèrent aux souffrances de leurs mères. Elle est pratiquement suspendue au-dessus de toutes les caisses enregistreuses, guichets de banques, comptoirs, boulangers de cette ville, et je me suis accoutumée à sa présence. L'écrivain anglais Tim Parks prétend que, sans cette ubiquité à même de nous rappeler que tout se poursuivra comme avant, « on serait tenté d'imaginer que ce qui nous est arrivé ici et maintenant fut unique et désespérément important... J'ai fini par me demander si la *Madonna* ne partage pas quelque particularité avec la lune ». Si. Mon eau non bénite est apaisante. Je m'arrête en haut de l'escalier pour répéter le joli mot *acqua*. Bien des années plus tôt, bébé apprit à dire *acqua* sur les rives du lac à Princeton, sous une voûte d'arbres aux abondantes fleurs roses. *Acqua, acqua,* criait-elle en prenant de l'eau dans ses mains qu'elle laissait pleuvoir sur sa tête. *Acqua,* plus proche pour moi des cascades étincelantes, évoque le mouillé et la découverte. J'entends encore le son de sa voix, mais je touche aujourd'hui mon petit doigt lorsque je me souviens. La chevalière en or, un trésor de famille, a glissé ce jour-là dans l'herbe où on ne l'a jamais retrouvée. *L'eau de la vie. L'intimité de la mémoire.*

Intimité. Le sentiment qu'éprouva Ève en touchant le sol, quand rien ne l'en aliénait.

Dans certaines peintures, la haute bourgade est posée dans la paume de Marie ou à l'abri de sa robe bleue. Je peux de mémoire arpenter toutes les rues de ma ville de Géorgie. Je connais les fourches des pacaniers, les canaux gorgés d'eau, le poirier dans l'allée. Les villages haut perchés de Toscane sont souvent de grands châteaux — de vastes demeures aux rues étroites comme des couloirs, et leurs *piazze* qui ressemblent à d'immenses salons publics, grouillants de visiteurs. Les églises villageoises ont un petit air secret ; la nappe repassée de l'autel, la dentelle, les dahlias écarlates dans leur vase seraient à leur place dans une chapelle privée ; et les maisons individuelles sont l'extension d'une plus grande. Je sens ici un prolongement de la mienne, de la même façon que les murs de mes grands-parents, de ma tante, de mes amis et les nôtres étaient aussi familiers que les lignes de ma main. J'aime les rues sinueuses qui mènent au couvent où je peux laisser quelque dentelle à arranger sur le carreau portatif de l'invisible nonne, dont les sœurs brodent et guipent depuis quatre cents ans dans cette aile de forteresse. Impossible d'apercevoir même la demi-lune de leurs ongles, ou l'ombre de leurs manières. Deux femmes dans la rue, qui doivent se connaître depuis toujours, sont assises sur de vieilles chaises de bois, devant le pas de la porte où elles tricotent. La ruelle de pierre trace une pente abrupte vers le rempart. Au-delà s'allonge la vallée dans son immense lit. Une ridicule Fiat s'est mis en tête de grimper la rue escarpée qu'aucune voiture ne devrait passer. Folie. Mon père allait conduire dans les torrents gonflés qui inondaient les plis soudains des chemins de terre. J'en avais des frissons de plaisir. Il riait et klaxonnait, tandis que l'eau montait le long des vitres. Non, si haut que cela ?

Nous pouvons revenir dans ces grandes demeures, détacher les planches du portail, simplement glisser la clef de fer trop grande dans le verrou et pousser le battant.

Solleone

Solleone. Le suffixe *-one* est bien commode en italien : c'est le mot qui grandit. *Porta,* la porte,
devient *portone,* et l'on sait tout de suite où est l'entrée principale. *Torre* devient *torreone,* le nom de
notre canton de Cortona, qu'une grande tour
dominait probablement jadis. Un *minestrone,* de ce
fait, est toujours une grande soupe. *Solleone*
— grand soleil au cœur de l'été. Ce que l'on appelait *dog days,* les « journées de chien », dans le Sud.
Notre cuisinière m'a expliqué un jour qu'à cette
période les chiens devenaient fous à cause de la
chaleur et se mettaient à mordre, que je serais mor-
due moi aussi si je ne faisais pas attention. Je fus
déçue de comprendre plus tard que l'expression
désignait le moment où Sirius, étoile alpha de la
constellation du Grand Chien, se lève et se couche
en même temps que le soleil. Le professeur de
sciences nous apprit que Sirius était deux fois plus
grande que le soleil et je crus intimement y trouver
la raison de cette double canicule. Ici, le grand
soleil remplit le ciel, comme dans cet archétype du

dessin enfantin où il forme un trio avec arbre et maison. Les cigales, complices, fournissent l'accompagnement parfait à cet échauffement. À l'aube, leurs stridulations ne sont encore qu'à hauteur d'horizon. Je me demande comment, à peine gros comme le doigt, ces insectes provoquent un tel raffut en faisant simplement vibrer leur abdomen. À l'heure où leurs craquètements atteignent le haut aigu, j'ai l'impression d'entendre un tambourin frapper les os de l'oreille interne. À midi, elles font un bruit de sitar, qui est bien l'instrument le plus énervant que je connaisse. Seul le vent les apaise ; peut-être doivent-elles alors se fixer quelque part, et leurs membres suspendus les empêchent de chanter. Mais le vent se lève rarement, sinon parfois un fâcheux sirocco, qui souffle sans rafraîchir, quand le soleil rugit. Si j'étais un chat, je ferais le gros dos. Ce vent chaud pousse des particules de sable des déserts africains que l'on garde dans la gorge. Si j'étends mon linge, il sèche en quelques minutes. Le papier, dans mon bureau, se met à voler comme un lâcher de colombes, puis se pose aux quatre coins. Les *tigli* rendent quelques feuilles séchées et les fleurs soudain semblent lavées de toute couleur, bien qu'il y ait eu assez d'eau cet été pour fidèlement les arroser chaque jour. Le jet libère directement l'eau du vieux puits qui, glacée, doit les foudroyer au bout d'une journée de grande chaleur. Peut-être en sont-elles épuisées. Le poirier de la première terrasse ressemble à une femme dont l'enfant ne veut plus naître. Nous aurions dû le délester de quelques fruits. Les branches ploient sur ses poires dorées qui commencent à rougir. Je n'arrive pas à me décider entre mes lectures métaphysiques ou préparer le dîner. La nature ultime de l'être ou une soupe à l'ail froide. Les deux ne sont pas si éloignés, après tout. Et qu'importe, s'ils le sont ; j'ai trop chaud pour y réfléchir.

Plus il fait chaud le jour, plus je me lève de bonne heure. Huit, sept ou six heures, et déjà je me couvre d'un écran solaire treize. Torreone est le point de départ des promenades les plus fraîches. Un chemin qui descend la colline mène à Le Celle, un monastère du XIIIe siècle où la minuscule cellule de saint François donne toujours sur un ruisseau qui gonfle après les pluies. Les premiers franciscains ont été nombreux à venir en ermitage au Monte Sant'Egidio et l'ont fondé en 1211. Son architecture, un rayonnage de pierres collé sur la colline, rappelle leurs cavernes. Quand je marche jusqu'ici, la paix et la solitude donnent l'impression d'être palpables. Les premières semaines de l'été, l'eau au fond de sa gorge fredonne un air à elle, et des chants s'élèvent par-dessus. En ce moment, le ruisseau est presque sec. Le verger des moines est un modèle du genre. L'un des frères capucins qui vivent maintenant ici monte péniblement la colline, pieds nus, lorsqu'il se rend en ville. Vêtu d'une robe marron et rêche, coiffé de son curieux capuce blanc et pointu (d'où le *cappuccino*), il s'aide de deux bâtons de bois

Sous sa barbe blanche et ses yeux bruns perçants, il
a l'air de revenir du Moyen Âge. Lorsque je le
croise, il me dit en souriant « *Buon giorno, signora.*
Bene qua », c'est joli ici, en me montrant le paysage
du bout de sa barbe. Puis il glisse, notre Père le
Temps, skieur de fond.

Mais je prends un autre chemin ce matin, un
peu plus haut, qui longe quelques maisons neuves
et le chenil, dont les locataires se lancent dans
leurs ovations et n'arrêtent qu'à un mètre cinquante au-delà de l'enclos. La route n'est ensuite
qu'une piste blanche dans la forêt de pins et de
châtaigniers, sans personne, ni voiture. On croirait
que quelqu'un a semé sur les bas-côtés de grands
sachets de graines et que les fleurs sauvages ont
toutes pris racine pour s'épanouir maintenant. Je
monte au bord de la colline voir de près une maison abandonnée, dont l'épais toit d'ardoise donne
une idée de l'âge. Les portes et les fenêtres sont
couvertes de mûriers. J'entrevois les murs de pierre
à l'intérieur. Me retournant, je domine un long
panorama où se détachent le profil de Cortona et
toute l'étendue du Val di Chiana, patchwork jaune
et vert de tournesols et de cultures en champs.
L'étage doit être bas de plafond, suffisant à un lit
grossier de branches de châtaigniers, à un édredon
blanc comme ses plumes d'oie La terrasse devrait
être là — devant le buisson de lilas. Une rose rose
déborde de couleur sans que l'on s'occupe d'elle.
À qui était-elle ? À la femme du bûcheron taciturne
qui fumait sa pipe par les soirées d'hiver en buvant

sa *grappa*, lorsque la *tramontagna* faisait vibrer les vitres du fond de la maison ? Peut-être lui en voulait-elle de l'avoir emmenée si loin de tout. Non, elle était heureuse de couvrir de broderies le linge de la *contessa*.

La maison est petite — mais pourquoi s'enfermer lorsqu'on a au-dehors une grande terrasse qui s'ouvre sur le monde ? Pourtant la maison est là : elle attend au cas où. Le rêve commence lorsque l'on imagine, en la voyant, une autre version de soi-même. Quelqu'un finira par l'acheter et se mettra à courir au fond de la Toscane pour retrouver les ardoises initiales du toit. Ou bien remplacera le tout par des tuiles neuves. Quelle que soit sa préférence, le nouvel occupant se verra chez lui dans ce nid d'aigle désert, répondra à l'attrait magnétique du vaste paysage, un endroit où chaque jour faire languir et calmer l'impatiente bête.

Au bout de la route, un sentier traverse les bois pour donner accès à celle des voies romaines qui a notre préférence. Je suppose qu'elle fut construite par des esclaves. Quand j'ai appris l'existence d'une *via romana* près de chez nous, j'ai pensé qu'elle serait la seule. Mais je suis tombée peu après sur un livre plutôt épais qui décrit celles, nombreuses, de la région. Tout en avançant, j'essaie d'imaginer des chars en train de fendre la colline. Je ne rencontrerais pourtant, selon toute probabilité, qu'un *cinghiale*, un sanglier, maraudant alentour. Ici un ruisseau n'est plus qu'un mince filet d'eau. Un messager romain, pris d'un coup de

chaleur, s'est peut-être arrêté, comme je le fais,
pour se rafraîchir les pieds, avant de repartir au sud
annoncer où en était l'érection du mur d'Hadrien.
Des visiteurs plus proches sont venus ; j'aperçois
sur le talus herbeux un préservatif et un petit tas de
mouchoirs en papier.

En arrivant en ville, je passe devant un homme,
desséché, au teint de craie, qui d'évidence devra
bientôt mourir. On l'a amené sur le pas de la porte,
en plein soleil, comme vers sa dernière chance. Les
mains ouvertes sur sa poitrine, il réchauffe tout son
corps. Ses doigts sont immenses. Hier, suite à un
choc puissant, mon pouce est resté gourd pendant
une demi-heure. J'étais dans mon bureau, en train
de déloger l'interrupteur du plafonnier qui s'était
niché, je ne sais comment, à l'intérieur du radiateur. Mais le cache de plastique s'est ouvert, et mon
pouce a touché les fils, alors que mon autre main
tenait le métal. J'ai bondi en arrière en poussant
un hurlement. La sensation brute, impensable, ani-
male, du choc — je me demande si cet homme à la
porte la ressent au soleil. Comme si la grande force
solaire remplaçait à mesure la vie qui s'enfuit de
lui. Assise à côté, sa femme semble attendre. Elle
ne fait rien, ni couture ni bouture, elle est son
garde avant le voyage pour l'autre monde. Peut-
être fera-t-elle sécher son corps sans vie, avant
d'oindre ses os d'huile d'olive et de vin. À moins
que la chaleur ne me monte aussi à la tête et qu'il
ne se remette juste de l'appendicite.

*

Nous devons partir à Arezzo, à une demi-heure de route, payer l'assurance de l'année prochaine. Ils semblent préférer nous voir, plutôt que recevoir un chèque par la poste. Nous nous garons au parking de la gare, bouillant. Exposée au soleil, l'horloge numérique qui fait aussi thermomètre indique trente-six degrés. Après notre charmant entretien avec le signor Donati, suivi d'une glace, d'un saut chez Sugar, la boutique où Ed aime acheter ses chemises, et chez Busatti, celle où j'aime prendre le linge de la maison, nous revenons à la voiture pour la trouver coiffée d'un bon quarante degrés. La poignée de la portière semble sortir du feu. Une fournaise s'abat à l'intérieur sur nous. Nous ouvrons tout en grand et finissons par remonter. Mes sourcils et mes boucles d'oreilles brûlent. Ed ne touche le volant qu'entre l'index et le pouce. Je crois que mes cheveux fument. Les magasins ferment ; c'est le moment le plus chaud de la journée la plus chaude de toute l'année. Je me laisse glisser à la maison dans un bain frais, un gant de toilette mouillé sur la figure, jusqu'à ce que mon corps prenne la température de l'eau.

La sieste devient un rituel. Nous fermons les volets sur les fenêtres ouvertes. Dans toute la maison, des échelles de lumière s'impriment sur le sol. Quand je commets la folie de sortir après une heure et demie, je ne trouve personne dehors, pas même un chien. Le mot *torpeur* vient à l'esprit. Les boutiques ferment toutes trois heures sacrées de suite. Si vous avez besoin de soigner une piqûre d'abeille ou une allergie, tant pis. La *siesta* est en Italie l'heure des grandes écoutes de la télévision. Du sexe aussi. Ce qui vaut peut-être l'une des différences entre le tempérament du Sud et celui du Nord : ici, les enfants sont conçus dans la lumière, là-bas, dans le noir. Ovide a écrit un poème sur la sieste, dès avant le premier millénaire. Allongé, détendu dans l'été sensuel, il n'a laissé qu'un volet entrouvert pour « cette demi-lumière », explique-t-il, « dont les timides jeunes filles ont besoin pour cacher leur hésitation ». Puis il enlève la robe qui, elle, cachait peu de chose. Eh bien, sous le soleil tout est toujours nouveau. Jadis comme aujourd'hui, on fait la petite toilette et on retourne travailler.

Quelle merveilleuse idée. Être invité trois heures au milieu de la journée par ses propres intérêts et ses propres désirs. Et au moment propice, pas le soir, écrasé après huit ou neuf heures d'un travail pénible.

D'étage en étage, tout est parfaitement silencieux derrière nos volets fermés. Même les cigales sont parties. Après-midi calme et rêveur. Pour le plaisir entre autres de glisser pieds nus sur les carreaux rafraîchissants, je passe de pièce en pièce. Aspect classique — j'ai déjà examiné onze fois ainsi le nouveau living-room et j'y reviens encore : poutres noires, plafond blanc, sol coloré et luisant. Les textures irrégulières et les vifs contrastes des couleurs de l'habitat toscan font pour moi les plus accueillantes des pièces de toutes les architectures. Fraîches et sereines l'été, elles rassurent et confortent l'hiver. Les maisons tropicales avec leurs toits de bambous et ces murs que l'on ouvre comme des volets pour profiter de l'air, ou les bâtisses d'adobe du sud-ouest des États-Unis, dont les banquettes et les cheminées sont arrondies pour rappeler la forme du corps, donnent toutes le même sentiment de proximité : *je pourrais vivre là*. Leur architecture semble naturelle, comme si elles poussaient d'elles-mêmes et que la main humaine aidait juste leur modelage. En italien, une couche de peinture ou de cire prend le nom de *mano*, c'est un coup de main. Avant le plâtrage, j'ai remarqué que Fabio avait inscrit ses initiales dans le ciment frais. Je me rappelle les Polonais qui ont écrit POLONIA tout en bas de la murette. Je me demande si les archéologues trouvent autant de témoignages des mains anonymes qui ont durement travaillé. Dans la grotte préhistorique de Pech-Merle en France, je fus très surprise de voir, au-dessus de chevaux mouchetés, des empreintes de mains, enfantines, qui ressemblent à celles des écoles maternelles. Vraie « signature » d'artiste, avant toute écriture, apposée au sang, à la suie, à la cendre ! Lorsqu'on ouvrit les grandes tombes d'Égypte, on trouva dans le sable les empreintes de pieds de la dernière personne sortie avant de boucher l'accès : dernière tâche, journée de travail finie.

Un papillon, enfermé dans la pièce, revient sans

arrêt se frotter au volet sans trouver l'issue. Le ventilateur bourdonne pendant que je m'endors, sa tête miroitante fait de longs va-et-vient.

*

J'aime la forte chaleur. J'adore son insistance, ses excès. Quelque chose en moi dit oui. Cela vient peut-être du fait que j'ai grandi dans le Sud, mais j'ai plutôt l'impression d'un « oui » fondamental, qui remonte fort loin aux têtes fossilisées des premières personnes qui soient venues au jour du grand soleil.

Le paysage reste rafraîchissant, même s'il cuit. Les terrasses ne sont pas décolorées cette année, comme elles peuvent l'être parfois. Le point de vue jusqu'aux Apennins est tout vert de forêts. Tout en bas de la vallée, je distingue un petit bâton de silhouette plonger dans une piscine.

Nous sommes quand même en altitude, c'est pourquoi les nuits plus douces nous offrent leur aimable fraîcheur. En fin d'après-midi, d'énormes nuages traversent le ciel. Leurs ombres rampent au fil des collines vertes. Ce soir les perséides nous éclaboussent — nuit de San Lorenzo et des étoiles filantes que l'on célèbre par un vrai dîner. Nous y avons déjà assisté et nous rappelons l'émerveillement, « oh là ! », juste une seconde trop tard, puis la vive cascade d'un météorite, si courte, et depuis longtemps achevée. La soupe froide à l'ail, qui a eu raison de Boèce, attend au frigidaire. Le poulet

citron-basilic, une découverte accidentelle, et le
plat de terre cuite de gratin dauphinois sont déjà
prêts pour le four. J'ai suffisamment de poires
mûres à peler et trancher pour improviser le flan
au mascarpone dans lequel elles cuiront. Je gratte
les fientes des oiseaux sur la table jaune avant
d'étendre la nappe que j'ai cousue cet hiver avec
les restes du tissu qui couvrait les meubles d'osier
de ma terrasse à Palo Alto, il y a quinze ans. J'avais
passé des journées sur la double bordure du coussin de la chaise longue. Je pourrais sortir à ce
moment même de la salle à manger, redonner
forme à mes coussins, dire au chien de se coucher,
et partir dans le jardin de néfliers, de kumquats, de
lauriers-cerises et d'oliviers. Non, vraiment ? Tout
dure. Comment aurais-je pu penser, en achetant ce
rouleau aux motifs à fleurs jaunes à Calico Corners,
qu'il finirait sur une table en Italie, alors que j'aurais moi commencé une autre vie.

   Comme dans un jeu de cartes retourné en éclair,
ma rétine entrevoit par milliers les possibilités, tri-
viales comme sérieuses, qui se sont réunies pour
refaire ce lieu. Quelque autre changement arbi-
traire en chemin et je ne serais pas là : je serais
quelqu'un d'autre. D'où vient en premier lieu l'expression « se faire une place au soleil » ? Mon
esprit rationnel s'attache toujours à l'idée d'un
libre arbitre et d'événements aléatoires ; mon sang,
en revanche, coule gentiment sur le tracé du destin. Je suis ici parce que j'ai escaladé la fenêtre, une
nuit que j'avais quatre ans.

*

Tous les fruits du grand soleil méditerranéen ont mûri. Des cerises qui m'attendent au début, l'été passe bientôt aux pêches jaunes. Le long de la voie romaine qui monte à Sant'Egidio, nous cueillons par poignées le fruit le plus divin, minuscules fraises des bois pendues comme des joyaux sous leurs feuilles dentelées. Puis c'est l'époque des autres pêches, à la chair pâle et odorante. Leurs *gelati* vous feraient danser. Et les prunes, de toutes les sortes — rondes, petites et dorées ; violet-rouge et sombres , ou encore vert léger, grosses comme des balles de golf. Les raisins commencent alors à arriver du Sud. Quelques pommes rougeaudes, et les premières poires mûrissent. Courtes et vertes, elles ne semblent pas l'être, et pourtant. Viennent ensuite les jaunes, rondes et tachetées. Les figues qui commencent seulement à gonfler en août n'atteindront la perfection qu'en septembre. Et finalement les mûres, fruits du cœur de l'été, sont mûres.

Quelques jours avant de repartir, à la fin du mois d'août, je prends ma passoire et j'en ramasse assez pour le petit déjeuner. Si les oiseaux s'affolent autour chaque matin, ils n'arrivent quand même pas à les manger toutes. Cueillir les mûres est un plaisir retrouvé de la nature — ignorer celles qui gardent encore une nuance de rouge, celles qui giclent, ne choisir que le fruit parfait et mûr jusqu'à ce que les doigts soient légèrement rosis. Le goût de ces mûres chauffées par le soleil me remet en mémoire celles dont je remplissais un pot dans un cimetière abandonné. Assise, petite fille, sur un tas de poussière, je mangeais inconsciemment les savoureuses baies d'un arbuste dont les racines serraient les os des morts.

Les abeilles creusent les poires. Les grives se repaissent de celles qui sont tombées. Qui sait de quelle façon les désirs de nos ancêtres motivent nos actes ? Ce parfum de fruit fondant me rappelle ma méchante grand-mère Davis. En privé, mon père la surnommait le Serpent. Aveugle, ses yeux étaient ceux d'une statue grecque, mais j'ai toujours pensé qu'elle voyait. Son charmant mari a dilapidé toutes les propriétés héritées de ses parents — une bonne part de la Géorgie du Sud. Le dimanche en voiture, elle voulait toujours que ma mère l'emmène vers ses terres perdues. Elle ne les voyait pas, mais retrouvait dans l'air humide l'odeur des champs de coton et d'arachide. « Tout ça, marmonnait-elle, tout *ça.* » Je levais les yeux de mon livre. De chaque côté de la voiture, la terre brune s'étendait platement jusqu'à l'horizon. D'ici, qui croirait la terre ronde ? J'ai repensé pour la première fois à elle le jour où les terrasses venaient d'être labourées, et que la terre retournée était prête pour les semis. Fertile, riche comme un gâteau au chocolat. Big Mama, pensai-je, tête cuite, vieux serpent, regarde un peu cette terre, tout *ça.*

Une averse rapide brise la canicule. Lapidaire et déterminée, elle gonfle le sol et s'en va — partie, terminé. Le paysage s'estompe derrière les fenêtres. Et le soleil rebondit, mais il n'a plus toutefois de quoi nous effrayer. Là, la brèche de l'automne. Qu'y a-t-il ? L'odeur des feuilles qui sèchent. Un soudain changement d'air, une légère teinte d'ambre qui change la lumière, puis une brume bleutée en suspens le soir sur la vallée. J'aimerais tant voir les feuilles se plier, récolter noisettes et amandes, sentir la première gelée et allumer un feu de brindilles d'oliviers pour dissiper les frissons du matin. Mes vêtements d'été rejoignent mon grand sac rond sous le lit. Je tresse quelques couronnes de vignes, mêlées de sauge, de thym et d'origan, dont je me servirai en décembre. Les fleurs de fenouil que j'ai fait sécher sur une treille vont dans un moule peint, trouvé dans la maison. Peut-être la *nonna* dont je me suis peu à peu éprise y conservait aussi les siennes.

L'homme au manteau jeté sur les épaules s'arrête devant la murette avec sa poignée d'achillées séchées. Il époussette la niche du flanc de la main. Tout l'automne, pendant que je m'affaire avec mes étudiants, il suivra la route blanche, peut-être couvert d'une vieille laine, l'écharpe bientôt autour du cou. Il s'éloigne maintenant. Je le vois s'arrêter au milieu du chemin et regarder la maison derrière lui. Je me demande, pour la millième fois, ce qui emplit ses pensées. Il me voit à la fenêtre, ajuste le manteau sur ses épaules, et s'en retourne chez lui.

Les livres éparpillés retrouvent leurs étagères : ma maison est en ordre. Mon dernier *cobbler* aux mûres et je m'en vais. Un lézard se faufile, prend peur, retrouve la porte. La pensée de l'avenir file sa toile en moi. Quel aimant au-dehors cherche à me retenir ? J'empile les draps repassés sur les étagères de l'*armadio*. Je trouve une liste en rangeant mon bureau : crème pour les cuivres, ficelle, appeler Donatella, planter les tournesols, plus d'autres roses trémières. Le soleil vient frapper la muraille étrusque, les acacias se parent d'une dentelle de lumière. Deux papillons blancs flirtent en voletant. Passant de fenêtre en fenêtre, je m'imprègne de la vue.

REMERCIEMENTS

Je remercie vivement mon agent, Peter Ginsberg, de Curtis Brown Ltd., et Jay Schaefer, mon éditeur à Chronicle Books. Ma reconnaissance toute particulière va à Kate Chynoweth, de Chronicle Books. Jane Piorko du *New York Times*, Elaine Greene de *House Beautiful*, Rosellen Brown de *Ploughshares* ont publié des extraits de ce livre : *mille grazie*. Mes amis et ma famille méritent au moins une bouteille de chianti et une brassée de coquelicots de Toscane : Todd Alden, Paul Bertolli, Anselmo Bettarelli, Josephine Carson, Ben Hernandez, Charlotte Painter, Donatella di Palme, Rupert Palmer, Lyndall Passerini, Tom Sterling, Alain Vidal, Marcia et Dick Wertime, et tous les Willcoxon. Je rends hommage à la mémoire de Clare Sterling pour son esprit et sa sagesse. À Ed Kleinschmidt et Ashley King, mon immense gratitude.

DU MÊME AUTEUR

Aux Éditions du Quai Voltaire / La Table Ronde

BELLA ITALIA, 1999 (Folio n° 3524)
SOUS LE SOLEIL DE TOSCANE, 1998 (Folio n° 3183)
EN TOSCANE, avec Edward Mayes, photos de Bob Kirst, 2001
SWAN, Georgie, 2003 (Folio n° 4058)

Composition Nord Compo.
Impression Société Nouvelle Firmin-Didot
à Mesnil-sur-l'Estrée, le 3 février 2005.
Dépôt légal : février 2005.
1ᵉʳ dépôt légal : septembre 1999.
Numéro d'imprimeur : 72185.

ISBN 2-07-040760-8/Imprimé en France.

134934